Chamb
Gern
Verbs

Chambers

CHAMBERS

An imprint of Chambers Harrap Publishers Ltd
7 Hopetoun Crescent, Edinburgh, EH7 4AY

Chambers Harrap is an Hachette UK company

This third edition published by Chambers Harrap Publishers Ltd 2009
First published as *Harrap's German Verbs* in 1988
Second edition published 2003

A CIP catalogue record for this book is available from the British Library.

ISBN 978 0550 10505 9

10 9 8 7 6 5 4 3 2 1

Every reasonable effort has been made by the author and the publishers to trace the
copyright holders of material quoted in this book. Any errors or omissions should be
notified in writing to the publishers, who will endeavour to rectify the situation for
any reprints and future editions.

Project Editors: Alex Hepworth, Kate Nicholson
With Helen Bleck

www.chambers.co.uk

Designed by Chambers Harrap Publishers Ltd, Edinburgh
Typeset in Rotis Serif and Meta Plus by Macmillan Publishing Solutions
Printed and bound in Spain by Graphy Cems

INTRODUCTION

Chambers' concise yet authoritative guide to German verbs is designed to be a quick, straightforward reference for all learners of German. It opens with some essential grammatical information, explaining in accessible terms how different verb types are conjugated and how the various tenses are used. The main body of the book is then comprised of verb tables, showing the full conjugation of over 200 German verbs which can be used as models for all the others. In the extensive bilingual index, verbs are cross-referred to the table whose model they follow, while those used as models themselves are clearly marked.

This new edition has been fully revised to take into account the latest German spelling reforms, and features a smart two-colour design to make consultation even easier and more enjoyable. Suitable for everyone from beginners to experienced language learners, this pocket reference is an essential companion for anyone wishing to communicate effectively in German.

CONTENTS

A GLOSSARY OF GRAMMATICAL TERMS   5

GRAMMATICAL INFORMATION   9

   A.   TYPES OF VERB   9
   B.   USE OF TENSES   10
   C.   MODAL VERBS   14
   D.   du, ihr OR Sie?   15
   E.   VERBS TAKING EITHER sein OR haben   15
   F.   THE PASSIVE   16
   G.   PREFIXES   18
   H.   VERBS TAKING THE DATIVE   20
   I.   VERBS FOLLOWED BY PREPOSITIONS   21

VERB TABLES   24

INDEX OF GERMAN VERBS   231

ENGLISH-GERMAN INDEX   257

A GLOSSARY OF GRAMMATICAL TERMS

ACTIVE   The active form of a verb is the basic form as in I *remember* him. It is normally opposed to the passive form of the verb as in **he will *be remembered***.

AUXILIARY   Auxiliary verbs are used to form compound tenses of other verbs, eg *have* in **I have seen** or *will* in **she will go**. The main auxiliary verbs in German are sein, haben and werden.

CLAUSE   A clause is a group of words which contains at least a subject and a verb: **he said** is a clause. A clause often contains more than this basic information, eg **he said this to her yesterday**. Sentences can be made up of several clauses, eg **he said/he'd call me/if he were free**.

COMPOUND TENSE   Compound tenses are verb tenses consisting of more than one element. In German, the compound tenses of a verb are formed by the **AUXILIARY** verb and the **PAST PARTICIPLE** and/or **INFINITIVE**: ich habe gesehen, er ist gekommen, er wird kommen.

CONDITIONAL   This mood is used to describe what someone would do, or something that would happen if a condition were fulfilled (eg **I *would come*** if I was well, the chair *would have broken* if he had sat on it).

CONJUGATION   The conjugation of a verb is the set of different forms taken in the particular tenses and moods of that verb.

DIRECT OBJECT The direct object is a noun or a pronoun which in English follows a verb without any linking preposition, eg I met *a friend*. In German the direct object is always in the accusative case, eg ich kenne *ihn* (I know *him*). Note that in English a preposition is often omitted, eg I sent him a present – *him* is equivalent to *to him* – *a present* is the direct object.

ENDING The ending of a verb is determined by the **PERSON** (1st/2nd/3rd) and number (singular/plural) of its subject.

IMPERATIVE The imperative is a **MOOD** used for giving orders (eg stop!, don't go!) or for making suggestions (eg let's go).

INDICATIVE This is the normal form of a verb as in I like, he came, we are trying. It is opposed to the subjunctive, conditional and imperative.

INDIRECT OBJECT A pronoun or noun which follows a verb sometimes with a linking preposition (usually to), eg I spoke to *my friend/him*, she gave *him* a kiss. In German the indirect object takes the dative case.

INFINITIVE The infinitive is the form of the verb as found in dictionaries. In English it is often preceded by to, eg to eat, to finish, to take are infinitives. In German, all infinitives end in -n: leben, gehen, lächeln, ärgern.

INTRANSITIVE VERB Intransitive verbs do not take a **DIRECT OBJECT** (eg Peter sneezed loudly).

MOOD This is the name given to the four main areas within which a verb is conjugated. *See* **INDICATIVE, SUBJUNCTIVE, CONDITIONAL, IMPERATIVE**.

OBJECT *See* DIRECT OBJECT.

PASSIVE A verb is used in the passive when the subject of the verb does not perform the action but is subjected to it. In English, the passive is formed with a part of the verb **to be** and the past participle of the verb, eg **he was rewarded**.

PAST PARTICIPLE The past participle of a verb is the form which is used after **to have** in English, eg **I have** *eaten*, **I have** *said*, **you have** *tried*.

PERSON In any tense, there are three persons in the singular (1st: **I** ..., 2nd: **you** ..., 3rd: **he/she** ...), and three in the plural (1st: **we** ..., 2nd: **you** ..., 3rd: **they** ...).

PRESENT PARTICIPLE The present participle is the verb form which ends in **-ing** in English and **-end** in German.

REFLEXIVE Reflexive verbs 'reflect' the action back onto the subject (eg **I dressed myself**). They are always found with a reflexive pronoun and are more common in German than in English.

SUBJECT The subject of a verb is the noun or pronoun which performs the action. In the sentences **the train left early** and **she bought a CD**, *the train* and *she* are the subjects.

SUBJUNCTIVE The subjunctive is a verb form which is rarely used in English (eg **if I** *were* **you**, **God** *save* **the Queen**). It is more common in German.

SUBORDINATE CLAUSE A subordinate clause is a group of words with a subject and a verb which is dependent on another **CLAUSE**, ie it cannot stand alone. For example, in **he said he would leave**, *he would leave* is the subordinate clause dependent on *he said*.

STEM *See* VERB STEM.

TENSE Verbs are used in tenses, which indicate when an action takes place, eg in the present, the past, the future.

TRANSITIVE VERB Transitive verbs are those that take a DIRECT OBJECT (eg he ate the apple).

VERB STEM The stem of a verb is its 'basic unit' to which the various endings are added. To find the stem of a German verb, remove -en or -n from the infinitive. So the stem of sagen is sag-, and the stem of ärgern is ärger-.

VOICE The two voices of a verb are its ACTIVE and PASSIVE forms.

GRAMMATICAL INFORMATION

A TYPES OF VERB

There are two main types of verb in German, generally referred to as weak verbs and strong verbs.

The main difference between these two types is in the formation of the imperfect tense and of the past participle: the weak verbs add a characteristic -t- to the verb stem (= infinitive without -(e)n ending); strong verbs change the stem vowel when forming the imperfect tense and past participle, for example:

		IMPERFECT	PAST PARTICIPLE
weak:	packen	ich packte	gepackt
strong:	singen	ich sang	gesungen

As you can see, these two basic types of verb are similar to the two basic verb types in English (from the examples above, English pack – packed – packed and sing – sang – sung).

This similarity of verb form between English and German is very helpful in learning German verbs – but it does not always apply. However, if an English and German verb have the same root, eg packen (to pack), singen (to sing), sagen (to say), lieben (to love), the likelihood is that they will both be of the same type. Exceptions such as helfen (strong in German) and help (weak in English) should warn you to check if in doubt.

By far the largest number of verbs belong to the weak group. New creations are always weak, eg managen – gemanagt (to manage). Many strong verbs, however, are very common verbs, eg sein (to be), gehen (to go) etc, and their parts have to be learnt.

In German there is also a group of what is known as 'mixed verbs'. There are nine of these:

brennen	to burn	kennen	to know	senden	to send
denken	to think	nennen	to name	wissen	to know
bringen	to bring	rennen	to run	wenden	to turn

These verbs share some of the features of strong verbs and some of the features of weak verbs. Their full forms are given in the verb tables.

B USE OF TENSES

The following section gives explanations and examples of usage of the various verb tenses and moods that are listed in the verb tables in this book.

1 The PRESENT TENSE is used:

   i) to express present states or actions:

      ich fühle mich schlecht   **es regnet**
      I feel ill   it rains/it is raining

   ii) to express general or universal truths:

      Sabine hört gern Rockmusik   **Zeit ist Geld**
      Sabine likes rock music   time is money

   iii) as a very common way in German of expressing the future:

      ich bin gleich zurück   **du bekommst einen Brief**
      I'll be right back   you'll be getting a letter

2 The IMPERFECT TENSE is the standard tense for stories, novels and newspaper reports:

er ging die Straße entlang
he went along the road

der russische Außenminister traf gestern in Berlin ein
the Russian foreign minister arrived in Berlin yesterday

The imperfect tense is the one most commonly used with sein, haben and the modal verbs when referring to the past:

das war klasse!
that was great!

ich konnte es kaum glauben
I could hardly believe it

das war die Einzige, die sie hatten
it was the only one they had

3 The **PERFECT TENSE** is the standard tense for conversation when talking about the past (with the exception of the use of haben, sein and the modals as shown in 2.):

hast du ihn gesehen?
did you see him?

wann ist sie angekommen?
when did she arrive?

This does not mean to say that the imperfect cannot be used in German conversation. If, for example, you are relating a series of events then it is quite in order to use the imperfect (it's like telling a story). But for single utterances as in the two examples above, the use of the imperfect would sound odd.

4 The **PLUPERFECT TENSE** is used to refer to events that happened before a particular time in the past:

nachdem wir den Film gesehen hatten, gingen wir ins Café
after we had seen the film we went to a café

5 The **FUTURE TENSE** is used to express future matters but is less common in German than in English (see **1. iii above**). The future as in:

ich werde ihn morgen treffen
I'm going to meet him tomorrow

is very often expressed by the present:

ich treffe ihn morgen
I'm meeting him tomorrow

It is also used to express suppositions about the present:

er hört mich nicht, er wird das Radio an haben
he can't hear me, he's probably got the radio on

6 The FUTURE PERFECT TENSE is used to refer to an event that
will be completed at some stage in the future (as in 'I will have
done it by Monday'). It is also commonly used in German to
express a supposition about the present:

er wird es vergessen haben
he'll have forgotten it

7 The CONDITIONAL is used to refer to what would happen or
what someone would do under certain circumstances:

wenn das passiert, würde ich mich sehr freuen
if that happened, I would be very pleased

das würden wir nicht akzeptieren
we wouldn't accept that

8 The SUBJUNCTIVE is mainly used:

i) in conditional statements where the condition is unlikely to
be fulfilled:

wenn ich mehr Zeit hätte, ginge ich öfter spazieren
if I had more time, I would go for more walks

wenn er mich gefragt hätte, hätte ich ihm das Geld geliehen
if he had asked me, I would have lent him the money

wenn es nur schon Weihnachten wäre
if only it were Christmas

ii) in formal German, eg news bulletins, for reported statements
or what is known as 'indirect speech':

direct speech	*indirect speech*
I will go there	he said he would go there

The indirect speech usually comes after a verb of speaking or asking. In German, this is the only time when the introductory dass may be omitted; if there is no dass the sentence keeps the normal word order:

der Minister erklärte, dass dies unmöglich sei/wäre

the minister said that this was impossible

der Minister erklärte, dies sei/wäre unmöglich

the minister said this was impossible

The choice of tense for the indirect statement depends on the tense of the original direct speech as shown in the following table:

indicative tense of direct speech	subjunctive tense of indirect speech
present	present or imperfect
imperfect, perfect or pluperfect	perfect, pluperfect
future	future, würde + infinitive

Examples:

ich finde es schwierig	er hat gesagt, er finde/fände es schwierig
I find it difficult	he said he found it difficult
ich fand es schwierig ich habe es schwierig gefunden ich hatte es schwierig gefunden	er hat gesagt, er habe/hätte es schwierig gefunden
ich werde es schwierig finden	er hat gesagt, er werde/würde es schwierig finden

9 The uses of the **PARTICIPLES**:

  i) The **PRESENT PARTICIPLE** is used mainly as an adjective either before the noun or after sein:

  eine ansteckende Krankheit   **diese Krankheit ist ansteckend**
  an infectious disease   this disease is infectious

  ii) The **PAST PARTICIPLE**, apart from its use to form tenses, is also used as an adjective:

  das verdammte Auto   **seine gesammelten Werke**
  that damn car   his collected works

10 The **IMPERATIVE** (normally followed by an exclamation mark in German) is used to give orders or to make suggestions. The order of the imperatives given in the verb tables is: du form; ihr form; Sie form and wir form:

komm her!   **bleiben Sie stehen!**
come here!   stop!

kommt doch mit!   **gehen wir!**
why don't you (all) come with us?   let's go

In the verb tables you will see that an optional 'e' is given in brackets. In ordinary conversation or normal spoken German the 'e' is omitted.

C MODAL VERBS

The German modal verbs are:

dürfen	to be allowed to	müssen	to have to
können	to be able to	sollen	to be supposed to
mögen	to like to	wollen	to want to

A major feature of modal verbs is that when they are used together with another verb, this verb is in the infinitive:

ich darf kein Salz essen
I'm not allowed to eat salt

er soll morgen abreisen
he is supposed to leave tomorrow

ich habe ihn nicht verstehen können
I wasn't able to understand him

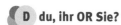 D du, ihr OR Sie?

Du and ihr are familiar forms of the second person and are used to address members of your family, other relatives, and friends. Adults address children by du, as do children each other; it is always used to animals. It is also used to address God or saints. Sie is both singular and plural and is used to address people with whom you are not on du terms.

Ihr is often used when talking to a group of people when you are only on du terms with some of them; it is not a faux pas to use ihr in this case, though you might revert to Sie when addressing one of the group individually.

E VERBS TAKING EITHER sein OR haben

1 Many verbs of motion can form their perfect tense with sein or haben, depending on the sense. Motion from one place to another requires sein, motion seen as a way of spending time takes haben, for example:

sie sind nach Griechenland gesegelt
they sailed to Greece

im Urlaub hat er jeden Tag gesegelt
on holiday he went sailing every day

2 Some verbs of motion can be used both transitively and intransitively; in the first case they are conjugated with haben, in the second with sein:

gestern hat er den Wagen gefahren
he drove the car yesterday

sie ist nach Hause gefahren
she drove home

er hat das Rohr gebogen
he bent the pipe

sie ist um die Ecke gebogen
she went round the corner

F THE PASSIVE

In the passive the active form ('he does it') is turned round so that the object becomes the subject ('it was done by him').

There are two forms of the passive in German: the passive of action and the passive of state. The first (formed with werden) emphasizes the action that was carried out, the second (formed with sein) denotes the result:

die Vase wurde zerbrochen
the vase was broken (*ie when it fell, when he knocked it over etc*)

die Vase war zerbochen
the vase was broken (*ie was in a broken state*)

When an agent is mentioned (who it was done by) the passive formed with werden must be used:

diese Wohnungen werden von der Stadt gebaut
these flats are being built by the council

but:

unser Haus ist schon gebaut
our house is already built

A full conjugation of a verb in the passive is shown on the following page.

PRESENT
ich werde gebraucht
du wirst gebraucht
er/sie wird gebraucht
wir werden gebraucht
ihr werdet gebraucht
Sie werden gebraucht
sie werden gebraucht

IMPERFECT
ich wurde gebraucht
du wurdest gebraucht
er/sie wurde gebraucht
wir wurden gebraucht
ihr wurdet gebraucht
Sie wurden gebraucht
sie wurden gebraucht

FUTURE
ich werde gebraucht werden
du wirst gebraucht werden
er/sie wird gebraucht werden
wir werden gebraucht werden
ihr werdet gebraucht werden
Sie werden gebraucht werden
sie werden gebraucht werden

PERFECT
ich bin gebraucht worden
du bist gebraucht worden
er/sie ist gebraucht worden
wir sind gebraucht worden
ihr seid gebraucht worden
Sie sind gebraucht worden
sie sind gebraucht worden

PLUPERFECT
ich war gebraucht worden
du warst gebraucht worden
er/sie war gebraucht worden
wir waren gebraucht worden
ihr wart gebraucht worden
Sie waren gebraucht worden
sie waren gebraucht worden

CONDITIONAL
ich würde gebraucht (werden)
du würdest gebraucht (werden)
er/sie würde gebraucht (werden)
wir würden gebraucht (werden)
ihr würdet gebraucht (werden)
Sie würden gebraucht (werden)
sie würden gebraucht (werden)

SUBJUNCTIVE

PRESENT
ich werde gebraucht
du werdest gebraucht
er/sie werde gebraucht
wir werden gebraucht
ihr werdet gebraucht
Sie werden gebraucht
sie werden gebraucht

PERFECT
ich würde gebraucht
du würdest gebraucht
er/sie würde gebraucht
wir würden gebraucht
ihr würdet gebraucht
Sie würden gebraucht
sie würden gebraucht

INFINITIVE

PRESENT
gebraucht werden

PAST
gebraucht worden sein

IMPERFECT
ich sei gebraucht worden
du sei(e) gebraucht worden
er/sie sei gebraucht
worden
wir seien gebraucht
worden
ihr seiet gebraucht worden
Sie seien gebraucht worden
sie seien gebraucht
worden

PLUPERFECT
ich wäre gebraucht worden
du wär(e)st gebraucht worden
er/sie wäre gebraucht
worden
wir wären gebraucht
worden
ihr wär(e)t gebraucht worden
Sie wären gebraucht worden
sie wären gebraucht
worden

PARTICIPLE

PRESENT
gebraucht werdend

PAST
gebraucht worden

IMPERATIVE
werde gebraucht!
werdet gebraucht!
werden Sie gebraucht!
werden wir gebraucht!

FUTURE PERFECT
ich werde gebraucht worden sein
du wirst gebraucht worden sein *etc*

G PREFIXES

1 The INSEPARABLE PREFIXES are:

be-	ge-
emp-	miss-
ent-	ver-
er-	zer-

The two main features about inseparable prefixes are that they are never separated off from the verb and that a verb with an inseparable prefix has no ge- in the past participle:

er hat es mir empfohlen
he recommended it to me

die Software hat versagt
the software failed

ich bat ihn, mir ein Restaurant zu empfehlen
I asked him to recommend a restaurant to me

2 All other common prefixes are SEPARABLE. This means that they separate off from the verb, as shown in the following examples with the separable verb mitkommen:

sie kommt mit
she's coming too

kommst du mit?
are you coming?

wir kommen nicht mit
we're not coming

kommen Sie mit!
come with me/us!

But with modal verbs and in subordinate clauses these verbs do not separate:

ich kann leider nicht mitkommen
I'm afraid I can't come

ich weiß nicht, ob er mitkommt
I don't know whether he's coming

The past participle for verbs with a separable prefix is formed with the -ge- coming between the prefix and verb stem:

mitkommen	anfangen
mitgekommen	angefangen

sie haben schon angefangen
they have already begun

When a verb with a separable prefix is in the infinitive form and is used with zu, the zu comes between the prefix and the verb stem:

er bat uns mitzukommen
he asked us to come too

er versuchte, den Weg abzukürzen
he tried to take a short cut

3 The following prefixes can be either SEPARABLE or INSEPARABLE:

durch-	unter-
hinter-	wider-
über-	voll-
um-	

In most such cases the separable and inseparable verbs have different meanings:

der Gärtner gräbt den Dung unter
the gardener digs the dung in

but:

er untergräbt seine Gesundheit
he is undermining his health

Usually the separable verb has a concrete, physical meaning, and the inseparable verb a figurative meaning.

H VERBS TAKING THE DATIVE

Here is a list of many of the more common verbs that take a dative object, as in:

er folgt mir
he is following me

ich glaube ihr nicht
I don't believe her

auffallen	to strike, be noticed
ausweichen	to get out of the way of
befehlen	to order
begegnen	to meet
danken	to thank
dienen	to serve
empfehlen	to recommend
erlauben	to allow
fehlen	to be lacking
folgen	to follow
gefallen	to please
gehorchen	to obey
gehören	to belong to
gelingen	to succeed
genügen	to be enough for
glauben	to believe
gratulieren	to congratulate
helfen	to help
misstrauen	to distrust
passen	to suit
raten	to advise
reichen	to be enough for
schaden	to harm
schmeicheln	to flatter
trauen	to trust
verbieten	to forbid
versichern	to assure

vertrauen	to trust
verzeihen	to forgive
vorstehen	to preside over
wehtun	to hurt
widersprechen	to contradict
widerstehen	to resist
zusehen	to watch
zustimmen	to agree to

 VERBS FOLLOWED BY PREPOSITIONS

Many German verbs are followed by prepositions. Very often these prepositions are not the obvious ones from the English equivalent and should be learnt – along with the case if necessary – with the verb. Here is a list of some of the more common verbs with prepositions:

AN + *acc*	
denken an	to think of (*have in one's mind*)
sich erinnern an	to remember
erinnern an	to remind
sich gewöhnen an	to become accustomed to

AN + *dat*	
es fehlt an	there is a lack of
leiden an	to suffer from (*disease*)

AUF + *acc*	
achtgeben auf	to pay attention to
aufpassen auf	to keep an eye on
sich beschränken auf	to restrict oneself to
sich freuen auf	to look forward to
hoffen auf	to hope for
reagieren auf	to react to

rechnen auf	to count on
sich verlassen auf	to rely upon
verzichten auf	to renounce
warten auf	to wait for

AUF + *dat*

bestehen auf	to insist upon

AUS + *dat*

bestehen aus	to consist of

FÜR + *acc*

sich bedanken für	to say thank you for
sich einsetzen für	to do a lot for
sich entscheiden für	to decide in favour of
halten für	to consider
sich interessieren für	to be interested in
sorgen für	to look after

MIT + *dat*

aufhören mit	to stop doing
einverstanden sein mit	to be in agreement with
rechnen mit	to count on

NACH + *dat*

fragen nach	to ask for
schmecken nach	to taste of
suchen nach	to look for

ÜBER + *acc*

sich freuen über	to be pleased at
lachen über	to laugh at
nachdenken über	to reflect upon

UM + *acc*

sich kümmern um	to care for
sich sorgen um	to be worried about
es geht um	it is a matter of
es handelt sich um	it is a matter of

UNTER + *dat*

leiden unter	to suffer from (*noise etc*)
verstehen unter	to understand by

VON + *dat*

abhängen von	to be dependent on
sich erholen von	to recuperate from
handeln von	to be about

VOR + *dat*

sich fürchten vor	to be afraid of

ZU + *dat*

beitragen zu	to contribute to
sich entschließen zu	to decide upon

ABLEHNEN

1 *to reject, to decline*

PRESENT	IMPERFECT	FUTURE
ich lehne ab	ich lehnte ab	ich werde ablehnen
du lehnst ab	du lehntest ab	du wirst ablehnen
er/sie lehnt ab	er/sie lehnte ab	er/sie wird ablehnen
wir lehnen ab	wir lehnten ab	wir werden ablehnen
ihr lehnt ab	ihr lehntet ab	ihr werdet ablehnen
Sie lehnen ab	Sie lehnten ab	Sie werden ablehnen
sie lehnen ab	sie lehnten ab	sie werden ablehnen

PERFECT	PLUPERFECT	CONDITIONAL
ich habe abgelehnt	ich hatte abgelehnt	ich würde ablehnen
du hast abgelehnt	du hattest abgelehnt	du würdest ablehnen
er/sie hat abgelehnt	er/sie hatte abgelehnt	er/sie würde ablehnen
wir haben abgelehnt	wir hatten abgelehnt	wir würden ablehnen
ihr habt abgelehnt	ihr hattet abgelehnt	ihr würdet ablehnen
Sie haben abgelehnt	Sie hatten abgelehnt	Sie würden ablehnen
sie haben abgelehnt	sie hatten abgelehnt	sie würden ablehnen

SUBJUNCTIVE

PRESENT	PERFECT
ich lehne ab	ich habe abgelehnt
du lehnest ab	du habest abgelehnt
er/sie lehne ab	er/sie habe abgelehnt
wir lehnen ab	wir haben abgelehnt
ihr lehnet ab	ihr habet abgelehnt
Sie lehnen ab	Sie haben abgelehnt
sie lehnen ab	sie haben abgelehnt

IMPERFECT	PLUPERFECT
ich lehnte ab	ich hätte abgelehnt
du lehntest ab	du hättest abgelehnt
er/sie lehnte ab	er/sie hätte abgelehnt
wir lehnten ab	wir hätten abgelehnt
ihr lehntet ab	ihr hättet abgelehnt
Sie lehnten ab	Sie hätten abgelehnt
sie lehnten ab	sie hätten abgelehnt

FUTURE PERFECT
ich werde abgelehnt haben
du wirst abgelehnt haben *etc*

INFINITIVE

PRESENT
ablehnen

PAST
abgelehnt haben

PARTICIPLE

PRESENT
ablehnend

PAST
abgelehnt

IMPERATIVE

lehn(e) ab!
lehnt ab!
lehnen Sie ab!
lehnen wir ab!

PRESENT
ich reise ab
du reist ab
er/sie reist ab
wir reisen ab
ihr reist ab
Sie reisen ab
sie reisen ab

IMPERFECT
ich reiste ab
du reistest ab
er/sie reiste ab
wir reisten ab
ihr reistet ab
Sie reisten ab
sie reisten ab

FUTURE
ich werde abreisen
du wirst abreisen
er/sie wird abreisen
wir werden abreisen
ihr werdet abreisen
Sie werden abreisen
sie werden abreisen

PERFECT
ich bin abgereist
du bist abgereist
er/sie ist abgereist
wir sind abgereist
ihr seid abgereist
Sie sind abgereist
sie sind abgereist

PLUPERFECT
ich war abgereist
du warst abgereist
er/sie war abgereist
wir waren abgereist
ihr wart abgereist
Sie waren abgereist
sie waren abgereist

CONDITIONAL
ich würde abreisen
du würdest abreisen
er/sie würde abreisen
wir würden abreisen
ihr würdet abreisen
Sie würden abreisen
sie würden abreisen

SUBJUNCTIVE

PRESENT
ich reise ab
du reisest ab
er/sie reise ab
wir reisen ab
ihr reiset ab
Sie reisen ab
sie reisen ab

PERFECT
ich sei abgereist
du sei(e)st abgereist
er/sie sei abgereist
wir seien abgereist
ihr seiet abgereist
Sie seien abgereist
sie seien abgereist

INFINITIVE

PRESENT
abreisen

PAST
abgereist sein

IMPERFECT
ich reiste ab
du reistest ab
er/sie reiste ab
wir reisten ab
ihr reistet ab
Sie reisten ab
sie reisten ab

PLUPERFECT
ich wäre abgereist
du wär(e)st abgereist
er/sie wäre abgereist
wir wären abgereist
ihr wär(e)t abgereist
Sie wären abgereist
sie wären abgereist

PARTICIPLE

PRESENT
abreisend

PAST
abgereist

IMPERATIVE

reis(e) ab!
reist ab!
reisen Sie ab!
reisen wir ab!

FUTURE PERFECT
ich werde abgereist sein
du wirst abgereist sein *etc*

SICH ÄNDERN

3 *to change*

PRESENT
ich änd(e)re mich
du änderst dich
er/sie ändert sich
wir ändern uns
ihr ändert euch
Sie ändern sich
sie ändern sich

PERFECT
ich habe mich geändert
du hast dich geändert
er/sie hat sich geändert
wir haben uns geändert
ihr habt euch geändert
Sie haben sich geändert
sie haben sich geändert

IMPERFECT
ich änderte mich
du ändertest dich
er/sie änderte sich
wir änderten uns
ihr ändertet euch
Sie änderten sich
sie änderten sich

PLUPERFECT
ich hatte mich geändert
du hattest dich geändert
er/sie hatte sich geändert
wir hatten uns geändert
ihr hattet euch geändert
Sie hatten sich geändert
sie hatten sich geändert

FUTURE
ich werde mich ändern
du wirst dich ändern
er/sie wird sich ändern
wir werden uns ändern
ihr werdet euch ändern
Sie werden sich ändern
sie werden sich ändern

CONDITIONAL
ich würde mich ändern
du würdest dich ändern
er/sie würde sich ändern
wir würden uns ändern
ihr würdet euch ändern
Sie würden sich ändern
sie würden sich ändern

SUBJUNCTIVE

PRESENT
ich ändere mich
du änderest dich
er/sie ändere sich
wir ändern uns
ihr änderet euch
Sie ändern sich
sie ändern sich

IMPERFECT
ich änderte mich
du ändertest dich
er/sie änderte dich
wir änderten uns
ihr ändertet euch
Sie änderten sich
sie änderten sich

FUTURE PERFECT
ich werde mich geändert haben
du wirst dich geändert haben *etc*

PERFECT
ich habe mich geändert
du habest dich geändert
er/sie habe sich geändert
wir haben uns geändert
ihr habet euch geändert
Sie haben sich geändert
sie haben sich geändert

PLUPERFECT
ich hätte mich geändert
du hättest dich geändert
er/sie hätte sich geändert
wir hätten uns geändert
ihr hättet euch geändert
Sie hätten sich geändert
sie hätten sich geändert

INFINITIVE

PRESENT
sich ändern

PAST
sich geändert haben

PARTICIPLE

PRESENT
mich/sich *etc.* ändernd

IMPERATIVE

änd(e)re dich!
ändert euch!
ändern Sie sich!
ändern wir uns!

PRESENT
ich fange an
du fängst an
er/sie fängt an
wir fangen an
ihr fangt an
Sie fangen an
sie fangen an

IMPERFECT
ich fing an
du fingst an
er/sie fing an
wir fingen an
ihr fingt an
Sie fingen an
sie fingen an

FUTURE
ich werde anfangen
du wirst anfangen
er/sie wird anfangen
wir werden anfangen
ihr werdet anfangen
Sie werden anfangen
sie werden anfangen

PERFECT
ich habe angefangen
du hast angefangen
er/sie hat angefangen
wir haben angefangen
ihr habt angefangen
Sie haben angefangen
sie haben angefangen

PLUPERFECT
ich hatte angefangen
du hattest angefangen
er/sie hatte angefangen
wir hatten angefangen
ihr hattet angefangen
Sie hatten angefangen
sie hatten angefangen

CONDITIONAL
ich würde anfangen
du würdest anfangen
er/sie würde anfangen
wir würden anfangen
ihr würdet anfangen
Sie würden anfangen
sie würden anfangen

SUBJUNCTIVE

PRESENT
ich fange an
du fangest an
er/sie fange an
wir fangen an
ihr fanget an
Sie fangen an
sie fangen an

PERFECT
ich habe angefangen
du habest angefangen
er/sie habe angefangen
wir haben angefangen
ihr habet angefangen
Sie haben angefangen
sie haben angefangen

IMPERFECT
ich finge an
du fingest an
er/sie finge an
wir fingen an
ihr finget an
Sie fingen an
sie fingen an

PLUPERFECT
ich hätte angefangen
du hättest angefangen
er/sie hätte angefangen
wir hätten angefangen
ihr hättet angefangen
Sie hätten angefangen
sie hätten angefangen

FUTURE PERFECT
ich werde angefangen haben
du wirst angefangen haben *etc*

INFINITIVE

PRESENT
anfangen
PAST
angefangen haben

PARTICIPLE

PRESENT
anfangend
PAST
angefangen

IMPERATIVE

fang(e) an!
fangt an!
fangen Sie an!
fangen wir an!

SICH ANHÖREN

5 *to listen to*

PRESENT	IMPERFECT	FUTURE
ich höre mir an	ich hörte mir an	ich werde mir anhören
du hörst dir an	du hörtest dir an	du wirst dir anhören
er/sie hört sich an	er/sie hörte sich an	er/sie wird sich anhören
wir hören uns an	wir hörten uns an	wir werden uns anhören
ihr hört euch an	ihr hörtet euch an	ihr werdet euch anhören
Sie hören sich an	Sie hörten sich an	Sie werden sich anhören
sie hören sich an	sie hörten sich an	sie werden sich anhören

PERFECT	PLUPERFECT	CONDITIONAL
ich habe mir angehört	ich hatte mir angehört	ich würde mir anhören
du hast dir angehört	du hattest dir angehört	du würdest dir anhören
er/sie hat sich angehört	er/sie hatte sich angehört	er/sie würde sich anhören
wir haben uns angehört	wir hatten uns angehört	wir würden uns anhören
ihr habt euch angehört	ihr hattet euch angehört	ihr würdet euch anhören
Sie haben sich angehört	Sie hatten sich angehört	Sie würden sich anhören
sie haben sich angehört	sie hatten sich angehört	sie würden sich anhören

SUBJUNCTIVE

PRESENT	PERFECT
ich höre mir an	ich habe mir angehört
du hörest dir an	du habest dir angehört
er/sie höre sich an	er/sie habe sich angehört
wir hören uns an	wir haben uns angehört
ihr höret euch an	ihr habet euch angehört
Sie hören sich an	Sie haben sich angehört
sie hören sich an	sie haben sich angehört

IMPERFECT	PLUPERFECT
ich hörte mir an	ich hätte mir angehört
du hörtest dir an	du hättest dir angehört
er/sie hörte sich an	er/sie hätte sich angehört
wir hörten uns an	wir hätten uns angehört
ihr hörtet euch an	ihr hättet euch angehört
Sie hörten sich an	Sie hätten sich angehört
sie hörten sich an	sie hätten sich angehört

FUTURE PERFECT
ich werde mir angehört haben
du wirst dir angehört haben *etc*

INFINITIVE

PRESENT
sich anhören

PAST
sich angehört haben

PARTICIPLE

PRESENT
mir/sich *etc*. anhörend

IMPERATIVE

hör(e) dir an!
hört euch an!
hören Sie sich an!
hören wir uns an!

PRESENT
ich komme an
du kommst an
er/sie kommt an
wir kommen an
ihr kommt an
Sie kommen an
sie kommen an

IMPERFECT
ich kam an
du kamst an
er/sie kam an
wir kamen an
ihr kamt an
Sie kamen an
sie kamen an

FUTURE
ich werde ankommen
du wirst ankommen
er/sie wird ankommen
wir werden ankommen
ihr werdet ankommen
Sie werden ankommen
sie werden ankommen

PERFECT
ich bin angekommen
du bist angekommen
er/sie ist angekommen
wir sind angekommen
ihr seid angekommen
Sie sind angekommen
sie sind angekommen

PLUPERFECT
ich war angekommen
du warst angekommen
er/sie war angekommen
wir waren angekommen
ihr wart angekommen
Sie waren angekommen
sie waren angekommen

CONDITIONAL
ich würde ankommen
du würdest ankommen
er/sie würde ankommen
wir würden ankommen
ihr würdet ankommen
Sie würden ankommen
sie würden ankommen

SUBJUNCTIVE

PRESENT
ich komme an
du kommest an
er/sie komme an
wir kommen an
ihr kommet an
Sie kommen an
sie kommen

PERFECT
ich sei angekommen
du sei(e)st angekommen
er/sie sei angekommen
wir seien angekommen
ihr seiet angekommen
Sie seien angekommen
sie seien angekommen

INFINITIVE

PRESENT
ankommen
PAST
angekommen sein

IMPERFECT
ich käme an
du kämest an
er/sie käme an
wir kämen an
ihr kämet an
Sie kämen an
sie kämen an

PLUPERFECT
ich wäre angekommen
du wär(e)st angekommen
er/sie wäre angekommen
wir wären angekommen
ihr wär(e)t angekommen
Sie wären angekommen
sie wären angekommen

PARTICIPLE

PRESENT
ankommend
PAST
angekommen

IMPERATIVE
komm(e) an!
kommt an!
kommen Sie an!
kommen wir an!

FUTURE PERFECT
ich werde angekommen sein
du wirst angekommen sein *etc*

SICH ANMELDEN
7 *to register*

PRESENT
ich melde mich an
du meldest dich an
er/sie meldet sich an
wir melden uns an
ihr meldet euch an
Sie melden sich an
sie melden sich an

PERFECT
ich habe mich angemeldet
du hast dich angemeldet
er/sie hat sich angemeldet
wir haben uns angemeldet
ihr habt euch angemeldet
Sie haben sich angemeldet
sie haben sich angemeldet

IMPERFECT
ich meldete mich an
du meldetest dich an
er/sie meldete sich an
wir meldeten uns an
ihr meldetet euch an
Sie meldeten sich an
sie meldeten sich an

PLUPERFECT
ich hatte mich angemeldet
du hattest dich angemeldet
er/sie hatte sich angemeldet
wir hatten uns angemeldet
ihr hattet euch angemeldet
Sie hatten sich angemeldet
sie hatten sich angemeldet

FUTURE
ich werde mich anmelden
du wirst dich anmelden
er/sie wird sich anmelden
wir werden uns anmelden
ihr werdet euch anmelden
Sie werden sich anmelden
sie werden sich anmelden

CONDITIONAL
ich würde mich anmelden
du würdest dich anmelden
er/sie würde sich anmelden
wir würden uns anmelden
ihr würdet euch anmelden
Sie würden sich anmelden
sie würden sich anmelden

SUBJUNCTIVE

PRESENT
ich melde mich an
du meldest dich an
er/sie melde sich an
wir melden uns an
ihr meldet euch an
Sie melden sich an
sie melden sich an

PERFECT
ich habe mich angemeldet
du habest dich angemeldet
er/sie habe sich angemeldet
wir haben uns angemeldet
ihr habet euch angemeldet
Sie haben sich angemeldet
sie haben sich angemeldet

IMPERFECT
ich meldete mich an
du meldetest dich an
er/sie meldete sich an
wir meldeten uns an
ihr meldetet euch an
Sie meldeten sich an
sie meldeten sich an

PLUPERFECT
ich hätte mich angemeldet
du hättest dich angemeldet
er/sie hätte sich angemeldet
wir hätten uns angemeldet
ihr hättet euch angemeldet
Sie hätten sich angemeldet
sie hätten sich angemeldet

FUTURE PERFECT
ich werde mich angemeldet haben
du wirst dich angemeldet haben *etc*

INFINITIVE

PRESENT
sich anmelden

PAST
sich angemeldet haben

PARTICIPLE

PRESENT
mich/sich *etc.* anmeldend

IMPERATIVE
meld(e) dich an!
meldet euch an!
melden Sie sich an!
melden wir uns an!

PRESENT
ich ärg(e)re
du ärgerst
er/sie ärgert
wir ärgern
ihr ärgert
Sie ärgern
sie ärgern

IMPERFECT
ich ärgerte
du ärgertest
er/sie ärgerte
wir ärgerten
ihr ärgertet
Sie ärgerten
sie ärgerten

FUTURE
ich werde ärgern
du wirst ärgern
er/sie wird ärgern
wir werden ärgern
ihr werdet ärgern
Sie werden ärgern
sie werden ärgern

PERFECT
ich habe geärgert
du hast geärgert
er/sie hat geärgert
wir haben geärgert
ihr habt geärgert
Sie haben geärgert
sie haben geärgert

PLUPERFECT
ich hatte geärgert
du hattest geärgert
er/sie hatte geärgert
wir hatten geärgert
ihr hattet geärgert
Sie hatten geärgert
sie hatten geärgert

CONDITIONAL
ich würde ärgern
du würdest ärgern
er/sie würde ärgern
wir würden ärgern
ihr würdet ärgern
Sie würden ärgern
sie würden ärgern

SUBJUNCTIVE

PRESENT
ich ärgere
du ärgerest
er/sie ärgere
wir ärgeren
ihr ärgeret
Sie ärgeren
sie ärgeren

PERFECT
ich habe geärgert
du habest geärgert
er/sie habe geärgert
wir haben geärgert
ihr habet geärgert
Sie haben geärgert
sie haben geärgert

INFINITIVE

PRESENT
ärgern
PAST
geärgert haben

IMPERFECT
ich ärgerte
du ärgertest
er/sie ärgerte
wir ärgerten
ihr ärgertet
Sie ärgerten
sie ärgerten

PLUPERFECT
ich hätte geärgert
du hättest geärgert
er/sie hätte geärgert
wir hätten geärgert
ihr hättet geärgert
Sie hätten geärgert
sie hätten geärgert

PARTICIPLE

PRESENT
ärgernd
PAST
geärgert

IMPERATIVE

ärg(e)re!
ärgert!
ärgern Sie!
ärgern wir!

FUTURE PERFECT
ich werde geärgert haben
du wirst geärgert haben *etc*

PRESENT

ich backe
du backst *(1)*
er/sie backt *(1)*
wir backen
ihr backt
Sie backen
sie backen

IMPERFECT *(2)*

ich backte
du backtest
er/sie backte
wir backten
ihr backtet
Sie backten
sie backten

FUTURE

ich werde backen
du wirst backen
er/sie wird backen
wir werden backen
ihr werdet backen
Sie werden backen
sie werden backen

PERFECT

ich habe gebacken
du hast gebacken
er/sie hat gebacken
wir haben gebacken
ihr habt gebacken
Sie haben gebacken
sie haben gebacken

PLUPERFECT

ich hatte gebacken
du hattest gebacken
er/sie hatte gebacken
wir hatten gebacken
ihr hattet gebacken
Sie hatten gebacken
sie hatten gebacken

CONDITIONAL

ich würde backen
du würdest backen
er/sie würde backen
wir würden backen
ihr würdet backen
Sie würden backen
sie würden backen

SUBJUNCTIVE

PRESENT

ich backe
du backest
er/sie backe
wir backen
ihr backet
Sie backen
sie backen

PERFECT

ich habe gebacken
du habest gebacken
er/sie habe gebacken
wir haben gebacken
ihr habet gebacken
Sie haben gebacken
sie haben gebacken

IMPERFECT

ich backte
du backtest
er/sie backte
wir backten
ihr backtet
Sie backten
sie backten

PLUPERFECT

ich hätte gebacken
du hättest gebacken
er/sie hätte gebacken
wir hätten gebacken
ihr hättet gebacken
Sie hätten gebacken
sie hätten gebacken

FUTURE PERFECT

ich werde gebacken haben
du wirst gebacken haben *etc*

INFINITIVE

PRESENT

backen

PAST

gebacken haben

PARTICIPLE

PRESENT

backend

PAST

gebacken haben

IMPERATIVE

back(e)!
backt!
backen Sie!
backen wir!

NOTE

(1) du bäckst *and* er/sie bäckt *are also possible*
(2) older forms: ich buk, du bukst, er/sie buk *etc*

PRESENT

ich beeile mich
du beeilst dich
er/sie beeilt sich
wir beeilen uns
ihr beeilt euch
Sie beeilen sich
sie beeilen sich

PERFECT

ich habe mich beeilt
du hast dich beeilt
er/sie hat sich beeilt
wir haben uns beeilt
ihr habt euch beeilt
Sie haben sich beeilt
sie haben sich beeilt

IMPERFECT

ich beeilte mich
du beeiltest dich
er/sie beeilte sich
wir beeilten uns
ihr beeiltet euch
Sie beeilten sich
sie beeilten sich

PLUPERFECT

ich hatte mich beeilt
du hattest dich beeilt
er/sie hatte sich beeilt
wir hatten uns beeilt
ihr hattet euch beeilt
Sie hatten sich beeilt
sie hatten sich beeilt

FUTURE

ich werde mich beeilen
du wirst dich beeilen
er/sie wird sich beeilen
wir werden uns beeilen
ihr werdet euch beeilen
Sie werden sich beeilen
sie werden sich beeilen

CONDITIONAL

ich würde mich beeilen
du würdest dich beeilen
er/sie würde sich beeilen
wir würden uns beeilen
ihr würdet euch beeilen
Sie würden sich beeilen
sie würden sich beeilen

SUBJUNCTIVE

PRESENT

ich beeile mich
du beeilest dich
er/sie beeile sich
wir beeilen uns
ihr beeilet euch
Sie beeilen sich
sie beeilen sich

IMPERFECT

ich beeilte mich
du beeiltest dich
er/sie beeilte sich
wir beeilten uns
ihr beeiltet euch
Sie beeilten sich
sie beeilten sich

FUTURE PERFECT

ich werde mich beeilt haben
du wirst dich beeilt haben *etc*

PERFECT

ich habe mich beeilt
du habest dich beeilt
er/sie habe sich beeilt
wir haben uns beeilt
ihr habet euch beeilt
Sie haben sich beeilt
sie haben sich beeilt

PLUPERFECT

ich hätte mich beeilt
du hättest dich beeilt
er/sie hätte sich beeilt
wir hätten uns beeilt
ihr hättet euch beeilt
Sie hätten sich beeilt
sie hätten sich beeilt

INFINITIVE

PRESENT

sich beeilen

PAST

sich beeilt haben

PARTICIPLE

PRESENT

mich/sich *etc.* beeilend

IMPERATIVE

beeile dich!
beeilt euch!
beeilen Sie sich!
beeilen wir uns!

PRESENT
ich befehle
du befiehlst
er/sie befiehlt
wir befehlen
ihr befehlt
Sie befehlen
sie befehlen

IMPERFECT
ich befahl
du befahlst
er/sie befahl
wir befahlen
ihr befahlt
Sie befahlen
sie befahlen

FUTURE
ich werde befehlen
du wirst befehlen
er/sie wird befehlen
wir werden befehlen
ihr werdet befehlen
Sie werden befehlen
sie werden befehlen

PERFECT
ich habe befohlen
du hast befohlen
er/sie hat befohlen
wir haben befohlen
ihr habt befohlen
Sie haben befohlen
sie haben befohlen

PLUPERFECT
ich hatte befohlen
du hattest befohlen
er/sie hatte befohlen
wir hatten befohlen
ihr hattet befohlen
Sie hatten befohlen
sie hatten befohlen

CONDITIONAL
ich würde befehlen
du würdest befehlen
er/sie würde befehlen
wir würden befehlen
ihr würdet befehlen
Sie würden befehlen
sie würden befehlen

SUBJUNCTIVE

PRESENT
ich befehle
du befehlest
er/sie befehle
wir befehlen
ihr befehlet
Sie befehlen
sie befehlen

PERFECT
ich habe befohlen
du habest befohlen
er/sie habe befohlen
wir haben befohlen
ihr habet befohlen
Sie haben befohlen
sie haben befohlen

INFINITIVE

PRESENT
befehlen
PAST
befohlen haben

PARTICIPLE

PRESENT
befehlend

IMPERFECT *(1)*
ich befähle
du befählest
er/sie befähle
wir befählen
ihr befählet
Sie befählen
sie befählen

PLUPERFECT
ich hätte befohlen
du hättest befohlen
er/sie hätte befohlen
wir hätten befohlen
ihr hättet befohlen
Sie hätten befohlen
sie hätten befohlen

PAST
befohlen

IMPERATIVE

befiehl!
befehlt!
befehlen Sie!
befehlen wir!

FUTURE PERFECT
ich werde befohlen haben
du wirst befohlen haben *etc*

NOTE

(1) ich **beföhle**, du **beföhlest** *etc is also possible*

PRESENT
ich begegne
du begegnest
er/sie begegnet
wir begegnen
ihr begegnet
Sie begegnen
sie begegnen

PERFECT
ich bin begegnet
du bist begegnet
er/sie ist begegnet
wir sind begegnet
ihr seid begegnet
Sie sind begegnet
sie sind begegnet

IMPERFECT
ich begegnete
du begegnetest
er/sie begegnete
wir begegneten
ihr begegnetet
Sie begegneten
sie begegneten

PLUPERFECT
ich war begegnet
du warst begegnet
er/sie war begegnet
wir waren begegnet
ihr wart begegnet
Sie waren begegnet
sie waren begegnet

FUTURE
ich werde begegnen
du wirst begegnen
er/sie wird begegnen
wir werden begegnen
ihr werdet begegnen
Sie werden begegnen
sie werden begegnen

CONDITIONAL
ich würde begegnen
du würdest begegnen
er/sie würde begegnen
wir würden begegnen
ihr würdet begegnen
Sie würden begegnen
sie würden begegnen

SUBJUNCTIVE

PRESENT
ich begegne
du begegnest
er/sie begegnet
wir begegnen
ihr begegnet
Sie begegnen
sie begegnen

IMPERFECT
ich begegnete
du begegnetest
er/sie begegnete
wir begegneten
ihr begegnetet
Sie begegneten
sie begegneten

FUTURE PERFECT
ich werde begegnet sein
du wirst begegnet sein *etc*

PERFECT
ich sei begegnet
du sei(e)st begegnet
er/sie sei begegnet
wir seien begegnet
ihr seiet begegnet
Sie seien begegnet
sie seien begegnet

PLUPERFECT
ich wäre begegnet
du wär(e)st begegnet
er/sie wäre begegnet
wir wären begegnet
ihr wär(e)t begegnet
Sie wären begegnet
sie wären begegnet

INFINITIVE

PRESENT
begegnen
PAST
begegnet sein

PARTICIPLE

PRESENT
begegnend
PAST
begegnet

IMPERATIVE

begegn(e)!
begegnet!
begegnen Sie!
begegnen wir!

NOTE

takes the dative: ich begegne ihm, ich bin ihm begegnet *etc*

BEGINNEN
13 *to begin*

PRESENT	IMPERFECT	FUTURE
ich beginne	ich begann	ich werde beginnen
du beginnst	du begannst	du wirst beginnen
er/sie beginnt	er/sie begann	er/sie wird beginnen
wir beginnen	wir begannen	wir werden beginnen
ihr beginnt	ihr begannt	ihr werdet beginnen
Sie beginnen	Sie begannen	Sie werden beginnen
sie beginnen	sie begannen	sie werden beginnen

PERFECT	PLUPERFECT	CONDITIONAL
ich habe begonnen	ich hatte begonnen	ich würde beginnen
du hast begonnen	du hattest begonnen	du würdest beginnen
er/sie hat begonnen	er/sie hatte begonnen	er/sie würde beginnen
wir haben begonnen	wir hatten begonnen	wir würden beginnen
ihr habt begonnen	ihr hattet begonnen	ihr würdet beginnen
Sie haben begonnen	Sie hatten begonnen	Sie würden beginnen
sie haben begonnen	sie hatten begonnen	sie würden beginnen

SUBJUNCTIVE

PRESENT	PERFECT
ich beginne	ich habe begonnen
du beginnest	du habest begonnen
er/sie beginne	er/sie habe begonnen
wir beginnen	wir haben begonnen
ihr beginnet	ihr habet begonnen
Sie beginnen	Sie haben begonnen
sie beginnen	sie haben begonnen

IMPERFECT	PLUPERFECT
ich begänne	ich hätte begonnen
du begännest	du hättest begonnen
er/sie begänne	er/sie hätte begonnen
wir begännen	wir hätten begonnen
ihr begännet	ihr hättet begonnen
Sie begännen	Sie hätten begonnen
sie begännen	sie hätten begonnen

FUTURE PERFECT
ich werde begonnen haben
du wirst begonnen haben *etc*

INFINITIVE

PRESENT
beginnen

PAST
begonnen haben

PARTICIPLE

PRESENT
beginnend

PAST
begonnen

IMPERATIVE

beginn(e)!
beginnt!
beginnen Sie!
beginnen wir!

PRESENT
ich beiße
du beißt
er/sie beißt
wir beißen
ihr beißt
Sie beißen
sie beißen

IMPERFECT
ich biss
du bissest
er/sie biss
wir bissen
ihr bisst
Sie bissen
sie bissen

FUTURE
ich werde beißen
du wirst beißen
er/sie wird beißen
wir werden beißen
ihr werdet beißen
Sie werden beißen
sie werden beißen

PERFECT
ich habe gebissen
du hast gebissen
er/sie hat gebissen
wir haben gebissen
ihr habt gebissen
Sie haben gebissen
sie haben gebissen

PLUPERFECT
ich hatte gebissen
du hattest gebissen
er/sie hatte gebissen
wir hatten gebissen
ihr hattet gebissen
Sie hatten gebissen
sie hatten gebissen

CONDITIONAL
ich würde beißen
du würdest beißen
er/sie würde beißen
wir würden beißen
ihr würdet beißen
Sie würden beißen
sie würden beißen

SUBJUNCTIVE

PRESENT
ich beiße
du beißest
er/sie beiße
wir beißen
ihr beißet
Sie beißen
sie beißen

PERFECT
ich habe gebissen
du habest gebissen
er/sie habe gebissen
wir haben gebissen
ihr habet gebissen
Sie haben gebissen
sie haben gebissen

INFINITIVE

PRESENT
beißen

PAST
gebissen haben

IMPERFECT
ich bisse
du bissest
er/sie bisse
wir bissen
ihr bisset
Sie bissen
sie bissen

PLUPERFECT
ich hätte gebissen
du hättest gebissen
er/sie hätte gebissen
wir hätten gebissen
ihr hättet gebissen
Sie hätten gebissen
sie hätten gebissen

PARTICIPLE

PRESENT
beißend

PAST
gebissen

IMPERATIVE
beiß(e)!
beißt!
beißen Sie!
beißen wir!

FUTURE PERFECT
ich werde gebissen haben
du wirst gebissen haben *etc*

BEKOMMEN
15 to get

PRESENT
ich bekomme
du bekommst
er/sie bekommt
wir bekommen
ihr bekommt
Sie bekommen
sie bekommen

IMPERFECT
ich bekam
du bekamst
er/sie bekam
wir bekamen
ihr bekamt
Sie bekamen
sie bekamen

FUTURE
ich werde bekommen
du wirst bekommen
er/sie wird bekommen
wir werden bekommen
ihr werdet bekommen
Sie werden bekommen
sie werden bekommen

PERFECT
ich habe bekommen
du hast bekommen
er/sie hat bekommen
wir haben bekommen
ihr habt bekommen
Sie haben bekommen
sie haben bekommen

PLUPERFECT
ich hatte bekommen
du hattest bekommen
er/sie hatte bekommen
wir hatten bekommen
ihr hattet bekommen
Sie hatten bekommen
sie hatten bekommen

CONDITIONAL
ich würde bekommen
du würdest bekommen
er/sie würde bekommen
wir würden bekommen
ihr würdet bekommen
Sie würden bekommen
sie würden bekommen

SUBJUNCTIVE

PRESENT
ich bekomme
du bekommest
er/sie bekomme
wir bekommen
ihr bekommet
Sie bekommen
sie bekommen

PERFECT
ich habe bekommen
du habest bekommen
er/sie habe bekommen
wir haben bekommen
ihr habet bekommen
Sie haben bekommen
sie haben bekommen

INFINITIVE

PRESENT
bekommen
PAST
bekommen haben

PARTICIPLE

PRESENT
bekommend

IMPERFECT
ich bekäme
du bekämest
er/sie bekäme
wir bekämen
ihr bekämet
Sie bekämen
sie bekämen

PLUPERFECT
ich hätte bekommen
du hättest bekommen
er/sie hätte bekommen
wir hätten bekommen
ihr hättet bekommen
Sie hätten bekommen
sie hätten bekommen

PAST
bekommen

IMPERATIVE
bekomm(e)!
bekommt!
bekommen Sie!
bekommen wir!

FUTURE PERFECT
ich werde bekommen haben
du wirst bekommen haben *etc*

PRESENT
ich berge
du birgst
er/sie birgt
wir bergen
ihr bergt
Sie bergen
sie bergen

PERFECT
ich habe geborgen
du hast geborgen
er/sie hat geborgen
wir haben geborgen
ihr habt geborgen
Sie haben geborgen
sie haben geborgen

IMPERFECT
ich barg
du bargest
er/sie barg
wir bargen
ihr bargt
Sie bargen
sie bargen

PLUPERFECT
ich hatte geborgen
du hattest geborgen
er/sie hatte geborgen
wir hatten geborgen
ihr hattet geborgen
Sie hatten geborgen
sie hatten geborgen

FUTURE
ich werde bergen
du wirst bergen
er/sie wird bergen
wir werden bergen
ihr werdet bergen
Sie werden bergen
sie werden bergen

CONDITIONAL
ich würde bergen
du würdest bergen
er/sie würde bergen
wir würden bergen
ihr würdet bergen
Sie würden bergen
sie würden bergen

SUBJUNCTIVE

PRESENT
ich berge
du bergest
er/sie berge
wir bergen
ihr berget
Sie bergen
sie bergen

IMPERFECT
ich bärge
du bärgest
er/sie bärge
wir bärgen
ihr bärget
Sie bärgen
sie bärgen

FUTURE PERFECT
ich werde geborgen haben
du wirst geborgen haben *etc*

PERFECT
ich habe geborgen
du habest geborgen
er/sie habe geborgen
wir haben geborgen
ihr habet geborgen
Sie haben geborgen
sie haben geborgen

PLUPERFECT
ich hätte geborgen
du hättest geborgen
er/sie hätte geborgen
wir hätten geborgen
ihr hättet geborgen
Sie hätten geborgen
sie hätten geborgen

INFINITIVE

PRESENT
bergen
PAST
geborgen haben

PARTICIPLE

PRESENT
bergend
PAST
geborgen

IMPERATIVE
birg!
bergt!
bergen Sie!
bergen wie!

PRESENT
ich berste
du birst
er/sie birst
wir bersten
ihr berstet
Sie bersten
sie bersten

IMPERFECT
ich barst
du barstest
er/sie barst
wir barsten
ihr barstet
Sie barsten
sie barsten

FUTURE
ich werde bersten
du wirst bersten
er/sie wird bersten
wir werden bersten
ihr werdet bersten
Sie werden bersten
sie werden bersten

PERFECT
ich bin geborsten
du bist geborsten
er/sie ist geborsten
wir sind geborsten
ihr seid geborsten
Sie sind geborsten
sie sind geborsten

PLUPERFECT
ich war geborsten
du warst geborsten
er/sie war geborsten
wir waren geborsten
ihr wart geborsten
Sie waren geborsten
sie waren geborsten

CONDITIONAL
ich würde bersten
du würdest bersten
er/sie würde bersten
wir würden bersten
ihr würdet bersten
Sie würden bersten
sie würden bersten

SUBJUNCTIVE

PRESENT
ich berste
du berstest
er/sie berste
wir bersten
ihr berstet
Sie bersten
sie bersten

PERFECT
ich sei geborsten
du sei(e)st geborsten
er/sie sei geborsten
wir seien geborsten
ihr seiet geborsten
Sie seien geborsten
sie seien geborsten

INFINITIVE

PRESENT
bersten
PAST
geborsten sein

IMPERFECT
ich bärste
du bärstest
er/sie bärste
wir bärsten
ihr bärstet
Sie bärsten
sie bärsten

PLUPERFECT
ich wäre geborsten
du wär(e)st geborsten
er/sie wäre geborsten
wir wären geborsten
ihr wär(e)t geborsten
Sie wären geborsten
sie wären geborsten

PARTICIPLE

PRESENT
berstend

PAST
geborsten

IMPERATIVE

birst!
berstet!
bersten Sie!
bersten wir!

FUTURE PERFECT
ich werde geborsten sein
du wirst geborsten sein *etc*

PRESENT
ich bestelle
du bestellst
er/sie bestellt
wir bestellen
ihr bestellt
Sie bestellen
sie bestellen

PERFECT
ich habe bestellt
du hast bestellt
er/sie hat bestellt
wir haben bestellt
ihr habt bestellt
Sie haben bestellt
sie haben bestellt

IMPERFECT
ich bestellte
du bestelltest
er/sie bestellte
wir bestellten
ihr bestelltet
Sie bestellten
sie bestellten

PLUPERFECT
ich hatte bestellt
du hattest bestellt
er/sie hatte bestellt
wir hatten bestellt
ihr hattet bestellt
Sie hatten bestellt
sie hatten bestellt

FUTURE
ich werde bestellen
du wirst bestellen
er/sie wird bestellen
wir werden bestellen
ihr werdet bestellen
Sie werden bestellen
sie werden bestellen

CONDITIONAL
ich würde bestellen
du würdest bestellen
er/sie würde bestellen
wir würden bestellen
ihr würdet bestellen
Sie würden bestellen
sie würden bestellen

SUBJUNCTIVE

PRESENT
ich bestelle
du bestellest
er/sie bestelle
wir bestellen
ihr bestellet
Sie bestellen
sie bestellen

IMPERFECT
ich bestellte
du bestelltest
er/sie bestellte
wir bestellten
ihr bestelltet
Sie bestellten
sie bestellten

FUTURE PERFECT
ich werde bestellt haben
du wirst bestellt haben *etc*

PERFECT
ich habe bestellt
du habest bestellt
er/sie habe bestellt
wir haben bestellt
ihr habet bestellt
Sie haben bestellt
sie haben bestellt

PLUPERFECT
ich hätte bestellt
du hättest bestellt
er/sie hätte bestellt
wir hätten bestellt
ihr hättet bestellt
Sie hätten bestellt
sie hätten bestellt

INFINITIVE

PRESENT
bestellen
PAST
bestellt haben

PARTICIPLE

PRESENT
bestellend

PAST
bestellt

IMPERATIVE

bestell(e)!
bestellt!
bestellen Sie!
bestellen wir!

BEWEGEN
19 to induce, to persuade (1)

PRESENT	IMPERFECT	FUTURE
ich bewege	ich bewog	ich werde bewegen
du bewegst	du bewogst	du wirst bewegen
er/sie bewegt	er/sie bewog	er/sie wird bewegen
wir bewegen	wir bewogen	wir werden bewegen
ihr bewegt	ihr bewogt	ihr werdet bewegen
Sie bewegen	Sie bewogen	Sie werden bewegen
sie bewegen	sie bewogen	sie werden bewegen

PERFECT	PLUPERFECT	CONDITIONAL
ich habe bewogen	ich hatte bewogen	ich würde bewegen
du hast bewogen	du hattest bewogen	du würdest bewegen
er/sie hat bewogen	er/sie hatte bewogen	er/sie würde bewegen
wir haben bewogen	wir hatten bewogen	wir würden bewegen
ihr habt bewogen	ihr hattet bewogen	ihr würdet bewegen
Sie haben bewogen	Sie hatten bewogen	Sie würden bewegen
sie haben bewogen	sie hatten bewogen	sie würden bewegen

SUBJUNCTIVE

PRESENT	PERFECT
ich bewege	ich habe bewogen
du bewegest	du habest bewogen
er/sie bewege	er/sie habe bewogen
wir bewegen	wir haben bewogen
ihr beweget	ihr habet bewogen
Sie bewegen	Sie haben bewogen
sie bewegen	sie haben bewogen

IMPERFECT	PLUPERFECT
ich bewöge	ich hätte bewogen
du bewögest	du hättest bewogen
er/sie bewöge	er/sie hätte bewogen
wir bewögen	wir hätten bewogen
ihr bewöget	ihr hättet bewogen
Sie bewögen	Sie hätten bewogen
sie bewögen	sie hätten bewogen

FUTURE PERFECT
ich werde bewogen haben
du wirst bewogen haben *etc*

INFINITIVE

PRESENT
bewegen

PAST
bewogen haben

PARTICIPLE

PRESENT
bewegend

PAST
bewogen

IMPERATIVE

beweg(e)!
bewegt!
bewegen Sie!
bewegen wir!

NOTE

(1) also a weak verb meaning 'to move': ich bewegte, ich habe bewegt *etc*

PRESENT
ich biege
du biegst
er/sie biegt
wir biegen
ihr biegt
Sie biegen
sie biegen

IMPERFECT
ich bog
du bogst
er/sie bog
wir bogen
ihr bogt
Sie bogen
sie bogen

FUTURE
ich werde biegen
du wirst biegen
er/sie wird biegen
wir werden biegen
ihr werdet biegen
Sie werden biegen
sie werden biegen

PERFECT *(1)*
ich habe gebogen
du hast gebogen
er/sie hat gebogen
wir haben gebogen
ihr habt gebogen
Sie haben gebogen
sie haben gebogen

PLUPERFECT *(2)*
ich hatte gebogen
du hattest gebogen
er/sie hatte gebogen
wir hatten gebogen
ihr hattet gebogen
Sie hatten gebogen
sie hatten gebogen

CONDITIONAL
ich würde biegen
du würdest biegen
er/sie würde biegen
wir würden biegen
ihr würdet biegen
Sie würden biegen
sie würden biegen

SUBJUNCTIVE

PRESENT
ich biege
du biegest
er/sie biege
wir biegen
ihr bieget
Sie biegen
sie biegen

PERFECT *(3)*
ich habe gebogen
du habest gebogen
er/sie habe gebogen
wir haben gebogen
ihr habet gebogen
Sie haben gebogen
sie haben gebogen

INFINITIVE

PRESENT
biegen
PAST *(6)*
gebogen haben

IMPERFECT
ich böge
du bögest
er/sie böge
wir bögen
ihr böget
Sie bögen
sie bögen

PLUPERFECT *(4)*
ich hätte gebogen
du hättest gebogen
er/sie hätte gebogen
wir hätten gebogen
ihr hättet gebogen
Sie hätten gebogen
sie hätten gebogen

PARTICIPLE

PRESENT

PAST
gebogen

IMPERATIVE
bieg(e)!
biegt!
biegen Sie!
biegen wir!

FUTURE PERFECT *(5)*
ich werde gebogen haben
du wirst gebogen haben *etc*

NOTE

also intransitive ('to turn'): **(1)** ich bin gebogen *etc*
(2) ich war gebogen *etc* **(3)** ich sei gebogen *etc*
(4) ich wäre gebogen *etc* **(5)** ich werde gebogen
sein *etc* **(6)** gebogen sein

PRESENT	IMPERFECT	FUTURE
ich biete	ich bot	ich werde bieten
du bietest	du bot(e)st	du wirst bieten
er/sie bietet	er/sie bot	er/sie wird bieten
wir bieten	wir boten	wir werden bieten
ihr bietet	ihr botet	ihr werdet bieten
Sie bieten	Sie boten	Sie werden bieten
sie bieten	sie boten	sie werden bieten

PERFECT	PLUPERFECT	CONDITIONAL
ich habe geboten	ich hatte geboten	ich würde bieten
du hast geboten	du hattest geboten	du würdest bieten
er/sie hat geboten	er/sie hatte geboten	er/sie würde bieten
wir haben geboten	wir hatten geboten	wir würden bieten
ihr habt geboten	ihr hattet geboten	ihr würdet bieten
Sie haben geboten	Sie hatten geboten	Sie würden bieten
sie haben geboten	sie hatten geboten	sie würden bieten

SUBJUNCTIVE

INFINITIVE

PRESENT	PERFECT	
ich biete	ich habe geboten	**PRESENT**
du bietest	du habest geboten	bieten
er/sie biete	er/sie habe geboten	**PAST**
wir bieten	wir haben geboten	geboten haben
ihr bietet	ihr habet geboten	
Sie bieten	Sie haben geboten	## PARTICIPLE
sie bieten	sie haben geboten	**PRESENT**
		bietend

IMPERFECT	PLUPERFECT	
ich böte	ich hätte geboten	**PAST**
du bötest	du hättest geboten	geboten
er/sie böte	er/sie hätte geboten	
wir böten	wir hätten geboten	## IMPERATIVE
ihr bötet	ihr hättet geboten	biet(e)!
Sie böten	Sie hätten geboten	bietet!
sie böten	sie hätten geboten	bieten Sie!
		bieten wir!

FUTURE PERFECT
ich werde geboten haben
du wirst geboten haben *etc*

PRESENT
ich binde
du bindest
er/sie bindet
wir binden
ihr bindet
Sie binden
sie binden

PERFECT *(1)*
ich habe gebunden
du hast gebunden
er/sie hat gebunden
wir haben gebunden
ihr habt gebunden
Sie haben gebunden
sie haben gebunden

IMPERFECT
ich band
du band(e)st
er/sie band
wir banden
ihr bandet
Sie banden
sie banden

PLUPERFECT *(2)*
ich hatte gebunden
du hattest gebunden
er/sie hatte gebunden
wir hatten gebunden
ihr hattet gebunden
Sie hatten gebunden
sie hatten gebunden

FUTURE
ich werde binden
du wirst binden
er/sie wird binden
wir werden binden
ihr werdet binden
Sie werden binden
sie werden binden

CONDITIONAL
ich würde binden
du würdest binden
er/sie würde binden
wir würden binden
ihr würdet binden
Sie würden binden
sie würden binden

SUBJUNCTIVE

PRESENT
ich binde
du bindest
er/sie binde
wir binden
ihr bindet
Sie binden
sie binden

IMPERFECT
ich bände
du bändest
er/sie bände
wir bänden
ihr bändet
Sie bänden
sie bänden

FUTURE PERFECT *(5)*
ich werde gebunden haben
du wirst gebunden haben *etc*

PERFECT *(3)*
ich habe gebunden
du habest gebunden
er/sie habe gebunden
wir haben gebunden
ihr habet gebunden
Sie haben gebunden
sie haben gebunden

PLUPERFECT *(4)*
ich hätte gebunden
du hättest gebunden
er/sie hätte gebunden
wir hätten gebunden
ihr hättet gebunden
Sie hätten gebunden
sie hätten gebunden

INFINITIVE

PRESENT
binden
PAST *(6)*
gebunden haben

PARTICIPLE

PRESENT
bindend
PAST
gebunden

IMPERATIVE

bind(e)!
bindet!
binden Sie!
binden wir!

NOTE

also intransitive: (1) ich bin gebunden *etc*
(2) ich war gebunden *etc (3)* ich sei gebunden
etc (4) ich wäre gebunden *etc (5)* ich werde
gebunden sein *etc (6)* gebunden sein

BITTEN
23 *to ask, to request*

PRESENT	IMPERFECT	FUTURE
ich bitte	ich bat	ich werde bitten
du bittest	du bat(e)st	du wirst bitten
er/sie bittet	er/sie bat	er/sie wird bitten
wir bitten	wir baten	wir werden bitten
ihr bittet	ihr batet	ihr werdet bitten
Sie bitten	Sie baten	Sie werden bitten
sie bitten	sie baten	sie werden bitten

PERFECT	PLUPERFECT	CONDITIONAL
ich habe gebeten	ich hatte gebeten	ich würde bitten
du hast gebeten	du hattest gebeten	du würdest bitten
er/sie hat gebeten	er/sie hatte gebeten	er/sie würde bitten
wir haben gebeten	wir hatten gebeten	wir würden bitten
ihr habt gebeten	ihr hattet gebeten	ihr würdet bitten
Sie haben gebeten	Sie hatten gebeten	Sie würden bitten
sie haben gebeten	sie hatten gebeten	sie würden bitten

SUBJUNCTIVE

INFINITIVE

PRESENT	PERFECT
ich bitte	ich habe gebeten
du bittest	du habest gebeten
er/sie bitte	er/sie habe gebeten
wir bitten	wir haben gebeten
ihr bittet	ihr habet gebeten
Sie bitten	Sie haben gebeten
sie bitten	sie haben gebeten

PRESENT
bitten
PAST
gebeten haben

PARTICIPLE

PRESENT
bittend

IMPERFECT	PLUPERFECT
ich bäte	ich hätte gebeten
du bätest	du hättest gebeten
er/sie bäte	er/sie hätte gebeten
wir bäten	wir hätten gebeten
ihr bätet	ihr hättet gebeten
Sie bäten	Sie hätten gebeten
sie bäten	sie hätten gebeten

PAST
gebeten

IMPERATIVE

bitt(e)!
bittet!
bitten Sie!
bitten wir!

FUTURE PERFECT
ich werde gebeten haben
du wirst gebeten haben *etc*

PRESENT
ich blase
du bläst
er/sie bläst
wir blasen
ihr blast
Sie blasen
sie blasen

PERFECT
ich habe geblasen
du hast geblasen
er/sie hat geblasen
wir haben geblasen
ihr habt geblasen
Sie haben geblasen
sie haben geblasen

IMPERFECT
ich blies
du bliesest
er/sie blies
wir bliesen
ihr bliest
Sie bliesen
sie bliesen

PLUPERFECT
ich hatte geblasen
du hattest geblasen
er/sie hatte geblasen
wir hatten geblasen
ihr hattet geblasen
Sie hatten geblasen
sie hatten geblasen

FUTURE
ich werde blasen
du wirst blasen
er/sie wird blasen
wir werden blasen
ihr werdet blasen
Sie werden blasen
sie werden blasen

CONDITIONAL
ich würde blasen
du würdest blasen
er/sie würde blasen
wir würden blasen
ihr würdet blasen
Sie würden blasen
sie würden blasen

SUBJUNCTIVE

PRESENT
ich blase
du blasest
er/sie blase
wir blasen
ihr blaset
Sie blasen
sie blasen

IMPERFECT
ich bliese
du bliesest
er/sie bliese
wir bliesen
ihr blieset
Sie bliesen
sie bliesen

FUTURE PERFECT
ich werde geblasen haben
du wirst geblasen haben *etc*

PERFECT
ich habe geblasen
du habest geblasen
er/sie habe geblasen
wir haben geblasen
ihr habet geblasen
Sie haben geblasen
sie haben geblasen

PLUPERFECT
ich hätte geblasen
du hättest geblasen
er/sie hätte geblasen
wir hätten geblasen
ihr hättet geblasen
Sie hätten geblasen
sie hätten geblasen

INFINITIVE

PRESENT
blasen
PAST
geblasen haben

PARTICIPLE

PRESENT
blasend
PAST
geblasen

IMPERATIVE

blas(e)!
blast!
blasen Sie!
blasen wir!

BLEIBEN
25 *to stay, to remain*

PRESENT
ich bleibe
du bleibst
er/sie bleibt
wir bleiben
ihr bleibt
Sie bleiben
sie bleiben

IMPERFECT
ich blieb
du bliebst
er/sie blieb
wir blieben
ihr bliebt
Sie blieben
sie blieben

FUTURE
ich werde bleiben
du wirst bleiben
er/sie wird bleiben
wir werden bleiben
ihr werdet bleiben
Sie werden bleiben
sie werden bleiben

PERFECT
ich bin geblieben
du bist geblieben
er/sie ist geblieben
wir sind geblieben
ihr seid geblieben
Sie sind geblieben
sie sind geblieben

PLUPERFECT
ich war geblieben
du warst geblieben
er/sie war geblieben
wir waren geblieben
ihr wart geblieben
Sie waren geblieben
sie waren geblieben

CONDITIONAL
ich würde bleiben
du würdest bleiben
er/sie würde bleiben
wir würden bleiben
ihr würdet bleiben
Sie würden bleiben
sie würden bleiben

SUBJUNCTIVE

PRESENT
ich bleibe
du bleibest
er/sie bleibe
wir bleiben
ihr bleibet
Sie bleiben
sie bleiben

PERFECT
ich sei geblieben
du sei(e)st geblieben
er/sie sei geblieben
wir seien geblieben
ihr seiet geblieben
Sie seien geblieben
sie seien geblieben

IMPERFECT
ich bliebe
du bliebest
er/sie bliebe
wir blieben
ihr bliebet
Sie blieben
sie blieben

PLUPERFECT
ich wäre geblieben
du wär(e)st geblieben
er/sie wäre geblieben
wir wären geblieben
ihr wär(e)t geblieben
Sie wären geblieben
sie wären geblieben

FUTURE PERFECT
ich werde geblieben sein
du wirst geblieben sein *etc*

INFINITIVE

PRESENT
bleiben
PAST
geblieben sein

PARTICIPLE

PRESENT
bleibend
PAST
geblieben

IMPERATIVE
bleib(e)!
bleibt!
bleiben Sie!
bleiben wir!

PRESENT
ich brate
du brätst
er/sie brät
wir braten
ihr bratet
Sie braten
sie braten

PERFECT
ich habe gebraten
du hast gebraten
er/sie hat gebraten
wir haben gebraten
ihr habt gebraten
Sie haben gebraten
sie haben gebraten

IMPERFECT
ich briet
du brietst
er/sie briet
wir brieten
ihr brietet
Sie brieten
sie brieten

PLUPERFECT
ich hatte gebraten
du hattest gebraten
er/sie hatte gebraten
wir hatten gebraten
ihr hattet gebraten
Sie hatten gebraten
sie hatten gebraten

FUTURE
ich werde braten
du wirst braten
er/sie wird braten
wir werden braten
ihr werdet braten
Sie werden braten
sie werden braten

CONDITIONAL
ich würde braten
du würdest braten
er/sie würde braten
wir würden braten
ihr würdet braten
Sie würden braten
sie würden braten

SUBJUNCTIVE

PRESENT
ich brate
du bratest
er/sie brate
wir braten
ihr bratet
Sie braten
sie braten

IMPERFECT
ich briete
du brietest
er/sie briete
wir brieten
ihr brietet
Sie brieten
sie brieten

FUTURE PERFECT
ich werde gebraten haben
du wirst gebraten haben *etc*

PERFECT
ich habe gebraten
du habest gebraten
er/sie habe gebraten
wir haben gebraten
ihr habet gebraten
Sie haben gebraten
sie haben gebraten

PLUPERFECT
ich hätte gebraten
du hättest gebraten
er/sie hätte gebraten
wir hätten gebraten
ihr hättet gebraten
Sie hätten gebraten
sie hätten gebraten

INFINITIVE

PRESENT
braten
PAST
gebraten haben

PARTICIPLE

PRESENT
bratend
PAST
gebraten

IMPERATIVE
brat(e)!
bratet!
braten Sie!
braten wir!

BRAUCHEN
27 to need

PRESENT
ich brauche
du brauchst
er/sie braucht
wir brauchen
ihr braucht
Sie brauchen
sie brauchen

PERFECT
ich habe gebraucht
du hast gebraucht
er/sie hat gebraucht
wir haben gebraucht
ihr habt gebraucht
Sie haben gebraucht
sie haben gebraucht

IMPERFECT
ich brauchte
du brauchtest
er/sie brauchte
wir brauchten
ihr brauchtet
Sie brauchten
sie brauchten

PLUPERFECT
ich hatte gebraucht
du hattest gebraucht
er/sie hatte gebraucht
wir hatten gebraucht
ihr hattet gebraucht
Sie hatten gebraucht
sie hatten gebraucht

FUTURE
ich werde brauchen
du wirst brauchen
er/sie wird brauchen
wir werden brauchen
ihr werdet brauchen
Sie werden brauchen
sie werden brauchen

CONDITIONAL
ich würde brauchen
du würdest brauchen
er/sie würde brauchen
wir würden brauchen
ihr würdet brauchen
Sie würden brauchen
sie würden brauchen

SUBJUNCTIVE

PRESENT
ich brauche
du brauchest
er/sie brauche
wir brauchen
ihr brauchet
Sie brauchen
sie brauchen

IMPERFECT
ich brauchte
du brauchtest
er/sie brauchte
wir brauchten
ihr brauchtet
Sie brauchten
sie brauchten

FUTURE PERFECT
ich werde gebraucht haben
du wirst gebraucht haben *etc*

PERFECT
ich habe gebraucht
du habest gebraucht
er/sie habe gebraucht
wir haben gebraucht
ihr habet gebraucht
Sie haben gebraucht
sie haben gebraucht

PLUPERFECT
ich hätte gebraucht
du hättest gebraucht
er/sie hätte gebraucht
wir hätten gebraucht
ihr hättet gebraucht
Sie hätten gebraucht
sie hätten gebraucht

INFINITIVE

PRESENT
brauchen
PAST
gebraucht haben

PARTICIPLE

PRESENT
brauchend
PAST
gebraucht

IMPERATIVE

brauch(e)!
braucht!
brauchen Sie!
brauchen wir!

PRESENT
ich breche
du brichst
er/sie bricht
wir brechen
ihr brecht
Sie brechen
sie brechen

PERFECT *(1)*
ich habe gebrochen
du hast gebrochen
er/sie hat gebrochen
wir haben gebrochen
ihr habt gebrochen
Sie haben gebrochen
sie haben gebrochen

IMPERFECT
ich brach
du brachst
er/sie brach
wir brachen
ihr bracht
Sie brachen
sie brachen

PLUPERFECT *(2)*
ich hatte gebrochen
du hattest gebrochen
er/sie hatte gebrochen
wir hatten gebrochen
ihr hattet gebrochen
Sie hatten gebrochen
sie hatten gebrochen

FUTURE
ich werde brechen
du wirst brechen
er/sie wird brechen
wir werden brechen
ihr werdet brechen
Sie werden brechen
sie werden brechen

CONDITIONAL
ich würde brechen
du würdest brechen
er/sie würde brechen
wir würden brechen
ihr würdet brechen
Sie würden brechen
sie würden brechen

SUBJUNCTIVE

PRESENT
ich breche
du brechest
er/sie breche
wir brechen
ihr brechet
Sie brechen
sie brechen

IMPERFECT
ich bräche
du brächest
er/sie bräche
wir brächen
ihr brächet
Sie brächen
sie brächen

FUTURE PERFECT *(5)*
ich werde gebrochen haben
du wirst gebrochen haben *etc*

PERFECT *(3)*
ich habe gebrochen
du habest gebrochen
er/sie habe gebrochen
wir haben gebrochen
ihr habet gebrochen
Sie haben gebrochen
sie haben gebrochen

PLUPERFECT *(4)*
ich hätte gebrochen
du hättest gebrochen
er/sie hätte gebrochen
wir hätten gebrochen
ihr hättet gebrochen
Sie hätten gebrochen
sie hätten gebrochen

INFINITIVE

PRESENT
brechen
PAST *(6)*
gebrochen haben

PARTICIPLE

PRESENT
brechend

PAST
gebrochen

IMPERATIVE

brich!
brecht!
brechen Sie!
brechen wir!

NOTE

also intransitive: (1) ich bin gebrochen etc
(2) ich war gebrochen etc (3) ich sei gebrochen
etc (4) ich wäre gebrochen etc (5) ich werde
gebrochen sein etc (6) gebrochen sein

PRESENT	IMPERFECT	FUTURE
ich brenne	ich brannte	ich werde brennen
du brennst	du branntest	du wirst brennen
er/sie brennt	er/sie brannte	er/sie wird brennen
wir brennen	wir brannten	wir werden brennen
ihr brennt	ihr branntet	ihr werdet brennen
Sie brennen	Sie brannten	Sie werden brennen
sie brennen	sie brannten	sie werden brennen

PERFECT	PLUPERFECT	CONDITIONAL
ich habe gebrannt	ich hatte gebrannt	ich würde brennen
du hast gebrannt	du hattest gebrannt	du würdest brennen
er/sie hat gebrannt	er/sie hatte gebrannt	er/sie würde brennen
wir haben gebrannt	wir hatten gebrannt	wir würden brennen
ihr habt gebrannt	ihr hattet gebrannt	ihr würdet brennen
Sie haben gebrannt	Sie hatten gebrannt	Sie würden brennen
sie haben gebrannt	sie hatten gebrannt	sie würden brennen

SUBJUNCTIVE

PRESENT	PERFECT
ich brenne	ich habe gebrannt
du brennest	du habest gebrannt
er/sie brenne	er/sie habe gebrannt
wir brennen	wir haben gebrannt
ihr brennet	ihr habet gebrannt
Sie brennen	Sie haben gebrannt
sie brennen	sie haben gebrannt

IMPERFECT	PLUPERFECT
ich brennte	ich hätte gebrannt
du brenntest	du hättest gebrannt
er/sie brennte	er/sie hätte gebrannt
wir brennten	wir hätten gebrannt
ihr brenntet	ihr hättet gebrannt
Sie brennten	Sie hätten gebrannt
sie brennten	sie hätten gebrannt

FUTURE PERFECT
ich werde gebrannt haben
du wirst gebrannt haben *etc*

INFINITIVE

PRESENT
brennen
PAST
gebrannt haben

PARTICIPLE

PRESENT
brennend

PAST
gebrannt

IMPERATIVE

brenn(e)!
brennt!
brennen Sie!
brennen wir!

PRESENT

ich bringe
du bringst
er/sie bringt
wir bringen
ihr bringt
Sie bringen
sie bringen

PERFECT

ich habe gebracht
du hast gebracht
er/sie hat gebracht
wir haben gebracht
ihr habt gebracht
Sie haben gebracht
sie haben gebracht

IMPERFECT

ich brachte
du brachtest
er/sie brachte
wir brachten
ihr brachtet
Sie brachten
sie brachten

PLUPERFECT

ich hatte gebracht
du hattest gebracht
er/sie hatte gebracht
wir hatten gebracht
ihr hattet gebracht
Sie hatten gebracht
sie hatten gebracht

FUTURE

ich werde bringen
du wirst bringen
er/sie wird bringen
wir werden bringen
ihr werdet bringen
Sie werden bringen
sie werden bringen

CONDITIONAL

ich würde bringen
du würdest bringen
er/sie würde bringen
wir würden bringen
ihr würdet bringen
Sie würden bringen
sie würden bringen

SUBJUNCTIVE

PRESENT

ich bringe
du bringest
er/sie bringe
wir bringen
ihr bringet
Sie bringen
sie bringen

IMPERFECT

ich brächte
du brächtest
er/sie brächte
wir brächten
ihr brächtet
Sie brächten
sie brächten

FUTURE PERFECT

ich werde gebracht haben
du wirst gebracht haben *etc*

PERFECT

ich habe gebracht
du habest gebracht
er/sie habe gebracht
wir haben gebracht
ihr habet gebracht
Sie haben gebracht
sie haben gebracht

PLUPERFECT

ich hätte gebracht
du hättest gebracht
er/sie hätte gebracht
wir hätten gebracht
ihr hättet gebracht
Sie hätten gebracht
sie hätten gebracht

INFINITIVE

PRESENT

bringen

PAST

gebracht haben

PARTICIPLE

PRESENT

bringend

PAST

gebracht

IMPERATIVE

bring(e)!
bringt!
bringen Sie!
bringen wir!

PRESENT
ich bin da
du bist da
er/sie ist da
wir sind da
ihr seid da
Sie sind da
sie sind da

IMPERFECT
ich war da
du warst da
er/sie war da
wir waren da
ihr wart da
Sie waren da
sie waren da

FUTURE
ich werde da sein
du wirst da sein
er/sie wird da sein
wir werden da sein
ihr werdet da sein
Sie werden da sein
sie werden da sein

PERFECT
ich bin da gewesen
du bist da gewesen
er/sie ist da gewesen
wir sind da gewesen
ihr seid da gewesen
Sie sind da gewesen
sie sind da gewesen

PLUPERFECT
ich war da gewesen
du warst da gewesen
er/sie war da gewesen
wir waren da gewesen
ihr wart da gewesen
Sie waren da gewesen
sie waren da gewesen

CONDITIONAL
ich würde da sein
du würdest da sein
er/sie würde da sein
wir würden da sein
ihr würdet da sein
Sie würden da sein
sie würden da sein

SUBJUNCTIVE

PRESENT
ich sei da
du sei(e)st da
er/sie sei da
wir seien da
ihr seiet da
Sie seien da
sie seien da

PERFECT
ich sei da gewesen
du sei(e)st da gewesen
er/sie sei da gewesen
wir seien da gewesen
ihr seiet da gewesen
Sie seien da gewesen
sie seien da gewesen

INFINITIVE

PRESENT
da sein
PAST
da gewesen sein

IMPERFECT
ich wäre da
du wär(e)st da
er/sie wäre da
wir wären da
ihr wär(e)t da
Sie wären da
sie wären da

PLUPERFECT
ich wäre da gewesen
du wär(e)st da gewesen
er/sie wäre da gewesen
wir wären da gewesen
ihr wär(e)t da gewesen
Sie wären da gewesen
sie wären da gewesen

PARTICIPLE

PRESENT
da seiend

PAST
da gewesen

IMPERATIVE
sei da!
seid da!
seien Sie da!
seien wir da!

FUTURE PERFECT
ich werde da gewesen sein
du wirst da gewesen sein *etc*

PRESENT
ich denke
du denkst
er/sie denkt
wir denken
ihr denkt
Sie denken
sie denken

PERFECT
ich habe gedacht
du hast gedacht
er/sie hat gedacht
wir haben gedacht
ihr habt gedacht
Sie haben gedacht
sie haben gedacht

IMPERFECT
ich dachte
du dachtest
er/sie dachte
wir dachten
ihr dachtet
Sie dachten
sie dachten

PLUPERFECT
ich hatte gedacht
du hattest gedacht
er/sie hatte gedacht
wir hatten gedacht
ihr hattet gedacht
Sie hatten gedacht
sie hatten gedacht

FUTURE
ich werde denken
du wirst denken
er/sie wird denken
wir werden denken
ihr werdet denken
Sie werden denken
sie werden denken

CONDITIONAL
ich würde denken
du würdest denken
er/sie würde denken
wir würden denken
ihr würdet denken
Sie würden denken
sie würden denken

SUBJUNCTIVE

PRESENT
ich denke
du denkest
er/sie denke
wir denken
ihr denket
Sie denken
sie denken

IMPERFECT
ich dächte
du dächtest
er/sie dächte
wir dächten
ihr dächtet
Sie dächten
sie dächten

FUTURE PERFECT
ich werde gedacht haben
du wirst gedacht haben *etc*

PERFECT
ich habe gedacht
du habest gedacht
er/sie habe gedacht
wir haben gedacht
ihr habet gedacht
Sie haben gedacht
sie haben gedacht

PLUPERFECT
ich hätte gedacht
du hättest gedacht
er/sie hätte gedacht
wir hätten gedacht
ihr hättet gedacht
Sie hätten gedacht
sie hätten gedacht

INFINITIVE

PRESENT
denken
PAST
gedacht haben

PARTICIPLE

PRESENT
denkend
PAST
gedacht

IMPERATIVE

denk(e)!
denkt!
denken Sie!
denken wir!

PRESENT
ich dresche
du drischst
er/sie drischt
wir dreschen
ihr drescht
Sie dreschen
sie dreschen

IMPERFECT _(1)_
ich drosch
du droschst
er/sie drosch
wir droschen
ihr droscht
Sie droschen
sie droschen

FUTURE
ich werde dreschen
du wirst dreschen
er/sie wird dreschen
wir werden dreschen
ihr werdet dreschen
Sie werden dreschen
sie werden dreschen

PERFECT
ich habe gedroschen
du hast gedroschen
er/sie hat gedroschen
wir haben gedroschen
ihr habt gedroschen
Sie haben gedroschen
sie haben gedroschen

PLUPERFECT
ich hatte gedroschen
du hattest gedroschen
er/sie hatte gedroschen
wir hatten gedroschen
ihr hattet gedroschen
Sie hatten gedroschen
sie hatten gedroschen

CONDITIONAL
ich würde dreschen
du würdest dreschen
er/sie würde dreschen
wir würden dreschen
ihr würdet dreschen
Sie würden dreschen
sie würden dreschen

SUBJUNCTIVE

PRESENT
ich dresche
du dreschest
er/sie dresche
wir dreschen
ihr dreschet
Sie dreschen
sie dreschen

PERFECT
ich habe gedroschen
du habest gedroschen
er/sie habe gedroschen
wir haben gedroschen
ihr habet gedroschen
Sie haben gedroschen
sie haben gedroschen

INFINITIVE

PRESENT
dreschen
PAST
gedroschen haben

PARTICIPLE

PRESENT
dreschend

IMPERFECT
ich drösche
du dröschest
er/sie drösche
wir dröschen
ihr dröschet
Sie dröschen
sie dröschen

PLUPERFECT
ich hätte gedroschen
du hättest gedroschen
er/sie hätte gedroschen
wir hätten gedroschen
ihr hättet gedroschen
Sie hätten gedroschen
sie hätten gedroschen

PAST
gedroschen

IMPERATIVE

drisch!
drescht!
dreschen Sie!
dreschen wir!

FUTURE PERFECT
ich werde gedroschen haben
du wirst gedroschen haben _etc_

NOTE

(1) older forms: ich drasch, du draschst _etc_

PRESENT
ich dringe
du dringst
er/sie dringt
wir dringen
ihr dringt
Sie dringen
sie dringen

IMPERFECT
ich drang
du drangst
er/sie drang
wir drangen
ihr drangt
Sie drangen
sie drangen

FUTURE
ich werde dringen
du wirst dringen
er/sie wird dringen
wir werden dringen
ihr werdet dringen
Sie werden dringen
sie werden dringen

PERFECT
ich bin gedrungen
du bist gedrungen
er/sie ist gedrungen
wir sind gedrungen
ihr seid gedrungen
Sie sind gedrungen
sie sind gedrungen

PLUPERFECT
ich war gedrungen
du warst gedrungen
er/sie war gedrungen
wir waren gedrungen
ihr wart gedrungen
Sie waren gedrungen
sie waren gedrungen

CONDITIONAL
ich würde dringen
du würdest dringen
er/sie würde dringen
wir würden dringen
ihr würdet dringen
Sie würden dringen
sie würden dringen

SUBJUNCTIVE

PRESENT
ich dringe
du dringest
er/sie dringe
wir dringen
ihr dringet
Sie dringen
sie dringen

IMPERFECT
ich dränge
du drängest
er/sie dränge
wir drängen
ihr dränget
Sie drängen
sie drängen

FUTURE PERFECT
ich werde gedrungen sein
du wirst gedrungen sein *etc*

PERFECT
ich sei gedrungen
du sei(e)st gedrungen
er/sie sei gedrungen
wir seien gedrungen
ihr seiet gedrungen
Sie seien gedrungen
sie seien gedrungen

PLUPERFECT
ich wäre gedrungen
du wär(e)st gedrungen
er/sie wäre gedrungen
wir wären gedrungen
ihr wär(e)t gedrungen
Sie wären gedrungen
sie wären gedrungen

INFINITIVE

PRESENT
dringen
PAST
gedrungen sein

PARTICIPLE

PRESENT
dringend
PAST
gedrungen

IMPERATIVE

dring(e)!
dringt!
dringen Sie!
dringen wir!

DÜRFEN
35 to be allowed to

PRESENT	IMPERFECT	FUTURE
ich darf	ich durfte	ich werde dürfen
du darfst	du durftest	du wirst dürfen
er/sie darf	er/sie durfte	er/sie wird dürfen
wir dürfen	wir durften	wir werden dürfen
ihr dürft	ihr durftet	ihr werdet dürfen
Sie dürfen	Sie durften	Sie werden dürfen
sie dürfen	sie durften	sie werden dürfen

PERFECT (1)	PLUPERFECT (2)	CONDITIONAL
ich habe gedurft	ich hatte gedurft	ich würde dürfen
du hast gedurft	du hattest gedurft	du würdest dürfen
er/sie hat gedurft	er/sie hatte gedurft	er/sie würde dürfen
wir haben gedurft	wir hatten gedurft	wir würden dürfen
ihr habt gedurft	ihr hattet gedurft	ihr würdet dürfen
Sie haben gedurft	Sie hatten gedurft	Sie würden dürfen
sie haben gedurft	sie hatten gedurft	sie würden dürfen

SUBJUNCTIVE

PRESENT	PERFECT (1)
ich dürfe	ich habe gedurft
du dürfest	du habest gedurft
er/sie dürfe	er/sie habe gedurft
wir dürfen	wir haben gedurft
ihr dürfet	ihr habet gedurft
Sie dürfen	Sie haben gedurft
sie dürfen	sie haben gedurft

IMPERFECT	PLUPERFECT (3)
ich dürfte	ich hätte gedurft
du dürftest	du hättest gedurft
er/sie dürfte	er/sie hätte gedurft
wir dürften	wir hätten gedurft
ihr dürftet	ihr hättet gedurft
Sie dürften	Sie hätten gedurft
sie dürften	sie hätten gedurft

INFINITIVE

PRESENT
dürfen

PAST
gedurft haben

PARTICIPLE

PRESENT
dürfend

PAST
gedurft

NOTE

when preceded by an infinitive: (1) ich habe ... dürfen *etc (2)* ich hatte ... dürfen *etc (3)* ich hätte ... dürfen *etc*

PRESENT
ich eile
du eilst
er/sie eilt
wir eilen
ihr eilt
Sie eilen
sie eilen

PERFECT
ich bin geeilt
du bist geeilt
er/sie ist geeilt
wir sind geeilt
ihr seid geeilt
Sie sind geeilt
sie sind geeilt

IMPERFECT
ich eilte
du eiltest
er/sie eilte
wir eilten
ihr eiltet
Sie eilten
sie eilten

PLUPERFECT
ich war geeilt
du warst geeilt
er/sie war geeilt
wir waren geeilt
ihr wart geeilt
Sie waren geeilt
sie waren geeilt

FUTURE
ich werde eilen
du wirst eilen
er/sie wird eilen
wir werden eilen
ihr werdet eilen
Sie werden eilen
sie werden eilen

CONDITIONAL
ich würde eilen
du würdest eilen
er/sie würde eilen
wir würden eilen
ihr würdet eilen
Sie würden eilen
sie würden eilen

SUBJUNCTIVE

PRESENT
ich eile
du eilest
er/sie eile
wir eilen
ihr eilet
Sie eilen
sie eilen

IMPERFECT
ich eilte
du eiltest
er/sie eilte
wir eilten
ihr eiltet
Sie eilten
sie eilten

FUTURE PERFECT
ich werde geeilt sein
du wirst geeilt sein *etc*

PERFECT
ich sei geeilt
du sei(e)st geeilt
er/sie sei geeilt
wir seien geeilt
ihr seiet geeilt
Sie seien geeilt
sie seien geeilt

PLUPERFECT
ich wäre geeilt
du wär(e)st geeilt
er/sie wäre geeilt
wir wären geeilt
ihr wär(e)t geeilt
Sie wären geeilt
sie wären geeilt

INFINITIVE

PRESENT
eilen

PAST
geeilt sein

PARTICIPLE

PRESENT
eilend

PAST
geeilt

IMPERATIVE

eil(e)!
eilt!
eilen Sie!
eilen wir!

EMPFEHLEN
37 to recommend

PRESENT
ich empfehle
du empfiehlst
er/sie empfiehlt
wir empfehlen
ihr empfehlt
Sie empfehlen
sie empfehlen

IMPERFECT
ich empfahl
du empfahlst
er/sie empfahl
wir empfahlen
ihr empfahlt
Sie empfahlen
sie empfahlen

FUTURE
ich werde empfehlen
du wirst empfehlen
er/sie wird empfehlen
wir werden empfehlen
ihr werdet empfehlen
Sie werden empfehlen
sie werden empfehlen

PERFECT
ich habe empfohlen
du hast empfohlen
er/sie hat empfohlen
wir haben empfohlen
ihr habt empfohlen
Sie haben empfohlen
sie haben empfohlen

PLUPERFECT
ich hatte empfohlen
du hattest empfohlen
er/sie hatte empfohlen
wir hatten empfohlen
ihr hattet empfohlen
Sie hatten empfohlen
sie hatten empfohlen

CONDITIONAL
ich würde empfehlen
du würdest empfehlen
er/sie würde empfehlen
wir würden empfehlen
ihr würdet empfehlen
Sie würden empfehlen
sie würden empfehlen

SUBJUNCTIVE

PRESENT
ich empfehle
du empfehlest
er/sie empfehle
wir empfehlen
ihr empfehlet
Sie empfehlen
sie empfehlen

PERFECT
ich habe empfohlen
du habest empfohlen
er/sie habe empfohlen
wir haben empfohlen
ihr habet empfohlen
Sie haben empfohlen
sie haben empfohlen

INFINITIVE

PRESENT
empfehlen
PAST
empfohlen haben

IMPERFECT *(1)*
ich empföhle
du empföhlest
er/sie empföhle
wir empföhlen
ihr empföhlet
Sie empföhlen
sie empföhlen

PLUPERFECT
ich hätte empfohlen
du hättest empfohlen
er/sie hätte empfohlen
wir hätten empfohlen
ihr hättet empfohlen
Sie hätten empfohlen
sie hätten empfohlen

PARTICIPLE

PRESENT
empfehlend
PAST
empfohlen

IMPERATIVE
empfiehl!
empfehlt!
empfehlen Sie!
empfehlen wir!

FUTURE PERFECT
ich werde empfohlen haben
du wirst empfohlen haben *etc*

NOTE

(1) ich empfähle, du empfählest etc is also possible

PRESENT
ich entscheide
du entscheidest
er/sie entscheidet
wir entscheiden
ihr entscheidet
Sie entscheiden
sie entscheiden

PERFECT
ich habe entschieden
du hast entschieden
er/sie hat entschieden
wir haben entschieden
ihr habt entschieden
Sie haben entschieden
sie haben entschieden

IMPERFECT
ich entschied
du entschiedest
er/sie entschied
wir entschieden
ihr entschiedet
Sie entschieden
sie entschieden

PLUPERFECT
ich hatte entschieden
du hattest entschieden
er/sie hatte entschieden
wir hatten entschieden
ihr hattet entschieden
Sie hatten entschieden
sie hatten entschieden

FUTURE
ich werde entscheiden
du wirst entscheiden
er/sie wird entscheiden
wir werden entscheiden
ihr werdet entscheiden
Sie werden entscheiden
sie werden entscheiden

CONDITIONAL
ich würde entscheiden
du würdest entscheiden
er/sie würde entscheiden
wir würden entscheiden
ihr würdet entscheiden
Sie würden entscheiden
sie würden entscheiden

SUBJUNCTIVE

PRESENT
ich entscheide
du entscheidest
er/sie entscheide
wir entscheiden
ihr entscheidet
Sie entscheiden
sie entscheiden

IMPERFECT
ich entschiede
du entschiedest
er/sie entschiede
wir entschieden
ihr entschiedet
Sie entschieden
sie entschieden

PERFECT
ich habe entschieden
du habest entschieden
er/sie habe entschieden
wir haben entschieden
ihr habet entschieden
Sie haben entschieden
sie haben entschieden

PLUPERFECT
ich hätte entschieden
du hättest entschieden
er/sie hätte entschieden
wir hätten entschieden
ihr hättet entschieden
Sie hätten entschieden
sie hätten entschieden

FUTURE PERFECT
ich werde entschieden haben
du wirst entschieden haben *etc*

INFINITIVE

PRESENT
entscheiden

PAST
entschieden haben

PARTICIPLE

PRESENT
entscheidend

PAST
entschieden

IMPERATIVE

entscheid(e)!
entscheidet!
entscheiden Sie!
entscheiden wir!

ERKLIMMEN
39 *to climb*

PRESENT
ich erklimme
du erklimmst
er/sie erklimmt
wir erklimmen
ihr erklimmt
Sie erklimmen
sie erklimmen

IMPERFECT
ich erklomm
du erklommst
er/sie erklomm
wir erklommen
ihr erklommt
Sie erklommen
sie erklommen

FUTURE
ich werde erklimmen
du wirst erklimmen
er/sie wird erklimmen
wir werden erklimmen
ihr werdet erklimmen
Sie werden erklimmen
sie werden erklimmen

PERFECT
ich habe erklommen
du hast erklommen
er/sie hat erklommen
wir haben erklommen
ihr habt erklommen
Sie haben erklommen
sie haben erklommen

PLUPERFECT
ich hatte erklommen
du hattest erklommen
er/sie hatte erklommen
wir hatten erklommen
ihr hattet erklommen
Sie hatten erklommen
sie hatten erklommen

CONDITIONAL
ich würde erklimmen
du würdest erklimmen
er/sie würde erklimmen
wir würden erklimmen
ihr würdet erklimmen
Sie würden erklimmen
sie würden erklimmen

SUBJUNCTIVE

PRESENT
ich erklimme
du erklimmest
er/sie erklimme
wir erklimmen
ihr erklimmet
Sie erklimmen
sie erklimmen

PERFECT
ich habe erklommen
du habest erklommen
er/sie habe erklommen
wir haben erklommen
ihr habet erklommen
Sie haben erklommen
sie haben erklommen

INFINITIVE

PRESENT
erklimmen
PAST
erklommen haben

IMPERFECT
ich erklömme
du erklömmest
er/sie erklömme
wir erklömmen
ihr erklömmet
Sie erklömmen
sie erklömmen

PLUPERFECT
ich hätte erklommen
du hättest erklommen
er/sie hätte erklommen
wir hätten erklommen
ihr hättet erklommen
Sie hätten erklommen
sie hätten erklommen

PARTICIPLE

PRESENT
erklimmend

PAST
erklommen

IMPERATIVE
erklimm(e)!
erklimmt!
erklimmen Sie!
erklimmen wir!

FUTURE PERFECT
ich werde erklommen haben
du wirst erklommen haben *etc*

PRESENT
ich erschrecke
du erschrickst
er/sie erschrickt
wir erschrecken
ihr erschreckt
Sie erschrecken
sie erschrecken

PERFECT
ich bin erschrocken
du bist erschrocken
er/sie ist erschrocken
wir sind erschrocken
ihr seid erschrocken
Sie sind erschrocken
sie sind erschrocken

IMPERFECT
ich erschrak
du erschrakst
er/sie erschrak
wir erschraken
ihr erschrakt
Sie erschraken
sie erschraken

PLUPERFECT
ich war erschrocken
du warst erschrocken
er/sie war erschrocken
wir waren erschrocken
ihr wart erschrocken
Sie waren erschrocken
sie waren erschrocken

FUTURE
ich werde erschrecken
du wirst erschrecken
er/sie wird erschrecken
wir werden erschrecken
ihr werdet erschrecken
Sie werden erschrecken
sie werden erschrecken

CONDITIONAL
ich würde erschrecken
du würdest erschrecken
er/sie würde erschrecken
wir würden erschrecken
ihr würdet erschrecken
Sie würden erschrecken
sie würden erschrecken

SUBJUNCTIVE

PRESENT
ich erschrecke
du erschreckst
er/sie erschreckt
wir erschrecken
ihr erschrecket
Sie erschrecken
sie erschrecken

IMPERFECT
ich erschräke
du erschräkest
er/sie erschräke
wir erschräken
ihr erschräket
Sie erschräken
sie erschräken

FUTURE PERFECT
ich werde erschrocken sein
du wirst erschrocken sein *etc*

PERFECT
ich sei erschrocken
du sei(e)st erschrocken
er/sie sei erschrocken
wir seien erschrocken
ihr seiet erschrocken
Sie seien erschrocken
sie seien erschrocken

PLUPERFECT
ich wäre erschrocken
du wär(e)st erschrocken
er/sie wäre erschrocken
wir wären erschrocken
ihr wär(e)t erschrocken
Sie wären erschrocken
sie wären erschrocken

INFINITIVE

PRESENT
erschrecken
PAST
erschrocken sein

PARTICIPLE

PRESENT
erschreckend
PAST
erschrocken

IMPERATIVE
erschreck(e)!
erschreckt!
erschrecken Sie!
erschrecken wir!

NOTE

(1) also a weak transitive verb meaning 'to frighten', conjugated with **haben:** *ich erschreckte,* **ich habe erschreckt** *etc*

ERWÄGEN
41 *to consider*

PRESENT
ich erwäge
du erwägst
er/sie erwägt
wir erwägen
ihr erwägt
Sie erwägen
sie erwägen

PERFECT
ich habe erwogen
du hast erwogen
er/sie hat erwogen
wir haben erwogen
ihr habt erwogen
Sie haben erwogen
sie haben erwogen

IMPERFECT
ich erwog
du erwogst
er/sie erwog
wir erwogen
ihr erwogt
Sie erwogen
sie erwogen

PLUPERFECT
ich hatte erwogen
du hattest erwogen
er/sie hatte erwogen
wir hatten erwogen
ihr hattet erwogen
Sie hatten erwogen
sie hatten erwogen

FUTURE
ich werde erwägen
du wirst erwägen
er/sie wird erwägen
wir werden erwägen
ihr werdet erwägen
Sie werden erwägen
sie werden erwägen

CONDITIONAL
ich würde erwägen
du würdest erwägen
er/sie würde erwägen
wir würden erwägen
ihr würdet erwägen
Sie würden erwägen
sie würden erwägen

SUBJUNCTIVE

PRESENT
ich erwäge
du erwägest
er/sie erwäge
wir erwägen
ihr erwäget
Sie erwägen
sie erwägen

IMPERFECT
ich erwöge
du erwögest
er/sie erwöge
wir erwögen
ihr erwöget
Sie erwögen
sie erwögen

FUTURE PERFECT
ich werde erwogen haben
du wirst erwogen haben *etc*

PERFECT
ich habe erwogen
du habest erwogen
er/sie habe erwogen
wir haben erwogen
ihr habet erwogen
Sie haben erwogen
sie haben erwogen

PLUPERFECT
ich hätte erwogen
du hättest erwogen
er/sie hätte erwogen
wir hätten erwogen
ihr hättet erwogen
Sie hätten erwogen
sie hätten erwogen

INFINITIVE

PRESENT
erwägen

PAST
erwogen haben

PARTICIPLE

PRESENT
erwägend

PAST
erwogen

IMPERATIVE

erwäg(e)!
erwägt!
erwägen Sie!
erwägen wir!

PRESENT
ich esse
du isst
er/sie isst
wir essen
ihr esst
Sie essen
sie essen

IMPERFECT
ich aß
du aßest
er/sie aß
wir aßen
ihr aßt
Sie aßen
sie aßen

FUTURE
ich werde essen
du wirst essen
er/sie wird essen
wir werden essen
ihr werdet essen
Sie werden essen
sie werden essen

PERFECT
ich habe gegessen
du hast gegessen
er/sie hat gegessen
wir haben gegessen
ihr habt gegessen
Sie haben gegessen
sie haben gegessen

PLUPERFECT
ich hatte gegessen
du hattest gegessen
er/sie hatte gegessen
wir hatten gegessen
ihr hattet gegessen
Sie hatten gegessen
sie hatten gegessen

CONDITIONAL
ich würde essen
du würdest essen
er/sie würde essen
wir würden essen
ihr würdet essen
Sie würden essen
sie würden essen

SUBJUNCTIVE

PRESENT
ich esse
du essest
er/sie esse
wir essen
ihr esset
Sie essen
sie essen

PERFECT
ich habe gegessen
du habest gegessen
er/sie habe gegessen
wir haben gegessen
ihr habet gegessen
Sie haben gegessen
sie haben gegessen

INFINITIVE

PRESENT
essen
PAST
gegessen haben

PARTICIPLE

PRESENT
essend

IMPERFECT
ich äße
du äßest
er/sie äße
wir äßen
ihr äßet
Sie äßen
sie äßen

PLUPERFECT
ich hätte gegessen
du hättest gegessen
er/sie hätte gegessen
wir hätten gegessen
ihr hättet gegessen
Sie hätten gegessen
sie hätten gegessen

PAST
gegessen

IMPERATIVE

iss!
esst!
essen Sie!
essen wir!

FUTURE PERFECT
ich werde gegessen haben
du wirst gegessen haben *etc*

FAHREN
43   *to go; to drive*

PRESENT	IMPERFECT	FUTURE
ich fahre	ich fuhr	ich werde fahren
du fährst	du fuhrst	du wirst fahren
er/sie fährt	er/sie fuhr	er/sie wird fahren
wir fahren	wir fuhren	wir werden fahren
ihr fahrt	ihr fuhrt	ihr werdet fahren
Sie fahren	Sie fuhren	Sie werden fahren
sie fahren	sie fuhren	sie werden fahren

PERFECT *(1)*	PLUPERFECT *(2)*	CONDITIONAL
ich bin gefahren	ich war gefahren	ich würde fahren
du bist gefahren	du warst gefahren	du würdest fahren
er/sie ist gefahren	er/sie war gefahren	er/sie würde fahren
wir sind gefahren	wir waren gefahren	wir würden fahren
ihr seid gefahren	ihr wart gefahren	ihr würdet fahren
Sie sind gefahren	Sie waren gefahren	Sie würden fahren
sie sind gefahren	sie waren gefahren	sie würden fahren

SUBJUNCTIVE

PRESENT	PERFECT *(1)*
ich fahre	ich sei gefahren
du fahrest	du sei(e)st gefahren
er/sie fahre	er/sie sei gefahren
wir fahren	wir seien gefahren
ihr fahret	ihr seiet gefahren
Sie fahren	Sie seien gefahren
sie fahren	sie seien gefahren

IMPERFECT	PLUPERFECT *(3)*
ich führe	ich wäre gefahren
du führest	du wär(e)st gefahren
er/sie führe	er/sie wäre gefahren
wir führen	wir wären gefahren
ihr führet	ihr wär(e)t gefahren
Sie führen	Sie wären gefahren
sie führen	sie wären gefahren

FUTURE PERFECT *(4)*
ich werde gefahren sein
du wirst gefahren sein *etc*

INFINITIVE

PRESENT
fahren

PAST *(5)*
gefahren sein

PARTICIPLE

PRESENT
fahrend

PAST
gefahren

IMPERATIVE

fahr(e)!
fahrt!
fahren Sie!
fahern wir!

NOTE

also transitive ('to drive'): **(1)** ich habe gefahren *etc*
(2) ich hatte gefahren *etc* **(3)** ich hätte gefahren *etc*
(4) ich werde gefahren haben *etc* **(5)** gefahren haben

PRESENT
ich falle
du fällst
er/sie fällt
wir fallen
ihr fallt
Sie fallen
sie fallen

IMPERFECT
ich fiele
du fielst
er/sie fiel
wir fielen
ihr fielt
Sie fielen
sie fielen

FUTURE
ich werde fallen
du wirst fallen
er/sie wird fallen
wir werden fallen
ihr werdet fallen
Sie werden fallen
sie werden fallen

PERFECT
ich bin gefallen
du bist gefallen
er/sie ist gefallen
wir sind gefallen
ihr seid gefallen
Sie sind gefallen
sie sind gefallen

PLUPERFECT
ich war gefallen
du warst gefallen
er/sie war gefallen
wir waren gefallen
ihr wart gefallen
Sie waren gefallen
sie waren gefallen

CONDITIONAL
ich würde fallen
du würdest fallen
er/sie würde fallen
wir würden fallen
ihr würdet fallen
Sie würden fallen
sie würden fallen

SUBJUNCTIVE

PRESENT
ich falle
du fallest
er/sie falle
wir fallen
ihr fallet
Sie fallen
sie fallen

PERFECT
ich sei gefallen
du sei(e)st gefallen
er/sie sei gefallen
wir seien gefallen
ihr seiet gefallen
Sie seien gefallen
sie seien gefallen

INFINITIVE

PRESENT
fallen
PAST
gefallen sein

IMPERFECT
ich fiele
du fielest
er/sie fiele
wir fielen
ihr fielet
Sie fielen
sie fielen

PLUPERFECT
ich wäre gefallen
du wär(e)st gefallen
er/sie wäre gefallen
wir wären gefallen
ihr wär(e)t gefallen
Sie wären gefallen
sie wären gefallen

PARTICIPLE

PRESENT
fallend
PAST
gefallen

FUTURE PERFECT
ich werde gefallen sein
du wirst gefallen sein *etc*

IMPERATIVE

fall(e)!
fallt!
fallen Sie!
fallen wir!

FANGEN
45 *to catch*

PRESENT	IMPERFECT	FUTURE
ich fange	ich fing	ich werde fangen
du fängst	du fingst	du wirst fangen
er/sie fängt	er/sie fing	er/sie wird fangen
wir fangen	wir fingen	wir werden fangen
ihr fangt	ihr fingt	ihr werdet fangen
Sie fangen	Sie fingen	Sie werden fangen
sie fangen	sie fingen	sie werden fangen

PERFECT	PLUPERFECT	CONDITIONAL
ich habe gefangen	ich hatte gefangen	ich würde fangen
du hast gefangen	du hattest gefangen	du würdest fangen
er/sie hat gefangen	er/sie hatte gefangen	er/sie würde fangen
wir haben gefangen	wir hatten gefangen	wir würden fangen
ihr habt gefangen	ihr hattet gefangen	ihr würdet fangen
Sie haben gefangen	Sie hatten gefangen	Sie würden fangen
sie haben gefangen	sie hatten gefangen	sie würden fangen

SUBJUNCTIVE

PRESENT	PERFECT
ich fange	ich habe gefangen
du fangest	du habest gefangen
er/sie fange	er/sie habe gefangen
wir fangen	wir haben gefangen
ihr fanget	ihr habet gefangen
Sie fangen	Sie haben gefangen
sie fangen	sie haben gefangen

IMPERFECT	PLUPERFECT
ich finge	ich hätte gefangen
du fingest	du hättest gefangen
er/sie finge	er/sie hätte gefangen
wir fingen	wir hätten gefangen
ihr finget	ihr hättet gefangen
Sie fingen	Sie hätten gefangen
sie fingen	sie hätten gefangen

FUTURE PERFECT
ich werde gefangen haben
du wirst gefangen haben *etc*

INFINITIVE

PRESENT
fangen

PAST
gefangen haben

PARTICIPLE

PRESENT
fangend

PAST
gefangen

IMPERATIVE

fang(e)!
fangt!
fangen Sie!
fangen wir!

PRESENT
ich fechte
du fichtst *(1)*
er/sie ficht
wir fechten
ihr fechtet
Sie fechten
sie fechten

IMPERFECT
ich focht
du fochtest
er/sie focht
wir fochten
ihr fochtet
Sie fochten
sie fochten

FUTURE
ich werde fechten
du wirst fechten
er/sie wird fechten
wir werden fechten
ihr werdet fechten
Sie werden fechten
sie werden fechten

PERFECT
ich habe gefochten
du hast gefochten
er/sie hat gefochten
wir haben gefochten
ihr habt gefochten
Sie haben gefochten
sie haben gefochten

PLUPERFECT
ich hatte gefochten
du hattest gefochten
er/sie hatte gefochten
wir hatten gefochten
ihr hattet gefochten
Sie hatten gefochten
sie hatten gefochten

CONDITIONAL
ich würde fechten
du würdest fechten
er/sie würde fechten
wir würden fechten
ihr würdet fechten
Sie würden fechten
sie würden fechten

SUBJUNCTIVE

PRESENT
ich fechte
du fechtest
er/sie fechte
wir fechten
ihr fechtet
Sie fechten
sie fechten

PERFECT
ich habe gefochten
du habest gefochten
er/sie habe gefochten
wir haben gefochten
ihr habet gefochten
Sie haben gefochten
sie haben gefochten

IMPERFECT
ich föchte
du föchtest
er/sie föchte
wir föchten
ihr föchtet
Sie föchten
sie föchten

PLUPERFECT
ich hätte gefochten
du hättest gefochten
er/sie hätte gefochten
wir hätten gefochten
ihr hättet gefochten
Sie hätten gefochten
sie hätten gefochten

FUTURE PERFECT
ich werde gefochten haben
du wirst gefochten haben *etc*

INFINITIVE

PRESENT
fechten

PAST
gefochten haben

PARTICIPLE

PRESENT
fechtend

PAST
gefochten

IMPERATIVE

ficht!
fechtet!
fechten Sie!
fechten wir!

NOTE

(1) **du fichst** *is also possible*

FINDEN
47 to find

PRESENT	IMPERFECT	FUTURE
ich finde	ich fand	ich werde finden
du findest	du fandest	du wirst finden
er/sie findet	er/sie fand	er/sie wird finden
wir finden	wir fanden	wir werden finden
ihr findet	ihr fandet	ihr werdet finden
Sie finden	Sie fanden	Sie werden finden
sie finden	sie fanden	sie werden finden

PERFECT	PLUPERFECT	CONDITIONAL
ich habe gefunden	ich hatte gefunden	ich würde finden
du hast gefunden	du hattest gefunden	du würdest finden
er/sie hat gefunden	er/sie hatte gefunden	er/sie würde finden
wir haben gefunden	wir hatten gefunden	wir würden finden
ihr habt gefunden	ihr hattet gefunden	ihr würdet finden
Sie haben gefunden	Sie hatten gefunden	Sie würden finden
sie haben gefunden	sie hatten gefunden	sie würden finden

SUBJUNCTIVE

PRESENT	PERFECT
ich finde	ich habe gefunden
du findest	du habest gefunden
er/sie finde	er/sie habe gefunden
wir finden	wir haben gefunden
ihr findet	ihr habet gefunden
Sie finden	Sie haben gefunden
sie finden	sie haben gefunden

IMPERFECT	PLUPERFECT
ich fände	ich hätte gefunden
du fändest	du hättest gefunden
er/sie fände	er/sie hätte gefunden
wir fänden	wir hätten gefunden
ihr fändet	ihr hättet gefunden
Sie fänden	Sie hätten gefunden
sie fänden	sie hätten gefunden

FUTURE PERFECT
ich werde gefunden haben
du wirst gefunden haben *etc*

INFINITIVE

PRESENT
finden

PAST
gefunden haben

PARTICIPLE

PRESENT
findend

PAST
gefunden

IMPERATIVE

find(e)!
findet!
finden Sie!
finden wir!

PRESENT
ich flechte
du flichtst *(1)*
er/sie flicht
wir flechten
ihr flechtet
Sie flechten
sie flechten

IMPERFECT
ich flocht
du flochtest
er/sie flocht
wir flochten
ihr flochtet
Sie flochten
sie flochten

FUTURE
ich werde flechten
du wirst flechten
er/sie wird flechten
wir werden flechten
ihr werdet flechten
Sie werden flechten
sie werden flechten

PERFECT
ich habe geflochten
du hast geflochten
er/sie hat geflochten
wir haben geflochten
ihr habt geflochten
Sie haben geflochten
sie haben geflochten

PLUPERFECT
ich hatte geflochten
du hattest geflochten
er/sie hatte geflochten
wir hatten geflochten
ihr hattet geflochten
Sie hatten geflochten
sie hatten geflochten

CONDITIONAL
ich würde flechten
du würdest flechten
er/sie würde flechten
wir würden flechten
ihr würdet flechten
Sie würden flechten
sie würden flechten

SUBJUNCTIVE

PRESENT
ich flechte
du flechtest
er/sie flechte
wir flechten
ihr flechtet
Sie flechten
sie flechten

PERFECT
ich habe geflochten
du habest geflochten
er/sie habe geflochten
wir haben geflochten
ihr habet geflochten
Sie haben geflochten
sie haben geflochten

INFINITIVE

PRESENT
flechten
PAST
geflochten haben

PARTICIPLE

PRESENT
flechtend

IMPERFECT
ich flöchte
du flöchtest
er/sie flöchte
wir flöchten
ihr flöchtet
Sie flöchten
sie flöchten

PLUPERFECT
ich hätte geflochten
du hättest geflochten
er/sie hätte geflochten
wir hätten geflochten
ihr hättet geflochten
Sie hätten geflochten
sie hätten geflochten

PAST
geflochten

IMPERATIVE

flicht!
flechtet!
flechten Sie!
flechten wir!

FUTURE PERFECT
ich werde geflochten haben
du wirst geflochten haben *etc*

NOTE

(1) **du flichst** *is also possible*

FLIEGEN
49 *to fly*

PRESENT	IMPERFECT	FUTURE
ich fliege	ich flog	ich werde fliegen
du fliegst	du flogst	du wirst fliegen
er/sie fliegt	er/sie flog	er/sie wird fliegen
wir fliegen	wir flogen	wir werden fliegen
ihr fliegt	ihr flogt	ihr werdet fliegen
Sie fliegen	Sie flogen	Sie werden fliegen
sie fliegen	sie flogen	sie werden fliegen

PERFECT *(1)*	PLUPERFECT *(2)*	CONDITIONAL
ich bin geflogen	ich war geflogen	ich würde fliegen
du bist geflogen	du warst geflogen	du würdest fliegen
er/sie ist geflogen	er/sie war geflogen	er/sie würde fliegen
wir sind geflogen	wir waren geflogen	wir würden fliegen
ihr seid geflogen	ihr wart geflogen	ihr würdet fliegen
Sie sind geflogen	Sie waren geflogen	Sie würden fliegen
sie sind geflogen	sie waren geflogen	sie würden fliegen

SUBJUNCTIVE

PRESENT	PERFECT *(1)*
ich fliege	ich sei geflogen
du fliegest	du sei(e)st geflogen
er/sie fliege	er/sie sei geflogen
wir fliegen	wir seien geflogen
ihr flieget	ihr seiet geflogen
Sie fliegen	Sie seien geflogen
sie fliegen	sie seien geflogen

IMPERFECT	PLUPERFECT *(3)*
ich flöge	ich wäre geflogen
du flögest	du wär(e)st geflogen
er/sie flöge	er/sie wäre geflogen
wir flögen	wir wären geflogen
ihr flöget	ihr wär(e)t geflogen
Sie flögen	Sie wären geflogen
sie flögen	sie wären geflogen

FUTURE PERFECT *(4)*
ich werde geflogen sein
du wirst geflogen sein *etc*

INFINITIVE

PRESENT
fliegen

PAST *(5)*
geflogen sein

PARTICIPLE

PRESENT
fliegend

PAST
geflogen

IMPERATIVE

flieg(e)!
fliegt!
fliegen Sie!
fliegen wir!

NOTE

also transitive: (1) ich habe geflogen *etc (2)* ich hatte geflogen *etc (3)* ich hätte geflogen *etc (4)* ich werde geflogen haben *etc (5)* geflogen haben

PRESENT
ich fliehe
du fliehst
er/sie flieht
wir fliehen
ihr flieht
Sie fliehen
sie fliehen

IMPERFECT
ich floh
du flohst
er/sie floh
wir flohen
ihr floht
Sie flohen
sie flohen

FUTURE
ich werde fliehen
du wirst fliehen
er/sie wird fliehen
wir werden fliehen
ihr werdet fliehen
Sie werden fliehen
sie werden fliehen

PERFECT
ich bin geflohen
du bist geflohen
er/sie ist geflohen
wir sind geflohen
ihr seid geflohen
Sie sind geflohen
sie sind geflohen

PLUPERFECT
ich war geflohen
du warst geflohen
er/sie war geflohen
wir waren geflohen
ihr wart geflohen
Sie waren geflohen
sie waren geflohen

CONDITIONAL
ich würde fliehen
du würdest fliehen
er/sie würde fliehen
wir würden fliehen
ihr würdet fliehen
Sie würden fliehen
sie würden fliehen

SUBJUNCTIVE

PRESENT
ich fliehe
du fliehest
er/sie fliehe
wir fliehen
ihr fliehet
Sie fliehen
sie fliehen

PERFECT
ich sei geflohen
du sei(e)st geflohen
er/sie sei geflohen
wir seien geflohen
ihr seiet geflohen
Sie seien geflohen
sie seien geflohen

INFINITIVE

PRESENT
fliehen
PAST
geflohen sein

IMPERFECT
ich flöhe
du flöhest
er/sie flöhe
wir flöhen
ihr flöhet
Sie flöhen
sie flöhen

PLUPERFECT
ich wäre geflohen
du wär(e)st geflohen
er/sie wäre geflohen
wir wären geflohen
ihr wär(e)t geflohen
Sie wären geflohen
sie wären geflohen

PARTICIPLE

PRESENT
fliehend
PAST
geflohen

IMPERATIVE

flieh(e)!
flieht!
fliehen Sie!
fliehen wir!

FUTURE PERFECT
ich werde geflohen sein
du wirst geflohen sein *etc*

PRESENT	IMPERFECT	FUTURE
ich fließe	ich floss	ich werde fließen
du fließ(es)t	du flossest	du wirst fließen
er/sie fließt	er/sie floss	er/sie wird fließen
wir fließen	wir flossen	wir werden fließen
ihr fließt	ihr flosst	ihr werdet fließen
Sie fließen	Sie flossen	Sie werden fließen
sie fließen	sie flossen	sie werden fließen

PERFECT	PLUPERFECT	CONDITIONAL
ich bin geflossen	ich war geflossen	ich würde fließen
du bist geflossen	du warst geflossen	du würdest fließen
er/sie ist geflossen	er/sie war geflossen	er/sie würde fließen
wir sind geflossen	wir waren geflossen	wir würden fließen
ihr seid geflossen	ihr wart geflossen	ihr würdet fließen
Sie sind geflossen	Sie waren geflossen	Sie würden fließen
sie sind geflossen	sie waren geflossen	sie würden fließen

SUBJUNCTIVE

INFINITIVE

PRESENT	PERFECT	
ich fließe	ich sei geflossen	**PRESENT**
du fließest	du sei(e)st geflossen	fließen
er/sie fließe	er/sie sei geflossen	**PAST**
wir fließen	wir seien geflossen	geflossen sein
ihr fließet	ihr seiet geflossen	
Sie fließen	Sie seien geflossen	## PARTICIPLE
sie fließen	sie seien geflossen	**PRESENT**

IMPERFECT	PLUPERFECT	fließend
ich flösse	ich wäre geflossen	**PAST**
du flössest	du wär(e)st geflossen	geflossen
er/sie flösse	er/sie wäre geflossen	
wir flössen	wir wären geflossen	## IMPERATIVE
ihr flösset	ihr wär(e)t geflossen	fließ(e)!
Sie flössen	Sie wären geflossen	fließt!
sie flössen	sie wären geflossen	fließen Sie!
		fließen wir!

FUTURE PERFECT
ich werde geflossen sein
du wirst geflossen sein *etc*

PRESENT
ich frage
du fragst
er/sie fragt
wir fragen
ihr fragt
Sie fragen
sie fragen

IMPERFECT *(1)*
ich fragte
du fragtest
er/sie fragte
wir fragten
ihr fragtet
Sie fragten
sie fragten

FUTURE
ich werde fragen
du wirst fragen
er/sie wird fragen
wir werden fragen
ihr werdet fragen
Sie werden fragen
sie werden fragen

PERFECT
ich habe gefragt
du hast gefragt
er/sie hat gefragt
wir haben gefragt
ihr habt gefragt
Sie haben gefragt
sie haben gefragt

PLUPERFECT
ich hatte gefragt
du hattest gefragt
er/sie hatte gefragt
wir hatten gefragt
ihr hattet gefragt
Sie hatten gefragt
sie hatten gefragt

CONDITIONAL
ich würde fragen
du würdest fragen
er/sie würde fragen
wir würden fragen
ihr würdet fragen
Sie würden fragen
sie würden fragen

SUBJUNCTIVE

PRESENT
ich frage
du fragest
er/sie frage
wir fragen
ihr fraget
Sie fragen
sie fragen

PERFECT
ich habe gefragt
du habest gefragt
er/sie habe gefragt
wir haben gefragt
ihr habet gefragt
Sie haben gefragt
sie haben gefragt

INFINITIVE

PRESENT
fragen
PAST
gefragt haben

IMPERFECT
ich fragte
du fragtest
er/sie fragte
wir fragten
ihr fragtet
Sie fragten
sie fragten

PLUPERFECT
ich hätte gefragt
du hättest gefragt
er/sie hätte gefragt
wir hätten gefragt
ihr hättet gefragt
Sie hätten gefragt
sie hätten gefragt

PARTICIPLE

PRESENT
fragend
PAST
gefragt

IMPERATIVE

frag(e)!
fragt!
fragen Sie!
fragen wir!

FUTURE PERFECT
ich werde gefragt haben
du wirst gefragt haben *etc*

NOTE

(1) older forms: ich frug, du frugst *etc*

PRESENT
ich fresse
du frisst
er/sie frisst
wir fressen
ihr fresst
Sie fressen
sie fressen

IMPERFECT
ich fraß
du fraßest
er/sie fraß
wir fraßen
ihr fraßt
Sie fraßen
sie fraßen

FUTURE
ich werde fressen
du wirst fressen
er/sie wird fressen
wir werden fressen
ihr werdet fressen
Sie werden fressen
sie werden fressen

PERFECT
ich habe gefressen
du hast gefressen
er/sie hat gefressen
wir haben gefressen
ihr habt gefressen
Sie haben gefressen
sie haben gefressen

PLUPERFECT
ich hatte gefressen
du hattest gefressen
er/sie hatte gefressen
wir hatten gefressen
ihr hattet gefressen
Sie hatten gefressen
sie hatten gefressen

CONDITIONAL
ich würde fressen
du würdest fressen
er/sie würde fressen
wir würden fressen
ihr würdet fressen
Sie würden fressen
sie würden fressen

SUBJUNCTIVE

PRESENT
ich fresse
du fressest
er/sie fresse
wir fressen
ihr fresset
Sie fressen
sie fressen

PERFECT
ich habe gefressen
du habest gefressen
er/sie habe gefressen
wir haben gefressen
ihr habet gefressen
Sie haben gefressen
sie haben gefressen

INFINITIVE

PRESENT
fressen
PAST
gefressen haben

PARTICIPLE

PRESENT
fressend

IMPERFECT
ich fräße
du fräßest
er/sie fräße
wir fräßen
ihr fräßet
Sie fräßen
sie fräßen

PLUPERFECT
ich hätte gefressen
du hättest gefressen
er/sie hätte gefressen
wir hätten gefressen
ihr hättet gefressen
Sie hätten gefressen
sie hätten gefressen

PAST
gefressen

IMPERATIVE

friss!
fresst!
fressen Sie!
fressen wir!

FUTURE PERFECT
ich werde gefressen haben
du wirst gefressen haben *etc*

PRESENT
ich friere
du frierst
er/sie friert
wir frieren
ihr friert
Sie frieren
sie frieren

PERFECT *(1)*
ich habe gefroren
du hast gefroren
er/sie hat gefroren
wir haben gefroren
ihr habt gefroren
Sie haben gefroren
sie haben gefroren

IMPERFECT
ich fror
du frorst
er/sie fror
wir froren
ihr frort
Sie froren
sie froren

PLUPERFECT *(2)*
ich hatte gefroren
du hattest gefroren
er/sie hatte gefroren
wir hatten gefroren
ihr hattet gefroren
Sie hatten gefroren
sie hatten gefroren

FUTURE
ich werde frieren
du wirst frieren
er/sie wird frieren
wir werden frieren
ihr werdet frieren
Sie werden frieren
sie werden frieren

CONDITIONAL
ich würde frieren
du würdest frieren
er/sie würde frieren
wir würden frieren
ihr würdet frieren
Sie würden frieren
sie würden frieren

SUBJUNCTIVE

PRESENT
ich friere
du frierest
er/sie friere
wir frieren
ihr frieret
Sie frieren
sie frieren

IMPERFECT
ich fröre
du frörest
er/sie fröre
wir frören
ihr fröret
Sie frören
sie frören

FUTURE PERFECT *(5)*
ich werde gefroren haben
du wirst gefroren haben *etc*

PERFECT *(3)*
ich habe gefroren
du habest gefroren
er/sie habe gefroren
wir haben gefroren
ihr habet gefroren
Sie haben gefroren
sie haben gefroren

PLUPERFECT *(4)*
ich hätte gefroren
du hättest gefroren
er/sie hätte gefroren
wir hätten gefroren
ihr hättet gefroren
Sie hätten gefroren
sie hätten gefroren

INFINITIVE

PRESENT
frieren
PAST *(6)*
gefroren haben

PARTICIPLE

PRESENT
frierend

PAST
gefroren

IMPERATIVE

frier(e)!
friert!
frieren Sie!
frieren wir!

NOTE

*also intransitive: (1) ich bin gefroren etc (2) ich war
gefroren etc (3) ich sei gefroren etc (4) ich wäre
gefroren etc (5) ich werde gefroren sein etc
(6) gefroren sein*

GEBÄREN
55 *to give birth*

PRESENT
ich gebäre
du gebärst *(1)*
er/sie gebärt *(2)*
wir gebären
ihr gebärt
Sie gebären
sie gebären

IMPERFECT
ich gebar
du gebarst
er/sie gebar
wir gebaren
ihr gebart
Sie gebaren
sie gebaren

FUTURE
ich werde gebären
du wirst gebären
er/sie wird gebären
wir werden gebären
ihr werdet gebären
Sie werden gebären
sie werden gebären

PERFECT
ich habe geboren
du hast geboren
er/sie hat geboren
wir haben geboren
ihr habt geboren
Sie haben geboren
sie haben geboren

PLUPERFECT
ich hatte geboren
du hattest geboren
er/sie hatte geboren
wir hatten geboren
ihr hattet geboren
Sie hatten geboren
sie hatten geboren

CONDITIONAL
ich würde gebären
du würdest gebären
er/sie würde gebären
wir würden gebären
ihr würdet gebären
Sie würden gebären
sie würden gebären

SUBJUNCTIVE

PRESENT
ich gebäre
du gebärest
er/sie gebäre
wir gebären
ihr gebäret
Sie gebären
sie gebären

PERFECT
ich habe geboren
du habest geboren
er/sie habe geboren
wir haben geboren
ihr habet geboren
Sie haben geboren
sie haben geboren

INFINITIVE

PRESENT
gebären
PAST
geboren haben

PARTICIPLE

PRESENT
gebärend

IMPERFECT
ich gebäre
du gebärest
er/sie gebäre
wir gebären
ihr gebäret
Sie gebären
sie gebären

PLUPERFECT
ich hätte geboren
du hättest geboren
er/sie hätte geboren
wir hätten geboren
ihr hättet geboren
Sie hätten geboren
sie hätten geboren

PAST
geboren

IMPERATIVE

gebär(e)! *(3)*
gebärt!
gebären Sie!
gebären wir!

FUTURE PERFECT
ich werde geboren haben
du wirst geboren haben *etc*

NOTE

older forms: (1) du gebierst *(2)* er/sie gebiert
(3) gebier!

78

PRESENT
ich gebe
du gibst
er/sie gibt
wir geben
ihr gebt
Sie geben
sie geben

IMPERFECT
ich gab
du gabst
er/sie gab
wir gaben
ihr gabt
Sie gaben
sie gaben

FUTURE
ich werde geben
du wirst geben
er/sie wird geben
wir werden geben
ihr werdet geben
Sie werden geben
sie werden geben

PERFECT
ich habe gegeben
du hast gegeben
er/sie hat gegeben
wir haben gegeben
ihr habt gegeben
Sie haben gegeben
sie haben gegeben

PLUPERFECT
ich hatte gegeben
du hattest gegeben
er/sie hatte gegeben
wir hatten gegeben
ihr hattet gegeben
Sie hatten gegeben
sie hatten gegeben

CONDITIONAL
ich würde geben
du würdest geben
er/sie würde geben
wir würden geben
ihr würdet geben
Sie würden geben
sie würden geben

SUBJUNCTIVE

PRESENT
ich gebe
du gebest
er/sie gebe
wir geben
ihr gebet
Sie geben
sie geben

PERFECT
ich habe gegeben
du habest gegeben
er/sie habe gegeben
wir haben gegeben
ihr habet gegeben
Sie haben gegeben
sie haben gegeben

INFINITIVE

PRESENT
geben
PAST
gegeben haben

PARTICIPLE

PRESENT
gebend

IMPERFECT
ich gäbe
du gäbest
er/sie gäbe
wir gäben
ihr gäbet
Sie gäben
sie gäben

PLUPERFECT
ich hätte gegeben
du hättest gegeben
er/sie hätte gegeben
wir hätten gegeben
ihr hättet gegeben
Sie hätten gegeben
sie hätten gegeben

PAST
gegeben

IMPERATIVE
gib!
gebt!
geben Sie!
geben wir!

FUTURE PERFECT
ich werde gegeben haben
du wirst gegeben haben *etc*

GEDEIHEN
57 *to thrive*

PRESENT	IMPERFECT	FUTURE
ich gedeihe	ich gedieh	ich werde gedeihen
du gedeihst	du gediehst	du wirst gedeihen
er/sie gedeiht	er/sie gedieh	er/sie wird gedeihen
wir gedeihen	wir gediehen	wir werden gedeihen
ihr gedeiht	ihr gedieht	ihr werdet gedeihen
Sie gedeihen	Sie gediehen	Sie werden gedeihen
sie gedeihen	sie gediehen	sie werden gedeihen

PERFECT	PLUPERFECT	CONDITIONAL
ich bin gediehen	ich war gediehen	ich würde gedeihen
du bist gediehen	du warst gediehen	du würdest gedeihen
er/sie ist gediehen	er/sie war gediehen	er/sie würde gedeihen
wir sind gediehen	wir waren gediehen	wir würden gedeihen
ihr seid gediehen	ihr wart gediehen	ihr würdet gedeihen
Sie sind gediehen	Sie waren gediehen	Sie würden gedeihen
sie sind gediehen	sie waren gediehen	sie würden gedeihen

SUBJUNCTIVE

PRESENT	PERFECT
ich gedeihe	ich sei gediehen
du gedeihest	du sei(e)st gediehen
er/sie gedeihe	er/sie sei gediehen
wir gedeihen	wir seien gediehen
ihr gedeihet	ihr seiet gediehen
Sie gedeihen	Sie seien gediehen
sie gedeihen	sie seien gediehen

IMPERFECT	PLUPERFECT
ich gediehe	ich wäre gediehen
du gediehest	du wär(e)st gediehen
er/sie gediehe	er/sie wäre gediehen
wir gediehen	wir wären gediehen
ihr gediehet	ihr wär(e)t gediehen
Sie gediehen	Sie wären gediehen
sie gediehen	sie wären gediehen

FUTURE PERFECT
ich werde gediehen sein
du wirst gediehen sein *etc*

INFINITIVE

PRESENT
gedeihen

PAST
gediehen sein

PARTICIPLE

PRESENT
gedeihend

PAST
gediehen

IMPERATIVE

gedeih(e)!
gedeiht!
gedeihen Sie!
gedeihen wir!

PRESENT
ich gehe
du gehst
er/sie geht
wir gehen
ihr geht
Sie gehen
sie gehen

PERFECT
ich bin gegangen
du bist gegangen
er/sie ist gegangen
wir sind gegangen
ihr seid gegangen
Sie sind gegangen
sie sind gegangen

IMPERFECT
ich ging
du gingst
er/sie ging
wir gingen
ihr gingt
Sie gingen
sie gingen

PLUPERFECT
ich war gegangen
du warst gegangen
er/sie war gegangen
wir waren gegangen
ihr wart gegangen
Sie waren gegangen
sie waren gegangen

FUTURE
ich werde gehen
du wirst gehen
er/sie wird gehen
wir werden gehen
ihr werdet gehen
Sie werden gehen
sie werden gehen

CONDITIONAL
ich würde gehen
du würdest gehen
er/sie würde gehen
wir würden gehen
ihr würdet gehen
Sie würden gehen
sie würden gehen

SUBJUNCTIVE

PRESENT
ich gehe
du gehest
er/sie gehe
wir gehen
ihr gehet
Sie gehen
sie gehen

IMPERFECT
ich ginge
du gingest
er/sie ginge
wir gingen
ihr ginget
Sie gingen
sie gingen

FUTURE PERFECT
ich werde gegangen sein
du wirst gegangen sein *etc*

PERFECT
ich sei gegangen
du sei(e)st gegangen
er/sie sei gegangen
wir seien gegangen
ihr seiet gegangen
Sie seien gegangen
sie seien gegangen

PLUPERFECT
ich wäre gegangen
du wär(e)st gegangen
er/sie wäre gegangen
wir wären gegangen
ihr wär(e)t gegangen
Sie wären gegangen
sie wären gegangen

INFINITIVE

PRESENT
gehen
PAST
gegangen sein

PARTICIPLE

PRESENT
gehend
PAST
gegangen

IMPERATIVE

geh(e)!
geht!
gehen Sie!
gehen wir!

GELINGEN
59 to succeed

PRESENT	IMPERFECT	FUTURE
es gelingt	es gelang	es wird gelingen

PERFECT	PLUPERFECT	CONDITIONAL
es ist gelungen	es war gelungen	es würde gelingen

SUBJUNCTIVE

INFINITIVE

PRESENT	PERFECT	PRESENT
es gelinge	es sei gelungen	gelingen
		PAST
		gelungen sein

PARTICIPLE
PRESENT
gelingend

IMPERFECT	PLUPERFECT	PAST
es gelänge	es wäre gelungen	gelungen

IMPERATIVE
geling(e)!
gelingt!

FUTURE PERFECT
es wird gelungen sein

NOTE

impersonal verb, only used in 3rd person singular

PRESENT
ich gelte
du giltst
er/sie gilt
wir gelten
ihr geltet
Sie gelten
sie gelten

IMPERFECT
ich galt
du galtst
er/sie galt
wir galten
ihr galtet
Sie galten
sie galten

FUTURE
ich werde gelten
du wirst gelten
er/sie wird gelten
wir werden gelten
ihr werdet gelten
Sie werden gelten
sie werden gelten

PERFECT
ich habe gegolten
du hast gegolten
er/sie hat gegolten
wir haben gegolten
ihr habt gegolten
Sie haben gegolten
sie haben gegolten

PLUPERFECT
ich hatte gegolten
du hattest gegolten
er/sie hatte gegolten
wir hatten gegolten
ihr hattet gegolten
Sie hatten gegolten
sie hatten gegolten

CONDITIONAL
ich würde gelten
du würdest gelten
er/sie würde gelten
wir würden gelten
ihr würdet gelten
Sie würden gelten
sie würden gelten

SUBJUNCTIVE

PRESENT
ich gelte
du geltest
er/sie gelte
wir gelten
ihr geltet
Sie gelten
sie gelten

PERFECT
ich habe gegolten
du habest gegolten
er/sie habe gegolten
wir haben gegolten
ihr habet gegolten
Sie haben gegolten
sie haben gegolten

INFINITIVE

PRESENT
gelten
PAST
gegolten haben

IMPERFECT *(1)*
ich gälte
du gältest
er/sie gälte
wir gälten
ihr gältet
Sie gälten
sie gälten

PLUPERFECT
ich hätte gegolten
du hättest gegolten
er/sie hätte gegolten
wir hätten gegolten
ihr hättet gegolten
Sie hätten gegolten
sie hätten gegolten

PARTICIPLE

PRESENT
geltend
PAST
gegolten

IMPERATIVE

gilt!
geltet!
gelten Sie!
gelten wir!

FUTURE PERFECT
ich werde gegolten haben
du wirst gegolten haben *etc*

NOTE

(1) **ich gölte, du göltest** *etc is also possible*

GENESEN
61 *to convalesce, to recover*

PRESENT
ich genese
du genest
er/sie genest
wir genesen
ihr genest
Sie genesen
sie genesen

IMPERFECT
ich genas
du genasest
er/sie genas
wir genasen
ihr genast
Sie genasen
sie genasen

FUTURE
ich werde genesen
du wirst genesen
er/sie wird genesen
wir werden genesen
ihr werdet genesen
Sie werden genesen
sie werden genesen

PERFECT
ich bin genesen
du bist genesen
er/sie ist genesen
wir sind genesen
ihr seid genesen
Sie sind genesen
sie sind genesen

PLUPERFECT
ich war genesen
du warst genesen
er/sie war genesen
wir waren genesen
ihr wart genesen
Sie waren genesen
sie waren genesen

CONDITIONAL
ich würde genesen
du würdest genesen
er/sie würde genesen
wir würden genesen
ihr würdet genesen
Sie würden genesen
sie würden genesen

SUBJUNCTIVE

PRESENT
ich genese
du genesest
er/sie genese
wir genesen
ihr geneset
Sie genesen
sie genesen

PERFECT
ich sei genesen
du sei(e)st genesen
er/sie sei genesen
wir seien genesen
ihr seiet genesen
Sie seien genesen
sie seien genesen

INFINITIVE

PRESENT
genesen

PAST
genesen sein

PARTICIPLE

PRESENT
genesend

IMPERFECT
ich genäse
du genäsest
er/sie genäse
wir genäsen
ihr genäset
Sie genäsen
sie genäsen

PLUPERFECT
ich wäre genesen
du wär(e)st genesen
er/sie wäre genesen
wir wären genesen
ihr wär(e)t genesen
Sie wären genesen
sie wären genesen

PAST
genesen

IMPERATIVE

genes(e)!
genest!
genesen Sie!
genesen wir!

FUTURE PERFECT
ich werde genesen sein
du wirst genesen sein *etc*

PRESENT
ich genieße
du genießt
er/sie genießt
wir genießen
ihr genießt
Sie genießen
sie genießen

PERFECT
ich habe genossen
du hast genossen
er/sie hat genossen
wir haben genossen
ihr habt genossen
Sie haben genossen
sie haben genossen

IMPERFECT
ich genoss
du genossest
er/sie genoss
wir genossen
ihr genosst
Sie genossen
sie genossen

PLUPERFECT
ich hatte genossen
du hattest genossen
er/sie hatte genossen
wir hatten genossen
ihr hattet genossen
Sie hatten genossen
sie hatten genossen

FUTURE
ich werde genießen
du wirst genießen
er/sie wird genießen
wir werden genießen
ihr werdet genießen
Sie werden genießen
sie werden genießen

CONDITIONAL
ich würde genießen
du würdest genießen
er/sie würde genießen
wir würden genießen
ihr würdet genießen
Sie würden genießen
sie würden genießen

SUBJUNCTIVE

PRESENT
ich genieße
du genießest
er/sie genieße
wir genießen
ihr genießet
Sie genießen
sie genießen

IMPERFECT
ich genösse
du genössest
er/sie genösse
wir genössen
ihr genösset
Sie genössen
sie genössen

FUTURE PERFECT
ich werde genossen haben
du wirst genossen haben *etc*

PERFECT
ich habe genossen
du habest genossen
er/sie habe genossen
wir haben genossen
ihr habet genossen
Sie haben genossen
sie haben genossen

PLUPERFECT
ich hätte genossen
du hättest genossen
er/sie hätte genossen
wir hätten genossen
ihr hättet genossen
Sie hätten genossen
sie hätten genossen

INFINITIVE

PRESENT
genießen
PAST
genossen haben

PARTICIPLE

PRESENT
genießend
PAST
genossen

IMPERATIVE
genieß(e)!
genießt!
genießen Sie!
genießen wir!

GERATEN
63 to get; to turn out

PRESENT
ich gerate
du gerätst
er/sie gerät
wir geraten
ihr geratet
Sie geraten
sie geraten

PERFECT
ich bin geraten
du bist geraten
er/sie ist geraten
wir sind geraten
ihr seid geraten
Sie sind geraten
sie sind geraten

IMPERFECT
ich geriet
du gerietst
er/sie geriet
wir gerieten
ihr gerietet
Sie gerieten
sie gerieten

PLUPERFECT
ich war geraten
du warst geraten
er/sie war geraten
wir waren geraten
ihr wart geraten
Sie waren geraten
sie waren geraten

FUTURE
ich werde geraten
du wirst geraten
er/sie wird geraten
wir werden geraten
ihr werdet geraten
Sie werden geraten
sie werden geraten

CONDITIONAL
ich würde geraten
du würdest geraten
er/sie würde geraten
wir würden geraten
ihr würdet geraten
Sie würden geraten
sie würden geraten

SUBJUNCTIVE

PRESENT
ich gerate
du geratest
er/sie gerate
wir geraten
ihr geratet
Sie geraten
sie geraten

IMPERFECT
ich geriete
du gerietest
er/sie geriete
wir gerieten
ihr gerietet
Sie gerieten
sie gerieten

FUTURE PERFECT
ich werde geraten sein
du wirst geraten sein *etc*

PERFECT
ich sei geraten
du sei(e)st geraten
er/sie sei geraten
wir seien geraten
ihr seiet geraten
Sie seien geraten
sie seien geraten

PLUPERFECT
ich wäre geraten
du wär(e)st geraten
er/sie wäre geraten
wir wären geraten
ihr wär(e)t geraten
Sie wären geraten
sie wären geraten

INFINITIVE

PRESENT
geraten
PAST
geraten sein

PARTICIPLE

PRESENT
geratend

PAST
geraten

IMPERATIVE

gerat(e)!
geratet!
geraten Sie!
geraten wir!

PRESENT
es geschieht

IMPERFECT
es geschah

FUTURE
es wird geschehen

PERFECT
es ist geschehen

PLUPERFECT
es war geschehen

CONDITIONAL
es würde geschehen

SUBJUNCTIVE

PRESENT
es geschehe

PERFECT
es sei geschehen

INFINITIVE

PRESENT
geschehen

PAST
geschehen sein

PARTICIPLE

PRESENT
geschehend

IMPERFECT
es geschähe

PLUPERFECT
es wäre geschehen

PAST
geschehen

IMPERATIVE
gescheh(e)!
gescheht!

FUTURE PERFECT
es wird geschehen sein

NOTE

impersonal verb, only used in 3rd person singular

GEWINNEN
65 *to win*

PRESENT
ich gewinne
du gewinnst
er/sie gewinnt
wir gewinnen
ihr gewinnt
Sie gewinnen
sie gewinnen

PERFECT
ich habe gewonnen
du hast gewonnen
er/sie hat gewonnen
wir haben gewonnen
ihr habt gewonnen
Sie haben gewonnen
sie haben gewonnen

IMPERFECT
ich gewann
du gewannst
er/sie gewann
wir gewannen
ihr gewannt
Sie gewannen
sie gewannen

PLUPERFECT
ich hatte gewonnen
du hattest gewonnen
er/sie hatte gewonnen
wir hatten gewonnen
ihr hattet gewonnen
Sie hatten gewonnen
sie hatten gewonnen

FUTURE
ich werde gewinnen
du wirst gewinnen
er/sie wird gewinnen
wir werden gewinnen
ihr werdet gewinnen
Sie werden gewinnen
sie werden gewinnen

CONDITIONAL
ich würde gewinnen
du würdest gewinnen
er/sie würde gewinnen
wir würden gewinnen
ihr würdet gewinnen
Sie würden gewinnen
sie würden gewinnen

SUBJUNCTIVE

PRESENT
ich gewinne
du gewinnest
er/sie gewinne
wir gewinnen
ihr gewinnet
Sie gewinnen
sie gewinnen

IMPERFECT *(1)*
ich gewänne
du gewännest
er/sie gewänne
wir gewännen
ihr gewännet
Sie gewännen
sie gewännen

FUTURE PERFECT
ich werde gewonnen haben
du wirst gewonnen haben *etc*

PERFECT
ich habe gewonnen
du habest gewonnen
er/sie habe gewonnen
wir haben gewonnen
ihr habet gewonnen
Sie haben gewonnen
sie haben gewonnen

PLUPERFECT
ich hätte gewonnen
du hättest gewonnen
er/sie hätte gewonnen
wir hätten gewonnen
ihr hättet gewonnen
Sie hätten gewonnen
sie hätten gewonnen

INFINITIVE

PRESENT
gewinnen
PAST
gewonnen haben

PARTICIPLE

PRESENT
gewinnend

PAST
gewonnen

IMPERATIVE

gewinn(e)!
gewinnt!
gewinnen Sie!
gewinnen wir!

NOTE

(1) ich gewönne, du gewönnest etc is also possible

PRESENT

ich gieße
du gießt
er/sie gießt
wir gießen
ihr gießt
Sie gießen
sie gießen

PERFECT

ich habe gegossen
du hast gegossen
er/sie hat gegossen
wir haben gegossen
ihr habt gegossen
Sie haben gegossen
sie haben gegossen

IMPERFECT

ich goss
du gossest
er/sie goss
wir gossen
ihr gosst
Sie gossen
sie gossen

PLUPERFECT

ich hatte gegossen
du hattest gegossen
er/sie hatte gegossen
wir hatten gegossen
ihr hattet gegossen
Sie hatten gegossen
sie hatten gegossen

FUTURE

ich werde gießen
du wirst gießen
er/sie wird gießen
wir werden gießen
ihr werdet gießen
Sie werden gießen
sie werden gießen

CONDITIONAL

ich würde gießen
du würdest gießen
er/sie würde gießen
wir würden gießen
ihr würdet gießen
Sie würden gießen
sie würden gießen

SUBJUNCTIVE

PRESENT

ich gieße
du gießest
er/sie gieße
wir gießen
ihr gießet
Sie gießen
sie gießen

IMPERFECT

ich gösse
du gössest
er/sie gösse
wir gössen
ihr gösset
Sie gössen
sie gössen

FUTURE PERFECT

ich werde gegossen haben
du wirst gegossen haben *etc*

PERFECT

ich habe gegossen
du habest gegossen
er/sie habe gegossen
wir haben gegossen
ihr habet gegossen
Sie haben gegossen
sie haben gegossen

PLUPERFECT

ich hätte gegossen
du hättest gegossen
er/sie hätte gegossen
wir hätten gegossen
ihr hättet gegossen
Sie hätten gegossen
sie hätten gegossen

INFINITIVE

PRESENT

gießen

PAST

gegossen haben

PARTICIPLE

PRESENT

gießend

PAST

gegossen

IMPERATIVE

gieß(e)!
gießt!
gießen Sie!
gießen wir!

GLEICHEN
67 to resemble, to be similar to

PRESENT	IMPERFECT	FUTURE
ich gleiche	ich glich	ich werde gleichen
du gleichst	du glichst	du wirst gleichen
er/sie gleicht	er/sie glich	er/sie wird gleichen
wir gleichen	wir glichen	wir werden gleichen
ihr gleicht	ihr glicht	ihr werdet gleichen
Sie gleichen	Sie glichen	Sie werden gleichen
sie gleichen	sie glichen	sie werden gleichen

PERFECT	PLUPERFECT	CONDITIONAL
ich habe geglichen	ich hatte geglichen	ich würde gleichen
du hast geglichen	du hattest geglichen	du würdest gleichen
er/sie hat geglichen	er/sie hatte geglichen	er/sie würde gleichen
wir haben geglichen	wir hatten geglichen	wir würden gleichen
ihr habt geglichen	ihr hattet geglichen	ihr würdet gleichen
Sie haben geglichen	Sie hatten geglichen	Sie würden gleichen
sie haben geglichen	sie hatten geglichen	sie würden gleichen

SUBJUNCTIVE

PRESENT	PERFECT
ich gleiche	ich habe geglichen
du gleichest	du habest geglichen
er/sie gleiche	er/sie habe geglichen
wir gleichen	wir haben geglichen
ihr gleichet	ihr habet geglichen
Sie gleichen	Sie haben geglichen
sie gleichen	sie haben geglichen

IMPERFECT	PLUPERFECT
ich gliche	ich hätte geglichen
du glichest	du hättest geglichen
er/sie gliche	er/sie hätte geglichen
wir glichen	wir hätten geglichen
ihr glichet	ihr hättet geglichen
Sie glichen	Sie hätten geglichen
sie glichen	sie hätten geglichen

FUTURE PERFECT
ich werde geglichen haben
du wirst geglichen haben *etc*

INFINITIVE

PRESENT
gleichen
PAST
geglichen haben

PARTICIPLE

PRESENT
gleichend
PAST
geglichen

IMPERATIVE

gleich(e)!
gleicht!
gleichen Sie!
gleichen wir!

PRESENT
ich gleite
du gleitest
er/sie gleitet
wir gleiten
ihr gleitet
Sie gleiten
sie gleiten

IMPERFECT
ich glitt
du glittst
er/sie glitt
wir glitten
ihr glittet
Sie glitten
sie glitten

FUTURE
ich werde gleiten
du wirst gleiten
er/sie wird gleiten
wir werden gleiten
ihr werdet gleiten
Sie werden gleiten
sie werden gleiten

PERFECT
ich bin geglitten
du bist geglitten
er/sie ist geglitten
wir sind geglitten
ihr seid geglitten
Sie sind geglitten
sie sind geglitten

PLUPERFECT
ich war geglitten
du warst geglitten
er/sie war geglitten
wir waren geglitten
ihr wart geglitten
Sie waren geglitten
sie waren geglitten

CONDITIONAL
ich würde gleiten
du würdest gleiten
er/sie würde gleiten
wir würden gleiten
ihr würdet gleiten
Sie würden gleiten
sie würden gleiten

SUBJUNCTIVE

PRESENT
ich gleite
du gleitest
er/sie gleite
wir gleiten
ihr gleitet
Sie gleiten
sie gleiten

PERFECT
ich sei geglitten
du sei(e)st geglitten
er/sie sei geglitten
wir seien geglitten
ihr seiet geglitten
Sie seien geglitten
sie seien geglitten

INFINITIVE

PRESENT
gleiten
PAST
geglitten sein

IMPERFECT
ich glitte
du glittest
er/sie glitte
wir glitten
ihr glittet
Sie glitten
sie glitten

PLUPERFECT
ich wäre geglitten
du wär(e)st geglitten
er/sie wäre geglitten
wir wären geglitten
ihr wär(e)t geglitten
Sie wären geglitten
sie wären geglitten

PARTICIPLE

PRESENT
gleitend
PAST
geglitten

IMPERATIVE

gleit(e)!
gleitet!
gleiten Sie!
gleiten wir!

FUTURE PERFECT
ich werde geglitten sein
du wirst geglitten sein *etc*

GRABEN
69 *to dig*

PRESENT	IMPERFECT	FUTURE
ich grabe	ich grub	ich werde graben
du gräbst	du grubst	du wirst graben
er/sie gräbt	er/sie grub	er/sie wird graben
wir graben	wir gruben	wir werden graben
ihr grabt	ihr grubt	ihr werdet graben
Sie graben	Sie gruben	Sie werden graben
sie graben	sie gruben	sie werden graben

PERFECT	PLUPERFECT	CONDITIONAL
ich habe gegraben	ich hatte gegraben	ich würde graben
du hast gegraben	du hattest gegraben	du würdest graben
er/sie hat gegraben	er/sie hatte gegraben	er/sie würde graben
wir haben gegraben	wir hatten gegraben	wir würden graben
ihr habt gegraben	ihr hattet gegraben	ihr würdet graben
Sie haben gegraben	Sie hatten gegraben	Sie würden graben
sie haben gegraben	sie hatten gegraben	sie würden graben

SUBJUNCTIVE

PRESENT	PERFECT
ich grabe	ich habe gegraben
du grabest	du habest gegraben
er/sie grabe	er/sie habe gegraben
wir graben	wir haben gegraben
ihr grabet	ihr habet gegraben
Sie graben	Sie haben gegraben
sie graben	sie haben gegraben

IMPERFECT	PLUPERFECT
ich grübe	ich hätte gegraben
du grübest	du hättest gegraben
er/sie grübe	er/sie hätte gegraben
wir grüben	wir hätten gegraben
ihr grübet	ihr hättet gegraben
Sie grüben	Sie hätten gegraben
sie grüben	sie hätten gegraben

FUTURE PERFECT
ich werde gegraben haben
du wirst gegraben haben *etc*

INFINITIVE

PRESENT
graben

PAST
gegraben haben

PARTICIPLE

PRESENT
grabend

PAST
gegraben

IMPERATIVE

grab(e)!
grabt!
graben Sie!
graben wir!

PRESENT
ich greife
du greifst
er/sie greift
wir greifen
ihr greift
Sie greifen
sie greifen

PERFECT
ich habe gegriffen
du hast gegriffen
er/sie hat gegriffen
wir haben gegriffen
ihr habt gegriffen
Sie haben gegriffen
sie haben gegriffen

IMPERFECT
ich griff
du griffst
er/sie griff
wir griffen
ihr grifft
Sie griffen
sie griffen

PLUPERFECT
ich hatte gegriffen
du hattest gegriffen
er/sie hatte gegriffen
wir hatten gegriffen
ihr hattet gegriffen
Sie hatten gegriffen
sie hatten gegriffen

FUTURE
ich werde greifen
du wirst greifen
er/sie wird greifen
wir werden greifen
ihr werdet greifen
Sie werden greifen
sie werden greifen

CONDITIONAL
ich würde greifen
du würdest greifen
er/sie würde greifen
wir würden greifen
ihr würdet greifen
Sie würden greifen
sie würden greifen

SUBJUNCTIVE

PRESENT
ich greife
du greifest
er/sie greife
wir greifen
ihr greifet
Sie greifen
sie greifen

IMPERFECT
ich griffe
du griffest
er/sie griffe
wir griffen
ihr griffet
Sie griffen
sie griffen

FUTURE PERFECT
ich werde gegriffen haben
du wirst gegriffen haben *etc*

PERFECT
ich habe gegriffen
du habest gegriffen
er/sie habe gegriffen
wir haben gegriffen
ihr habet gegriffen
Sie haben gegriffen
sie haben gegriffen

PLUPERFECT
ich hätte gegriffen
du hättest gegriffen
er/sie hätte gegriffen
wir hätten gegriffen
ihr hättet gegriffen
Sie hätten gegriffen
sie hätten gegriffen

INFINITIVE

PRESENT
greifen
PAST
gegriffen haben

PARTICIPLE

PRESENT
greifend
PAST
gegriffen

IMPERATIVE
greif(e)!
greift!
greifen Sie!
greifen wir!

GRÜSSEN

71 *to greet, to salute*

PRESENT	IMPERFECT	FUTURE
ich grüße	ich grüßte	ich werde grüßen
du grüßt	du grüßtest	du wirst grüßen
er/sie grüßt	er/sie grüßte	er/sie wird grüßen
wir grüßen	wir grüßten	wir werden grüßen
ihr grüßt	ihr grüßtet	ihr werdet grüßen
Sie grüßen	Sie grüßten	Sie werden grüßen
sie grüßen	sie grüßten	sie werden grüßen

PERFECT	PLUPERFECT	CONDITIONAL
ich habe gegrüßt	ich hatte gegrüßt	ich würde grüßen
du hast gegrüßt	du hattest gegrüßt	du würdest grüßen
er/sie hat gegrüßt	er/sie hatte gegrüßt	er/sie würde grüßen
wir haben gegrüßt	wir hatten gegrüßt	wir würden grüßen
ihr habt gegrüßt	ihr hattet gegrüßt	ihr würdet grüßen
Sie haben gegrüßt	Sie hatten gegrüßt	Sie würden grüßen
sie haben gegrüßt	sie hatten gegrüßt	sie würden grüßen

SUBJUNCTIVE

INFINITIVE

PRESENT	PERFECT
ich grüße	ich habe gegrüßt
du grüßest	du habest gegrüßt
er/sie grüße	er/sie habe gegrüßt
wir grüßen	wir haben gegrüßt
ihr grüßet	ihr habet gegrüßt
Sie grüßen	Sie haben gegrüßt
sie grüßen	sie haben gegrüßt

PRESENT
grüßen

PAST
gegrüßt haben

PARTICIPLE

PRESENT
grüßend

IMPERFECT	PLUPERFECT
ich grüßte	ich hätte gegrüßt
du grüßtest	du hättest gegrüßt
er/sie grüßte	er/sie hätte gegrüßt
wir grüßten	wir hätten gegrüßt
ihr grüßtet	ihr hättet gegrüßt
Sie grüßten	Sie hätten gegrüßt
sie grüßten	sie hätten gegrüßt

PAST
gegrüßt

IMPERATIVE

grüß(e)!
grüßt!
grüßen Sie!
grüßen wir!

FUTURE PERFECT
ich werde gegrüßt haben
du wirst gegrüßt haben *etc*

PRESENT
ich habe
du hast
er/sie hat
wir haben
ihr habt
Sie haben
sie haben

IMPERFECT
ich hatte
du hattest
er/sie hatte
wir hatten
ihr hattet
Sie hatten
sie hatten

FUTURE
ich werde haben
du wirst haben
er/sie wird haben
wir werden haben
ihr werdet haben
Sie werden haben
sie werden haben

PERFECT
ich habe gehabt
du hast gehabt
er/sie hat gehabt
wir haben gehabt
ihr habt gehabt
Sie haben gehabt
sie haben gehabt

PLUPERFECT
ich hatte gehabt
du hattest gehabt
er/sie hatte gehabt
wir hatten gehabt
ihr hattet gehabt
Sie hatten gehabt
sie hatten gehabt

CONDITIONAL
ich würde haben
du würdest haben
er/sie würde haben
wir würden haben
ihr würdet haben
Sie würden haben
sie würden haben

SUBJUNCTIVE

PRESENT
ich habe
du habest
er/sie habe
wir haben
ihr habet
Sie haben
sie haben

PERFECT
ich habe gehabt
du habest gehabt
er/sie habe gehabt
wir haben gehabt
ihr habet gehabt
Sie haben gehabt
sie haben gehabt

INFINITIVE

PRESENT
haben

PAST
gehabt haben

IMPERFECT
ich hätte
du hättest
er/sie hätte
wir hätten
ihr hättet
Sie hätten
sie hätten

PLUPERFECT
ich hätte gehabt
du hättest gehabt
er/sie hätte gehabt
wir hätten gehabt
ihr hättet gehabt
Sie hätten gehabt
sie hätten gehabt

PARTICIPLE

PRESENT
habend

PAST
gehabt

IMPERATIVE
hab(e)!
habt!
haben Sie!
haben wir!

FUTURE PERFECT
ich werde gehabt haben
du wirst gehabt haben *etc*

HALTEN
73 to hold; to stop

PRESENT	IMPERFECT	FUTURE
ich halte	ich hielt	ich werde halten
du hältst	du hieltst	du wirst halten
er/sie hält	er/sie hielt	er/sie wird halten
wir halten	wir hielten	wir werden halten
ihr haltet	ihr hieltet	ihr werdet halten
Sie halten	Sie hielten	Sie werden halten
sie halten	sie hielten	sie werden halten

PERFECT	PLUPERFECT	CONDITIONAL
ich habe gehalten	ich hatte gehalten	ich würde halten
du hast gehalten	du hattest gehalten	du würdest halten
er/sie hat gehalten	er/sie hatte gehalten	er/sie würde halten
wir haben gehalten	wir hatten gehalten	wir würden halten
ihr habt gehalten	ihr hattet gehalten	ihr würdet halten
Sie haben gehalten	Sie hatten gehalten	Sie würden halten
sie haben gehalten	sie hatten gehalten	sie würden halten

SUBJUNCTIVE

PRESENT	PERFECT
ich halte	ich habe gehalten
du haltest	du habest gehalten
er/sie halte	er/sie habe gehalten
wir halten	wir haben gehalten
ihr haltet	ihr habet gehalten
Sie halten	Sie haben gehalten
sie halten	sie haben gehalten

IMPERFECT	PLUPERFECT
ich hielte	ich hätte gehalten
du hieltest	du hättest gehalten
er/sie hielte	er/sie hätte gehalten
wir hielten	wir hätten gehalten
ihr hieltet	ihr hättet gehalten
Sie hielten	Sie hätten gehalten
sie hielten	sie hätten gehalten

FUTURE PERFECT
ich werde gehalten haben
du wirst gehalten haben *etc*

INFINITIVE

PRESENT
halten

PAST
gehalten haben

PARTICIPLE

PRESENT
haltend

PAST
gehalten

IMPERATIVE

halt(e)!
haltet!
halten Sie!
halten wir!

PRESENT
ich hänge
du hängst
er/sie hängt
wir hängen
ihr hängt
Sie hängen
sie hängen

IMPERFECT
ich hing
du hingst
er/sie hing
wir hingen
ihr hingt
Sie hingen
sie hingen

FUTURE
ich werde hängen
du wirst hängen
er/sie wird hängen
wir werden hängen
ihr werdet hängen
Sie werden hängen
sie werden hängen

PERFECT
ich habe gehangen
du hast gehangen
er/sie hat gehangen
wir haben gehangen
ihr habt gehangen
Sie haben gehangen
sie haben gehangen

PLUPERFECT
ich hatte gehangen
du hattest gehangen
er/sie hatte gehangen
wir hatten gehangen
ihr hattet gehangen
Sie hatten gehangen
sie hatten gehangen

CONDITIONAL
ich würde hängen
du würdest hängen
er/sie würde hängen
wir würden hängen
ihr würdet hängen
Sie würden hängen
sie würden hängen

SUBJUNCTIVE

PRESENT
ich hänge
du hängest
er/sie hänge
wir hängen
ihr hänget
Sie hängen
sie hängen

PERFECT
ich habe gehangen
du habest gehangen
er/sie habe gehangen
wir haben gehangen
ihr habet gehangen
Sie haben gehangen
sie haben gehangen

INFINITIVE

PRESENT
hängen
PAST
gehangen haben

IMPERFECT
ich hinge
du hingest
er/sie hinge
wir hingen
ihr hinget
Sie hingen
sie hingen

PLUPERFECT
ich hätte gehangen
du hättest gehangen
er/sie hätte gehangen
wir hätten gehangen
ihr hättet gehangen
Sie hätten gehangen
sie hätten gehangen

PARTICIPLE

PRESENT
hängend
PAST
gehangen

IMPERATIVE

häng(e)!
hängt!
hängen Sie!
hängen wir!

FUTURE PERFECT
ich werde gehangen haben
du wirst gehangen haben *etc*

NOTE

(1) also a weak verb when transitive: ich hängte,
ich habe gehängt *etc*

HAUEN

to hit; to hew (1)

PRESENT
ich haue
du haust
er/sie haut
wir hauen
ihr haut
Sie hauen
sie hauen

IMPERFECT
ich hieb
du hiebst
er/sie hieb
wir hieben
ihr hiebt
Sie hieben
sie hieben

FUTURE
ich werde hauen
du wirst hauen
er/sie wird hauen
wir werden hauen
ihr werdet hauen
Sie werden hauen
sie werden hauen

PERFECT
ich habe gehauen
du hast gehauen
er/sie hat gehauen
wir haben gehauen
ihr habt gehauen
Sie haben gehauen
sie haben gehauen

PLUPERFECT
ich hatte gehauen
du hattest gehauen
er/sie hatte gehauen
wir hatten gehauen
ihr hattet gehauen
Sie hatten gehauen
sie hatten gehauen

CONDITIONAL
ich würde hauen
du würdest hauen
er/sie würde hauen
wir würden hauen
ihr würdet hauen
Sie würden hauen
sie würden hauen

SUBJUNCTIVE

PRESENT
ich haue
du hauest
er/sie haue
wir hauen
ihr hauet

Sie hauen
sie hauen

PERFECT
ich habe gehauen
du habest gehauen
er/sie habe gehauen
wir haben gehauen
ihr habet gehauen

Sie haben gehauen
sie haben gehauen

INFINITIVE

PRESENT
hauen

PAST
gehauen haben

PARTICIPLE

PRESENT
hauend

IMPERFECT
ich hiebe
du hiebest
er/sie hiebe
wir hieben
ihr hiebet
Sie hieben
sie hieben

PLUPERFECT
ich hätte gehauen
du hättest gehauen
er/sie hätte gehauen
wir hätten gehauen
ihr hättet gehauen
Sie hätten gehauen
sie hätten gehauen

PAST
gehauen

IMPERATIVE

hau(e)!
haut!
hauen Sie!
hauen wir!

FUTURE PERFECT
ich werde gehauen haben
du wirst gehauen haben *etc*

NOTE

(1) also a weak verb: **ich haute, ich habe gehaut** *etc*

PRESENT
ich hebe
du hebst
er/sie hebt
wir heben
ihr hebt
Sie heben
sie heben

IMPERFECT
ich hob
du hobst
er/sie hob
wir hoben
ihr hobt
Sie hoben
sie hoben

FUTURE
ich werde heben
du wirst heben
er/sie wird heben
wir werden heben
ihr werdet heben
Sie werden heben
sie werden heben

PERFECT
ich habe gehoben
du hast gehoben
er/sie hat gehoben
wir haben gehoben
ihr habt gehoben
Sie haben gehoben
sie haben gehoben

PLUPERFECT
ich hatte gehoben
du hattest gehoben
er/sie hatte gehoben
wir hatten gehoben
ihr hattet gehoben
Sie hatten gehoben
sie hatten gehoben

CONDITIONAL
ich würde heben
du würdest heben
er/sie würde heben
wir würden heben
ihr würdet heben
Sie würden heben
sie würden heben

SUBJUNCTIVE

PRESENT
ich hebe
du hebest
er/sie hebe
wir heben
ihr hebet
Sie heben
sie heben

PERFECT
ich habe gehoben
du habest gehoben
er/sie habe gehoben
wir haben gehoben
ihr habet gehoben
Sie haben gehoben
sie haben gehoben

INFINITIVE

PRESENT
heben
PAST
gehoben haben

PARTICIPLE

PRESENT
hebend

IMPERFECT
ich höbe
du höbest
er/sie höbe
wir höben
ihr höbet
Sie höben
sie höben

PLUPERFECT
ich hätte gehoben
du hättest gehoben
er/sie hätte gehoben
wir hätten gehoben
ihr hättet gehoben
Sie hätten gehoben
sie hätten gehoben

PAST
gehoben

IMPERATIVE
heb(e)!
hebt!
heben Sie!
heben wir!

FUTURE PERFECT
ich werde gehoben haben
du wirst gehoben haben *etc*

PRESENT
ich heiße
du heißt
er/sie heißt
wir heißen
ihr heißt
Sie heißen
sie heißen

IMPERFECT
ich hieß
du hießest
er/sie hieß
wir hießen
ihr hießt
Sie hießen
sie hießen

FUTURE
ich werde heißen
du wirst heißen
er/sie wird heißen
wir werden heißen
ihr werdet heißen
Sie werden heißen
sie werden heißen

PERFECT
ich habe geheißen
du hast geheißen
er/sie hat geheißen
wir haben geheißen
ihr habt geheißen
Sie haben geheißen
sie haben geheißen

PLUPERFECT
ich hatte geheißen
du hattest geheißen
er/sie hatte geheißen
wir hatten geheißen
ihr hattet geheißen
Sie hatten geheißen
sie hatten geheißen

CONDITIONAL
ich würde heißen
du würdest heißen
er/sie würde heißen
wir würden heißen
ihr würdet heißen
Sie würden heißen
sie würden heißen

SUBJUNCTIVE

PRESENT
ich heiße
du heißest
er/sie heiße
wir heißen
ihr heißet
Sie heißen
sie heißen

PERFECT
ich habe geheißen
du habest geheißen
er/sie habe geheißen
wir haben geheißen
ihr habet geheißen
Sie haben geheißen
sie haben geheißen

INFINITIVE

PRESENT
heißen
PAST
geheißen haben

IMPERFECT
ich hieße
du hießest
er/sie hieße
wir hießen
ihr hießet
Sie hießen
sie hießen

PLUPERFECT
ich hätte geheißen
du hättest geheißen
er/sie hätte geheißen
wir hätten geheißen
ihr hättet geheißen
Sie hätten geheißen
sie hätten geheißen

PARTICIPLE

PRESENT
heißend
PAST
geheißen

IMPERATIVE
heiß(e)!
heißt!
heißen Sie!
heißen wir!

FUTURE PERFECT
ich werde geheißen haben
du wirst geheißen haben *etc*

PRESENT
ich helfe
du hilfst
er/sie hilft
wir helfen
ihr helft
Sie helfen
sie helfen

IMPERFECT
ich half
du halfst
er/sie half
wir halfen
ihr halft
Sie halfen
sie halfen

FUTURE
ich werde helfen
du wirst helfen
er/sie wird helfen
wir werden helfen
ihr werdet helfen
Sie werden helfen
sie werden helfen

PERFECT
ich habe geholfen
du hast geholfen
er/sie hat geholfen
wir haben geholfen
ihr habt geholfen
Sie haben geholfen
sie haben geholfen

PLUPERFECT
ich hatte geholfen
du hattest geholfen
er/sie hatte geholfen
wir hatten geholfen
ihr hattet geholfen
Sie hatten geholfen
sie hatten geholfen

CONDITIONAL
ich würde helfen
du würdest helfen
er/sie würde helfen
wir würden helfen
ihr würdet helfen
Sie würden helfen
sie würden helfen

SUBJUNCTIVE

PRESENT
ich helfe
du helfest
er/sie helfe
wir helfen
ihr helfet
Sie helfen
sie helfen

PERFECT
ich habe geholfen
du habest geholfen
er/sie habe geholfen
wir haben geholfen
ihr habet geholfen
Sie haben geholfen
sie haben geholfen

INFINITIVE

PRESENT
helfen
PAST
geholfen haben

IMPERFECT
ich hülfe
du hülfest
er/sie hülfe
wir hülfen
ihr hülfet
Sie hülfen
sie hülfen

PLUPERFECT
ich hätte geholfen
du hättest geholfen
er/sie hätte geholfen
wir hätten geholfen
ihr hättet geholfen
Sie hätten geholfen
sie hätten geholfen

PARTICIPLE

PRESENT
helfend
PAST
geholfen

IMPERATIVE

hilf!
helft!
helfen Sie!
helfen wir!

FUTURE PERFECT
ich werde geholfen haben
du wirst geholfen haben *etc*

NOTE

takes the dative: ich helfe ihm, ich habe ihm
geholfen *etc*

PRESENT

ich kenne
du kennst
er/sie kennt
wir kennen
ihr kennt
Sie kennen
sie kennen

IMPERFECT

ich kannte
du kanntest
er/sie kannte
wir kannten
ihr kanntet
Sie kannten
sie kannten

FUTURE

ich werde kennen
du wirst kennen
er/sie wird kennen
wir werden kennen
ihr werdet kennen
Sie werden kennen
sie werden kennen

PERFECT

ich habe gekannt
du hast gekannt
er/sie hat gekannt
wir haben gekannt
ihr habt gekannt
Sie haben gekannt
sie haben gekannt

PLUPERFECT

ich hatte gekannt
du hattest gekannt
er/sie hatte gekannt
wir hatten gekannt
ihr hattet gekannt
Sie hatten gekannt
sie hatten gekannt

CONDITIONAL

ich würde kennen
du würdest kennen
er/sie würde kennen
wir würden kennen
ihr würdet kennen
Sie würden kennen
sie würden kennen

SUBJUNCTIVE

PRESENT

ich kenne
du kennest
er/sie kenne
wir kennen
ihr kennet
Sie kennen
sie kennen

PERFECT

ich habe gekannt
du habest gekannt
er/sie habe gekannt
wir haben gekannt
ihr habet gekannt
Sie haben gekannt
sie haben gekannt

INFINITIVE

PRESENT

kennen

PAST

gekannt haben

PARTICIPLE

PRESENT

kennend

IMPERFECT

ich kennte
du kenntest
er/sie kennte
wir kennten
ihr kenntet
Sie kennten
sie kennten

PLUPERFECT

ich hätte gekannt
du hättest gekannt
er/sie hätte gekannt
wir hätten gekannt
ihr hättet gekannt
Sie hätten gekannt
sie hätten gekannt

PAST

gekannt

IMPERATIVE

kenn(e)!
kennt!
kennen Sie!
kennen wir!

FUTURE PERFECT

ich werde gekannt haben
du wirst gekannt haben *etc*

PRESENT

ich lerne kennen
du lernst kennen
er/sie lernt kennen
wir lernen kennen
ihr lernt kennen
Sie lernen kennen
sie lernen kennen

PERFECT

ich habe kennengelernt
du hast kennen`gelernt
er/sie hat kennengelernt
wir haben kennengelernt
ihr habt kennengelernt
Sie haben kennengelernt
sie haben kennengelernt

IMPERFECT

ich lernte kennen
du lerntest kennen
er/sie lernte kennen
wir lernten kennen
ihr lerntet kennen
Sie lernten kennen
sie lernten kennen

PLUPERFECT

ich hatte kennengelernt
du hattest kennengelernt
er/sie hatte kennengelernt
wir hatten kennengelernt
ihr hattet kennengelernt
Sie hatten kennengelernt
sie hatten kennengelernt

FUTURE

ich werde kennenlernen
du wirst kennenlernen
er/sie wird kennenlernen
wir werden kennenlernen
ihr werdet kennenlernen
Sie werden kennenlernen
sie werden kennenlernen

CONDITIONAL

ich würde kennenlernen
du würdest kennenlernen
er/sie würde kennenlernen
wir würden kennenlernen
ihr würdet kennenlernen
Sie würden kennenlernen
sie würden kennenlernen

SUBJUNCTIVE

PRESENT

ich lerne kennen
du lernest kennen
er/sie lerne kennen
wir lernen kennen
ihr lernet kennen
Sie lernen kennen
sie lernen kennen

IMPERFECT

ich lernte kennen
du lerntest kennen
er/sie lernte kennen
wir lernten kennen
ihr lerntet kennen
Sie lernten kennen
sie lernten kennen

FUTURE PERFECT

ich werde kennengelernt
  haben
du wirst kennengelernt
  haben *etc*

PERFECT

ich habe kennengelernt
du habest kennengelernt
er/sie habe kennengelernt
wir haben kennengelernt
ihr habet kennengelernt
Sie haben kennengelernt
sie haben kennengelernt

PLUPERFECT

ich hätte kennengelernt
du hättest kennengelernt
er/sie hätte kennengelernt
wir hätten kennengelernt
ihr hättet kennengelernt
Sie hätten kennengelernt
sie hätten kennengelernt

INFINITIVE

PRESENT
kennenlernen

PAST
kennengelernt haben

PARTICIPLE

PRESENT
kennenlernend

PAST
kennengelernt

IMPERATIVE

lern(e) kennen!
lernt kennen!
lernen Sie kennen!
lernen wir kennen!

NOTE

two-word spelling also possible: **kennen lernen, kennen gelernt**

KLINGEN
81 to sound

PRESENT	IMPERFECT	FUTURE
ich klinge	ich klang	ich werde klingen
du klingst	du klangst	du wirst klingen
er/sie klingt	er/sie klang	er/sie wird klingen
wir klingen	wir klangen	wir werden klingen
ihr klingt	ihr klangt	ihr werdet klingen
Sie klingen	Sie klangen	Sie werden klingen
sie klingen	sie klangen	sie werden klingen

PERFECT	PLUPERFECT	CONDITIONAL
ich habe geklungen	ich hatte geklungen	ich würde klingen
du hast geklungen	du hattest geklungen	du würdest klingen
er/sie hat geklungen	er/sie hatte geklungen	er/sie würde klingen
wir haben geklungen	wir hatten geklungen	wir würden klingen
ihr habt geklungen	ihr hattet geklungen	ihr würdet klingen
Sie haben geklungen	Sie hatten geklungen	Sie würden klingen
sie haben geklungen	sie hatten geklungen	sie würden klingen

SUBJUNCTIVE

PRESENT	PERFECT
ich klinge	ich habe geklungen
du klingest	du habest geklungen
er/sie klinge	er/sie habe geklungen
wir klingen	wir haben geklungen
ihr klinget	ihr habet geklungen
Sie klingen	Sie haben geklungen
sie klingen	sie haben geklungen

IMPERFECT	PLUPERFECT
ich klänge	ich hätte geklungen
du klängest	du hättest geklungen
er/sie klänge	er/sie hätte geklungen
wir klängen	wir hätten geklungen
ihr klänget	ihr hättet geklungen
Sie klängen	Sie hätten geklungen
sie klängen	sie hätten geklungen

FUTURE PERFECT
ich werde geklungen haben
du wirst geklungen haben *etc*

INFINITIVE

PRESENT
klingen

PAST
geklungen haben

PARTICIPLE

PRESENT
klingend

PAST
geklungen

IMPERATIVE

kling(e)!
klingt!
klingen Sie!
klingen wir!

PRESENT
ich kneife
du kneifst
er/sie kneift
wir kneifen
ihr kneift
Sie kneifen
sie kneifen

PERFECT
ich habe gekniffen
du hast gekniffen
er/sie hat gekniffen
wir haben gekniffen
ihr habt gekniffen
Sie haben gekniffen
sie haben gekniffen

IMPERFECT
ich kniff
du kniffst
er/sie kniff
wir kniffen
ihr knifft
Sie kniffen
sie kniffen

PLUPERFECT
ich hatte gekniffen
du hattest gekniffen
er/sie hatte gekniffen
wir hatten gekniffen
ihr hattet gekniffen
Sie hatten gekniffen
sie hatten gekniffen

FUTURE
ich werde kneifen
du wirst kneifen
er/sie wird kneifen
wir werden kneifen
ihr werdet kneifen
Sie werden kneifen
sie werden kneifen

CONDITIONAL
ich würde kneifen
du würdest kneifen
er/sie würde kneifen
wir würden kneifen
ihr würdet kneifen
Sie würden kneifen
sie würden kneifen

SUBJUNCTIVE

PRESENT
ich kneife
du kneifest
er/sie kneife
wir kneifen
ihr kneifet
Sie kneifen
sie kneifen

IMPERFECT
ich kniffe
du kniffest
er/sie kniffe
wir kniffen
ihr kniffet
Sie kniffen
sie kniffen

FUTURE PERFECT
ich werde gekniffen haben
du wirst gekniffen haben *etc*

PERFECT
ich habe gekniffen
du habest gekniffen
er/sie habe gekniffen
wir haben gekniffen
ihr habet gekniffen
Sie haben gekniffen
sie haben gekniffen

PLUPERFECT
ich hätte gekniffen
du hättest gekniffen
er/sie hätte gekniffen
wir hätten gekniffen
ihr hättet gekniffen
Sie hätten gekniffen
sie hätten gekniffen

INFINITIVE
PRESENT
kneifen
PAST
gekniffen haben

PARTICIPLE
PRESENT
kneifend
PAST
gekniffen

IMPERATIVE
kneif(e)!
kneift!
kneifen Sie!
kneifen wir!

KNIEN
83 *to kneel*

PRESENT	IMPERFECT	FUTURE
ich knie	ich kniete	ich werde knien
du kniest	du knietest	du wirst knien
er/sie kniet	er/sie kniete	er/sie wird knien
wir knien	wir knieten	wir werden knien
ihr kniet	ihr knietet	ihr werdet knien
Sie knien	Sie knieten	Sie werden knien
sie knien	sie knieten	sie werden knien

PERFECT	PLUPERFECT	CONDITIONAL
ich habe gekniet	ich hatte gekniet	ich würde knien
du hast gekniet	du hattest gekniet	du würdest knien
er/sie hat gekniet	er/sie hatte gekniet	er/sie würde knien
wir haben gekniet	wir hatten gekniet	wir würden knien
ihr habt gekniet	ihr hattet gekniet	ihr würdet knien
Sie haben gekniet	Sie hatten gekniet	Sie würden knien
sie haben gekniet	sie hatten gekniet	sie würden knien

SUBJUNCTIVE

PRESENT	PERFECT
ich knie	ich habe gekniet
du kniest	du habest gekniet
er/sie knie	er/sie habe gekniet
wir knien	wir haben gekniet
ihr kniet	ihr habet gekniet
Sie knien	Sie haben gekniet
sie knien	sie haben gekniet

IMPERFECT	PLUPERFECT
ich kniete	ich hätte gekniet
du knietest	du hättest gekniet
er/sie kniete	er/sie hätte gekniet
wir knieten	wir hätten gekniet
ihr knietet	ihr hättet gekniet
Sie knieten	Sie hätten gekniet
sie knieten	sie hätten gekniet

FUTURE PERFECT
ich werde gekniet haben
du wirst gekniet haben *etc*

INFINITIVE

PRESENT
knien

PAST
gekniet haben

PARTICIPLE

PRESENT
kniend

PAST
gekniet

IMPERATIVE

knie!
kniet!
knien Sie!
knien wir!

PRESENT
ich komme
du kommst
er/sie kommt
wir kommen
ihr kommt
Sie kommen
sie kommen

IMPERFECT
ich kam
du kamst
er/sie kam
wir kamen
ihr kamt
Sie kamen
sie kamen

FUTURE
ich werde kommen
du wirst kommen
er/sie wird kommen
wir werden kommen
ihr werdet kommen
Sie werden kommen
sie werden kommen

PERFECT
ich bin gekommen
du bist gekommen
er/sie ist gekommen
wir sind gekommen
ihr seid gekommen
Sie sind gekommen
sie sind gekommen

PLUPERFECT
ich war gekommen
du warst gekommen
er/sie war gekommen
wir waren gekommen
ihr wart gekommen
Sie waren gekommen
sie waren gekommen

CONDITIONAL
ich würde kommen
du würdest kommen
er/sie würde kommen
wir würden kommen
ihr würdet kommen
Sie würden kommen
sie würden kommen

SUBJUNCTIVE

PRESENT
ich komme
du kommest
er/sie komme
wir kommen
ihr kommet
Sie kommen
sie kommen

PERFECT
ich sei gekommen
du sei(e)st gekommen
er/sie sei gekommen
wir seien gekommen
ihr seiet gekommen
Sie seien gekommen
sie seien gekommen

INFINITIVE

PRESENT
kommen
PAST
gekommen sein

IMPERFECT
ich käme
du kämest
er/sie käme
wir kämen
ihr kämet
Sie kämen
sie kämen

PLUPERFECT
ich wäre gekommen
du wär(e)st gekommen
er/sie wäre gekommen
wir wären gekommen
ihr wär(e)t gekommen
Sie wären gekommen
sie wären gekommen

PARTICIPLE

PRESENT
kommend
PAST
gekommen

IMPERATIVE
komm(e)!
kommt!
kommen Sie!
kommen wir!

FUTURE PERFECT
ich werde gekommen sein
du wirst gekommen sein *etc*

KÖNNEN
85 *to be able to*

PRESENT
ich kann
du kannst
er/sie kann
wir können
ihr könnt
Sie können
sie können

PERFECT *(1)*
ich habe gekonnt
du hast gekonnt
er/sie hat gekonnt
wir haben gekonnt
ihr habt gekonnt
Sie haben gekonnt
sie haben gekonnt

IMPERFECT
ich konnte
du konntest
er/sie konnte
wir konnten
ihr konntet
Sie konnten
sie konnten

PLUPERFECT *(2)*
ich hatte gekonnt
du hattest gekonnt
er/sie hatte gekonnt
wir hatten gekonnt
ihr hattet gekonnt
Sie hatten gekonnt
sie hatten gekonnt

FUTURE
ich werde können
du wirst können
er/sie wird können
wir werden können
ihr werdet können
Sie werden können
sie werden können

CONDITIONAL
ich würde können
du würdest können
er/sie würde können
wir würden können
ihr würdet können
Sie würden können
sie würden können

SUBJUNCTIVE

PRESENT
ich könne
du könnest
er/sie könne
wir können
ihr könnet
Sie können
sie können

IMPERFECT
ich könnte
du könntest
er/sie könnte
wir könnten
ihr könntet
Sie könnten
sie könnten

PERFECT *(1)*
ich habe gekonnt
du habest gekonnt
er/sie habe gekonnt
wir haben gekonnt
ihr habet gekonnt
Sie haben gekonnt
sie haben gekonnt

PLUPERFECT *(3)*
ich hätte gekonnt
du hättest gekonnt
er/sie hätte gekonnt
wir hätten gekonnt
ihr hättet gekonnt
Sie hätten gekonnt
sie hätten gekonnt

INFINITIVE

PRESENT
können
PAST
gekonnt haben

PARTICIPLE

PRESENT
könnend

PAST
gekonnt

NOTE

when preceded by an infinitive: (1) ich habe ...
können *etc (2)* ich hatte ... können *etc (3)* ich
hätte ... können *etc*

PRESENT
ich krieche
du kriechst
er/sie kriecht
wir kriechen
ihr kriecht
Sie kriechen
sie kriechen

PERFECT
ich bin gekrochen
du bist gekrochen
er/sie ist gekrochen
wir sind gekrochen
ihr seid gekrochen
Sie sind gekrochen
sie sind gekrochen

IMPERFECT
ich kroch
du krochst
er/sie kroch
wir krochen
ihr krocht
Sie krochen
sie krochen

PLUPERFECT
ich war gekrochen
du warst gekrochen
er/sie war gekrochen
wir waren gekrochen
ihr wart gekrochen
Sie waren gekrochen
sie waren gekrochen

FUTURE
ich werde kriechen
du wirst kriechen
er/sie wird kriechen
wir werden kriechen
ihr werdet kriechen
Sie werden kriechen
sie werden kriechen

CONDITIONAL
ich würde kriechen
du würdest kriechen
er/sie würde kriechen
wir würden kriechen
ihr würdet kriechen
Sie würden kriechen
sie würden kriechen

SUBJUNCTIVE

PRESENT
ich krieche
du kriechest
er/sie krieche
wir kriechen
ihr kriechet
Sie kriechen
sie kriechen

IMPERFECT
ich kröche
du kröchest
er/sie kröche
wir kröchen
ihr kröchet
Sie kröchen
sie kröchen

FUTURE PERFECT
ich werde gekrochen sein
du wirst gekrochen sein *etc*

PERFECT
ich sei gekrochen
du sei(e)st gekrochen
er/sie sei gekrochen
wir seien gekrochen
ihr seiet gekrochen
Sie seien gekrochen
sie seien gekrochen

PLUPERFECT
ich wäre gekrochen
du wär(e)st gekrochen
er/sie wäre gekrochen
wir wären gekrochen
ihr wär(e)t gekrochen
Sie wären gekrochen
sie wären gekrochen

INFINITIVE

PRESENT
kriechen
PAST
gekrochen sein

PARTICIPLE

PRESENT
kriechend
PAST
gekrochen

IMPERATIVE
kriech(e)!
kriecht!
kriechen Sie!
kriechen wir!

PRESENT
ich lache
du lachst
er/sie lacht
wir lachen
ihr lacht
Sie lachen
sie lachen

PERFECT
ich habe gelacht
du hast gelacht
er/sie hat gelacht
wir haben gelacht
ihr habt gelacht
Sie haben gelacht
sie haben gelacht

IMPERFECT
ich lachte
du lachtest
er/sie lachte
wir lachten
ihr lachtet
Sie lachten
sie lachten

PLUPERFECT
ich hatte gelacht
du hattest gelacht
er/sie hatte gelacht
wir hatten gelacht
ihr hattet gelacht
Sie hatten gelacht
sie hatten gelacht

FUTURE
ich werde lachen
du wirst lachen
er/sie wird lachen
wir werden lachen
ihr werdet lachen
Sie werden lachen
sie werden lachen

CONDITIONAL
ich würde lachen
du würdest lachen
er/sie würde lachen
wir würden lachen
ihr würdet lachen
Sie würden lachen
sie würden lachen

SUBJUNCTIVE

PRESENT
ich lache
du lachest
er/sie lache
wir lachen
ihr lachet
Sie lachen
sie lachen

IMPERFECT
ich lachte
du lachtest
er/sie lachte
wir lachten
ihr lachtet
Sie lachten
sie lachten

FUTURE PERFECT
ich werde gelacht haben
du wirst gelacht haben *etc*

PERFECT
ich habe gelacht
du habest gelacht
er/sie habe gelacht
wir haben gelacht
ihr habet gelacht
Sie haben gelacht
sie haben gelacht

PLUPERFECT
ich hätte gelacht
du hättest gelacht
er/sie hätte gelacht
wir hätten gelacht
ihr hättet gelacht
Sie hätten gelacht
sie hätten gelacht

INFINITIVE

PRESENT
lachen
PAST
gelacht haben

PARTICIPLE

PRESENT
lachend
PAST
gelacht

IMPERATIVE

lach(e)!
lacht!
lachen Sie!
lachen wir!

PRESENT
ich lade
du lädst
er/sie lädt
wir laden
ihr ladet
Sie laden
sie laden

IMPERFECT
ich lud
du ludst
er/sie lud
wir luden
ihr ludet
Sie luden
sie luden

FUTURE
ich werde laden
du wirst laden
er/sie wird laden
wir werden laden
ihr werdet laden
Sie werden laden
sie werden laden

PERFECT
ich habe geladen
du hast geladen
er/sie hat geladen
wir haben geladen
ihr habt geladen
Sie haben geladen
sie haben geladen

PLUPERFECT
ich hatte geladen
du hattest geladen
er/sie hatte geladen
wir hatten geladen
ihr hattet geladen
Sie hatten geladen
sie hatten geladen

CONDITIONAL
ich würde laden
du würdest laden
er/sie würde laden
wir würden laden
ihr würdet laden
Sie würden laden
sie würden laden

SUBJUNCTIVE

PRESENT
ich lade
du ladest
er/sie lade
wir laden
ihr ladet
Sie laden
sie laden

PERFECT
ich habe geladen
du habest geladen
er/sie habe geladen
wir haben geladen
ihr habet geladen
Sie haben geladen
sie haben geladen

INFINITIVE

PRESENT
laden

PAST
geladen haben

IMPERFECT
ich lüde
du lüdest
er/sie lüde
wir lüden
ihr lüdet
Sie lüden
sie lüden

PLUPERFECT
ich hätte geladen
du hättest geladen
er/sie hätte geladen
wir hätten geladen
ihr hättet geladen
Sie hätten geladen
sie hätten geladen

PARTICIPLE

PRESENT
ladend

PAST
geladen

IMPERATIVE

lad(e)!
ladet!
laden Sie!
laden wir!

FUTURE PERFECT
ich werde geladen haben
du wirst geladen haben *etc*

LANDEN
89 to land

PRESENT
ich lande
du landest
er/sie landet
wir landen
ihr landet
Sie landen
sie landen

IMPERFECT
ich landete
du landetest
er/sie landete
wir landeten
ihr landetet
Sie landeten
sie landeten

FUTURE
ich werde landen
du wirst landen
er/sie wird landen
wir werden landen
ihr werdet landen
Sie werden landen
sie werden landen

PERFECT
ich bin gelandet
du bist gelandet
er/sie ist gelandet
wir sind gelandet
ihr seid gelandet
Sie sind gelandet
sie sind gelandet

PLUPERFECT
ich war gelandet
du warst gelandet
er/sie war gelandet
wir waren gelandet
ihr wart gelandet
Sie waren gelandet
sie waren gelandet

CONDITIONAL
ich würde landen
du würdest landen
er/sie würde landen
wir würden landen
ihr würdet landen
Sie würden landen
sie würden landen

SUBJUNCTIVE

PRESENT
ich lande
du landest
er/sie lande
wir landen
ihr landet
Sie landen
sie landen

PERFECT
ich sei gelandet
du sei(e)st gelandet
er/sie sei gelandet
wir seien gelandet
ihr seiet gelandet
Sie seien gelandet
sie seien gelandet

INFINITIVE

PRESENT
landen

PAST
gelandet sein

PARTICIPLE

PRESENT
landend

IMPERFECT
ich landete
du landetest
er/sie landete
wir landeten
ihr landetet
Sie landeten
sie landeten

PLUPERFECT
ich wäre gelandet
du wär(e)st gelandet
er/sie wäre gelandet
wir wären gelandet
ihr wär(e)t gelandet
Sie wären gelandet
sie wären gelandet

PAST
gelandet

IMPERATIVE

land(e)!
landet!
landen Sie!
landen wir!

FUTURE PERFECT
ich werde gelandet sein
du wirst gelandet sein *etc*

PRESENT
ich lasse
du lässt
er/sie lässt
wir lassen
ihr lasst
Sie lassen
sie lassen

PERFECT *(1)*
ich habe gelassen
du hast gelassen
er/sie hat gelassen
wir haben gelassen
ihr habt gelassen
Sie haben gelassen
sie haben gelassen

IMPERFECT
ich ließ
du ließest
er/sie ließ
wir ließen
ihr ließt
Sie ließen
sie ließen

PLUPERFECT *(2)*
ich hatte gelassen
du hattest gelassen
er/sie hatte gelassen
wir hatten gelassen
ihr hattet gelassen
Sie hatten gelassen
sie hatten gelassen

FUTURE
ich werde lassen
du wirst lassen
er/sie wird lassen
wir werden lassen
ihr werdet lassen
Sie werden lassen
sie werden lassen

CONDITIONAL
ich würde lassen
du würdest lassen
er/sie würde lassen
wir würden lassen
ihr würdet lassen
Sie würden lassen
sie würden lassen

SUBJUNCTIVE

PRESENT
ich lasse
du lassest
er/sie lasse
wir lassen
ihr lasset
Sie lassen
sie lassen

IMPERFECT
ich ließe
du ließest
er/sie ließe
wir ließen
ihr ließet
Sie ließen
sie ließen

FUTURE PERFECT
ich werde gelassen haben
du wirst gelassen haben *etc*

PERFECT *(1)*
ich habe gelassen
du habest gelassen
er/sie habe gelassen
wir haben gelassen
ihr habet gelassen
Sie haben gelassen
sie haben gelassen

PLUPERFECT *(3)*
ich hätte gelassen
du hättest gelassen
er/sie hätte gelassen
wir hätten gelassen
ihr hättet gelassen
Sie hätten gelassen
sie hätten gelassen

INFINITIVE

PRESENT
lassen

PAST
gelassen haben

PARTICIPLE

PRESENT
lassend

PAST
gelassen

IMPERATIVE

lass!
lasst!
lassen Sie!
lassen wir!

NOTE

when preceded by an infinitive: (1) ich habe ...
lassen *etc (2)* ich hatte ... lassen *etc (3)* ich
hätte ... lassen *etc*

LAUFEN
91 *to run*

PRESENT	IMPERFECT	FUTURE
ich laufe	ich lief	ich werde laufen
du läufst	du liefst	du wirst laufen
er/sie läuft	er/sie lief	er/sie wird laufen
wir laufen	wir liefen	wir werden laufen
ihr lauft	ihr lieft	ihr werdet laufen
Sie laufen	Sie liefen	Sie werden laufen
sie laufen	sie liefen	sie werden laufen

PERFECT	PLUPERFECT	CONDITIONAL
ich bin gelaufen	ich war gelaufen	ich würde laufen
du bist gelaufen	du warst gelaufen	du würdest laufen
er/sie ist gelaufen	er/sie war gelaufen	er/sie würde laufen
wir sind gelaufen	wir waren gelaufen	wir würden laufen
ihr seid gelaufen	ihr wart gelaufen	ihr würdet laufen
Sie sind gelaufen	Sie waren gelaufen	Sie würden laufen
sie sind gelaufen	sie waren gelaufen	sie würden laufen

SUBJUNCTIVE

PRESENT	PERFECT
ich laufe	ich sei gelaufen
du laufest	du sei(e)st gelaufen
er/sie laufe	er/sie sei gelaufen
wir laufen	wir seien gelaufen
ihr laufet	ihr seiet gelaufen
Sie laufen	Sie seien gelaufen
sie laufen	sie seien gelaufen

IMPERFECT	PLUPERFECT
ich liefe	ich wäre gelaufen
du liefest	du wär(e)st gelaufen
er/sie liefe	er/sie wäre gelaufen
wir liefen	wir wären gelaufen
ihr liefet	ihr wär(e)t gelaufen
Sie liefen	Sie wären gelaufen
sie liefen	sie wären gelaufen

FUTURE PERFECT
ich werde gelaufen sein
du wirst gelaufen sein *etc*

INFINITIVE

PRESENT
laufen

PAST
gelaufen sein

PARTICIPLE

PRESENT
laufend

PAST
gelaufen

IMPERATIVE

lauf(e)!
lauft!
laufen Sie!
laufen wir!

PRESENT
ich lebe
du lebst
er/sie lebt
wir leben
ihr lebt
Sie leben
sie leben

PERFECT
ich habe gelebt
du hast gelebt
er/sie hat gelebt
wir haben gelebt
ihr habt gelebt
Sie haben gelebt
sie haben gelebt

IMPERFECT
ich lebte
du lebtest
er/sie lebte
wir lebten
ihr lebtet
Sie lebten
sie lebten

PLUPERFECT
ich hatte gelebt
du hattest gelebt
er/sie hatte gelebt
wir hatten gelebt
ihr hattet gelebt
Sie hatten gelebt
sie hatten gelebt

FUTURE
ich werde leben
du wirst leben
er/sie wird leben
wir werden leben
ihr werdet leben
Sie werden leben
sie werden leben

CONDITIONAL
ich würde leben
du würdest leben
er/sie würde leben
wir würden leben
ihr würdet leben
Sie würden leben
sie würden leben

SUBJUNCTIVE

PRESENT
ich lebe
du lebest
er/sie lebe
wir leben
ihr lebet
Sie leben
sie leben

IMPERFECT
ich lebte
du lebtest
er/sie lebte
wir lebten
ihr lebtet
Sie lebten
sie lebten

PERFECT
ich habe gelebt
du habest gelebt
er/sie habe gelebt
wir haben gelebt
ihr habet gelebt
Sie haben gelebt
sie haben gelebt

PLUPERFECT
ich hätte gelebt
du hättest gelebt
er/sie hätte gelebt
wir hätten gelebt
ihr hättet gelebt
Sie hätten gelebt
sie hätten gelebt

FUTURE PERFECT
ich werde gelebt haben
du wirst gelebt haben *etc*

INFINITIVE

PRESENT
leben
PAST
gelebt haben

PARTICIPLE

PRESENT
lebend
PAST
gelebt

IMPERATIVE

leb(e)!
lebt!
leben Sie!
leben wir!

LEIDEN
93 *to suffer*

PRESENT
ich leide
du leidest
er/sie leidet
wir leiden
ihr leidet
Sie leiden
sie leiden

PERFECT
ich habe gelitten
du hast gelitten
er/sie hat gelitten
wir haben gelitten
ihr habt gelitten
Sie haben gelitten
sie haben gelitten

IMPERFECT
ich litt
du littst
er/sie litt
wir litten
ihr littet
Sie litten
sie litten

PLUPERFECT
ich hatte gelitten
du hattest gelitten
er/sie hatte gelitten
wir hatten gelitten
ihr hattet gelitten
Sie hatten gelitten
sie hatten gelitten

FUTURE
ich werde leiden
du wirst leiden
er/sie wird leiden
wir werden leiden
ihr werdet leiden
Sie werden leiden
sie werden leiden

CONDITIONAL
ich würde leiden
du würdest leiden
er/sie würde leiden
wir würden leiden
ihr würdet leiden
Sie würden leiden
sie würden leiden

SUBJUNCTIVE

PRESENT
ich leide
du leidest
er/sie leide
wir leiden
ihr leidet
Sie leiden
sie leiden

IMPERFECT
ich litte
du littest
er/sie litte
wir litten
ihr littet
Sie litten
sie litten

FUTURE PERFECT
ich werde gelitten haben
du wirst gelitten haben *etc*

PERFECT
ich habe gelitten
du habest gelitten
er/sie habe gelitten
wir haben gelitten
ihr habet gelitten
Sie haben gelitten
sie haben gelitten

PLUPERFECT
ich hätte gelitten
du hättest gelitten
er/sie hätte gelitten
wir hätten gelitten
ihr hättet gelitten
Sie hätten gelitten
sie hätten gelitten

INFINITIVE

PRESENT
leiden

PAST
gelitten haben

PARTICIPLE

PRESENT
leidend

PAST
gelitten

IMPERATIVE

leid(e)!
leidet!
leiden Sie!
leiden wir!

PRESENT
ich leihe
du leihst
er/sie leiht
wir leihen
ihr leiht
Sie leihen
sie leihen

IMPERFECT
ich lieh
du liehst
er/sie lieh
wir liehen
ihr lieht
Sie liehen
sie liehen

FUTURE
ich werde leihen
du wirst leihen
er/sie wird leihen
wir werden leihen
ihr werdet leihen
Sie werden leihen
sie werden leihen

PERFECT
ich habe geliehen
du hast geliehen
er/sie hat geliehen
wir haben geliehen
ihr habt geliehen
Sie haben geliehen
sie haben geliehen

PLUPERFECT
ich hatte geliehen
du hattest geliehen
er/sie hatte geliehen
wir hatten geliehen
ihr hattet geliehen
Sie hatten geliehen
sie hatten geliehen

CONDITIONAL
ich würde leihen
du würdest leihen
er/sie würde leihen
wir würden leihen
ihr würdet leihen
Sie würden leihen
sie würden leihen

SUBJUNCTIVE

PRESENT
ich leihe
du leihest
er/sie leihe
wir leihen
ihr leihet
Sie leihen
sie leihen

PERFECT
ich habe geliehen
du habest geliehen
er/sie habe geliehen
wir haben geliehen
ihr habet geliehen
Sie haben geliehen
sie haben geliehen

INFINITIVE

PRESENT
leihen

PAST
geliehen haben

PARTICIPLE

PRESENT
leihend

IMPERFECT
ich liehe
du liehest
er/sie liehe
wir liehen
ihr liehet
Sie liehen
sie liehen

PLUPERFECT
ich hätte geliehen
du hättest geliehen
er/sie hätte geliehen
wir hätten geliehen
ihr hättet geliehen
Sie hätten geliehen
sie hätten geliehen

PAST
geliehen

IMPERATIVE

leih(e)!
leiht!
leihen Sie!
leihen wir!

FUTURE PERFECT
ich werde geliehen haben
du wirst geliehen haben *etc*

LESEN
95 *to read*

PRESENT	IMPERFECT	FUTURE
ich lese	ich las	ich werde lesen
du liest	du lasest	du wirst lesen
er/sie liest	er/sie las	er/sie wird lesen
wir lesen	wir lasen	wir werden lesen
ihr lest	ihr last	ihr werdet lesen
Sie lesen	Sie lasen	Sie werden lesen
sie lesen	sie lasen	sie werden lesen

PERFECT	PLUPERFECT	CONDITIONAL
ich habe gelesen	ich hatte gelesen	ich würde lesen
du hast gelesen	du hattest gelesen	du würdest lesen
er/sie hat gelesen	er/sie hatte gelesen	er/sie würde lesen
wir haben gelesen	wir hatten gelesen	wir würden lesen
ihr habt gelesen	ihr hattet gelesen	ihr würdet lesen
Sie haben gelesen	Sie hatten gelesen	Sie würden lesen
sie haben gelesen	sie hatten gelesen	sie würden lesen

SUBJUNCTIVE

PRESENT	PERFECT
ich lese	ich habe gelesen
du lesest	du habest gelesen
er/sie lese	er/sie habe gelesen
wir lesen	wir haben gelesen
ihr leset	ihr habet gelesen
Sie lesen	Sie haben gelesen
sie lesen	sie haben gelesen

IMPERFECT	PLUPERFECT
ich läse	ich hätte gelesen
du läsest	du hättest gelesen
er/sie läse	er/sie hätte gelesen
wir läsen	wir hätten gelesen
ihr läset	ihr hättet gelesen
Sie läsen	Sie hätten gelesen
sie läsen	sie hätten gelesen

FUTURE PERFECT
ich werde gelesen haben
du wirst gelesen haben *etc*

INFINITIVE

PRESENT
lesen
PAST
gelesen haben

PARTICIPLE

PRESENT
lesend
PAST
gelesen

IMPERATIVE

lies!
lest!
lesen Sie!
lesen wir!

PRESENT
ich liege
du liegst
er/sie liegt
wir liegen
ihr liegt
Sie liegen
sie liegen

PERFECT *(1)*
ich habe gelegen
du hast gelegen
er/sie hat gelegen
wir haben gelegen
ihr habt gelegen
Sie haben gelegen
sie haben gelegen

IMPERFECT
ich lag
du lagst
er/sie lag
wir lagen
ihr lagt
Sie lagen
sie lagen

PLUPERFECT *(2)*
ich hatte gelegen
du hattest gelegen
er/sie hatte gelegen
wir hatten gelegen
ihr hattet gelegen
Sie hatten gelegen
sie hatten gelegen

FUTURE
ich werde liegen
du wirst liegen
er/sie wird liegen
wir werden liegen
ihr werdet liegen
Sie werden liegen
sie werden liegen

CONDITIONAL
ich würde liegen
du würdest liegen
er/sie würde liegen
wir würden liegen
ihr würdet liegen
Sie würden liegen
sie würden liegen

SUBJUNCTIVE

PRESENT
ich liege
du liegest
er/sie liege
wir liegen
ihr lieget
Sie liegen
sie liegen

IMPERFECT
ich läge
du lägest
er/sie läge
wir lägen
ihr läget
Sie lägen
sie lägen

FUTURE PERFECT *(5)*
ich werde gelegen haben
du wirst gelegen haben *etc*

PERFECT *(3)*
ich habe gelegen
du habest gelegen
er/sie habe gelegen
wir haben gelegen
ihr habet gelegen
Sie haben gelegen
sie haben gelegen

PLUPERFECT *(4)*
ich hätte gelegen
du hättest gelegen
er/sie hätte gelegen
wir hätten gelegen
ihr hättet gelegen
Sie hätten gelegen
sie hätten gelegen

INFINITIVE

PRESENT
liegen
PAST *(6)*
gelegen haben

PARTICIPLE

PRESENT
liegend

PAST
gelegen

IMPERATIVE

lieg(e)!
liegt!
liegen Sie!
liegen wir!

NOTE

*also intransitive, conjugated with sein (meaning
'to be situated')(1) ich bin gelegen etc (2) ich war
gelegen etc (3) ich sei gelegen etc (4) ich wäre
gelegen etc (5) ich werde gelegen sein etc
(6) gelegen sein*

PRESENT	IMPERFECT	FUTURE
ich lüge	ich log	ich werde lügen
du lügst	du logst	du wirst lügen
er/sie lügt	er/sie log	er/sie wird lügen
wir lügen	wir logen	wir werden lügen
ihr lügt	ihr logt	ihr werdet lügen
Sie lügen	Sie logen	Sie werden lügen
sie lügen	sie logen	sie werden lügen

PERFECT	PLUPERFECT	CONDITIONAL
ich habe gelogen	ich hatte gelogen	ich würde lügen
du hast gelogen	du hattest gelogen	du würdest lügen
er/sie hat gelogen	er/sie hatte gelogen	er/sie würde lügen
wir haben gelogen	wir hatten gelogen	wir würden lügen
ihr habt gelogen	ihr hattet gelogen	ihr würdet lügen
Sie haben gelogen	Sie hatten gelogen	Sie würden lügen
sie haben gelogen	sie hatten gelogen	sie würden lügen

SUBJUNCTIVE

PRESENT	PERFECT
ich lüge	ich habe gelogen
du lügest	du habest gelogen
er/sie lüge	er/sie habe gelogen
wir lügen	wir haben gelogen
ihr lüget	ihr habet gelogen
Sie lügen	Sie haben gelogen
sie lügen	sie haben gelogen

IMPERFECT	PLUPERFECT
ich löge	ich hätte gelogen
du lögest	du hättest gelogen
er/sie löge	er/sie hätte gelogen
wir lögen	wir hätten gelogen
ihr löget	ihr hättet gelogen
Sie lögen	Sie hätten gelogen
sie lögen	sie hätten gelogen

FUTURE PERFECT
ich werde gelogen haben
du wirst gelogen haben *etc*

INFINITIVE

PRESENT
lügen

PAST
gelogen haben

PARTICIPLE

PRESENT
lügend

PAST
gelogen

IMPERATIVE

lüg(e)!
lügt!
lügen Sie!
lügen wir!

PRESENT
ich mahle
du mahlst
er/sie mahlt
wir mahlen
ihr mahlt
Sie mahlen
sie mahlen

PERFECT
ich habe gemahlen
du hast gemahlen
er/sie hat gemahlen
wir haben gemahlen
ihr habt gemahlen
Sie haben gemahlen
sie haben gemahlen

IMPERFECT
ich mahlte
du mahltest
er/sie mahlte
wir mahlten
ihr mahltet
Sie mahlten
sie mahlten

PLUPERFECT
ich hatte gemahlen
du hattest gemahlen
er/sie hatte gemahlen
wir hatten gemahlen
ihr hattet gemahlen
Sie hatten gemahlen
sie hatten gemahlen

FUTURE
ich werde mahlen
du wirst mahlen
er/sie wird mahlen
wir werden mahlen
ihr werdet mahlen
Sie werden mahlen
sie werden mahlen

CONDITIONAL
ich würde mahlen
du würdest mahlen
er/sie würde mahlen
wir würden mahlen
ihr würdet mahlen
Sie würden mahlen
sie würden mahlen

SUBJUNCTIVE

PRESENT
ich mahle
du mahlest
er/sie mahle
wir mahlen
ihr mahlet
Sie mahlen
sie mahlen

IMPERFECT
ich mahlte
du mahltest
er/sie mahlte
wir mahlten
ihr mahltet
Sie mahlten
sie mahlten

FUTURE PERFECT
ich werde gemahlen haben
du wirst gemahlen haben *etc*

PERFECT
ich habe gemahlen
du habest gemahlen
er/sie habe gemahlen
wir haben gemahlen
ihr habet gemahlen
Sie haben gemahlen
sie haben gemahlen

PLUPERFECT
ich hätte gemahlen
du hättest gemahlen
er/sie hätte gemahlen
wir hätten gemahlen
ihr hättet gemahlen
Sie hätten gemahlen
sie hätten gemahlen

INFINITIVE

PRESENT
mahlen
PAST
gemahlen haben

PARTICIPLE

PRESENT
mahlend
PAST
gemahlen

IMPERATIVE
mahl(e)!
mahlt!
mahlen Sie!
mahlen wir!

MEIDEN
99 *to avoid*

PRESENT
ich meide
du meidest
er/sie meidet
wir meiden
ihr meidet
Sie meiden
sie meiden

IMPERFECT
ich mied
du miedest
er/sie mied
wir mieden
ihr miedet
Sie mieden
sie mieden

FUTURE
ich werde meiden
du wirst meiden
er/sie wird meiden
wir werden meiden
ihr werdet meiden
Sie werden meiden
sie werden meiden

PERFECT
ich habe gemieden
du hast gemieden
er/sie hat gemieden
wir haben gemieden
ihr habt gemieden
Sie haben gemieden
sie haben gemieden

PLUPERFECT
ich hatte gemieden
du hattest gemieden
er/sie hatte gemieden
wir hatten gemieden
ihr hattet gemieden
Sie hatten gemieden
sie hatten gemieden

CONDITIONAL
ich würde meiden
du würdest meiden
er/sie würde meiden
wir würden meiden
ihr würdet meiden
Sie würden meiden
sie würden meiden

SUBJUNCTIVE

PRESENT
ich meide
du meidest
er/sie meide
wir meiden
ihr meidet
Sie meiden
sie meiden

PERFECT
ich habe gemieden
du habest gemieden
er/sie habe gemieden
wir haben gemieden
ihr habet gemieden
Sie haben gemieden
sie haben gemieden

INFINITIVE

PRESENT
meiden

PAST
gemieden haben

PARTICIPLE

PRESENT
meidend

IMPERFECT
ich miede
du miedest
er/sie miede
wir mieden
ihr miedet
Sie mieden
sie mieden

PLUPERFECT
ich hätte gemieden
du hättest gemieden
er/sie hätte gemieden
wir hätten gemieden
ihr hättet gemieden
Sie hätten gemieden
sie hätten gemieden

PAST
gemieden

IMPERATIVE
meid(e)!
meidet!
meiden Sie!
meiden wir!

FUTURE PERFECT
ich werde gemieden haben
du wirst gemieden haben *etc*

PRESENT
ich messe
du misst
er/sie misst
wir messen
ihr messt
Sie messen
sie messen

IMPERFECT
ich maß
du maßest
er/sie maß
wir maßen
ihr maßt
Sie maßen
sie maßen

FUTURE
ich werde messen
du wirst messen
er/sie wird messen
wir werden messen
ihr werdet messen
Sie werden messen
sie werden messen

PERFECT
ich habe gemessen
du hast gemessen
er/sie hat gemessen
wir haben gemessen
ihr habt gemessen
Sie haben gemessen
sie haben gemessen

PLUPERFECT
ich hatte gemessen
du hattest gemessen
er/sie hatte gemessen
wir hatten gemessen
ihr hattet gemessen
Sie hatten gemessen
sie hatten gemessen

CONDITIONAL
ich würde messen
du würdest messen
er/sie würde messen
wir würden messen
ihr würdet messen
Sie würden messen
sie würden messen

SUBJUNCTIVE

PRESENT
ich messe
du messest
er/sie messe
wir messen
ihr messet
Sie messen
sie messen

PERFECT
ich habe gemessen
du habest gemessen
er/sie habe gemessen
wir haben gemessen
ihr habet gemessen
Sie haben gemessen
sie haben gemessen

INFINITIVE

PRESENT
messen
PAST
gemessen haben

IMPERFECT
ich mäße
du mäßest
er/sie mäße
wir mäßen
ihr mäßet
Sie mäßen
sie mäßen

PLUPERFECT
ich hätte gemessen
du hättest gemessen
er/sie hätte gemessen
wir hätten gemessen
ihr hättet gemessen
Sie hätten gemessen
sie hätten gemessen

PARTICIPLE

PRESENT
messend
PAST
gemessen

IMPERATIVE
miss!
messt!
messen Sie!
messen wir!

FUTURE PERFECT
ich werde gemessen haben
du wirst gemessen haben *etc*

MÖGEN
101 *to like*

PRESENT	**IMPERFECT**	**FUTURE**
ich mag	ich mochte	ich werde mögen
du magst	du mochtest	du wirst mögen
er/sie mag	er/sie mochte	er/sie wird mögen
wir mögen	wir mochten	wir werden mögen
ihr mögt	ihr mochtet	ihr werdet mögen
Sie mögen	Sie mochten	Sie werden mögen
sie mögen	sie mochten	sie werden mögen

PERFECT *(1)*	**PLUPERFECT** *(2)*	**CONDITIONAL**
ich habe gemocht	ich hatte gemocht	ich würde mögen
du hast gemocht	du hattest gemocht	du würdest mögen
er/sie hat gemocht	er/sie hatte gemocht	er/sie würde mögen
wir haben gemocht	wir hatten gemocht	wir würden mögen
ihr habt gemocht	ihr hattet gemocht	ihr würdet mögen
Sie haben gemocht	Sie hatten gemocht	Sie würden mögen
sie haben gemocht	sie hatten gemocht	sie würden mögen

SUBJUNCTIVE

PRESENT	**PERFECT** *(1)*
ich möge	ich habe gemocht
du mögest	du habest gemocht
er/sie möge	er/sie habe gemocht
wir mögen	wir haben gemocht
ihr möget	ihr habet gemocht
Sie mögen	Sie haben gemocht
sie mögen	sie haben gemocht

IMPERFECT	**PLUPERFECT** *(3)*
ich möchte	ich hätte gemocht
du möchtest	du hättest gemocht
er/sie möchte	er/sie hätte gemocht
wir möchten	wir hätten gemocht
ihr möchtet	ihr hättet gemocht
Sie möchten	Sie hätten gemocht
sie möchten	sie hätten gemocht

INFINITIVE

PRESENT
mögen

PAST
gemocht haben

PARTICIPLE

PRESENT
mögend

PAST
gemocht

NOTE

*when preceded by an infinitive: (1) ich habe ...
mögen etc (2) ich hatte ... mögen etc (3) ich
hätte ... mögen etc*

PRESENT
ich muss
du musst
er/sie muss
wir müssen
ihr müsst
Sie müssen
sie müssen

IMPERFECT
ich musste
du musstest
er/sie musste
wir mussten
ihr musstet
Sie mussten
sie mussten

FUTURE
ich werde müssen
du wirst müssen
er/sie wird müssen
wir werden müssen
ihr werdet müssen
Sie werden müssen
sie werden müssen

PERFECT *(1)*
ich habe gemusst
du hast gemusst
er/sie hat gemusst
wir haben gemusst
ihr habt gemusst
Sie haben gemusst
sie haben gemusst

PLUPERFECT *(2)*
ich hatte gemusst
du hattest gemusst
er/sie hatte gemusst
wir hatten gemusst
ihr hattet gemusst
Sie hatten gemusst
sie hatten gemusst

CONDITIONAL
ich würde müssen
du würdest müssen
er/sie würde müssen
wir würden müssen
ihr würdet müssen
Sie würden müssen
sie würden müssen

SUBJUNCTIVE

PRESENT
ich müsse
du müssest
er/sie müsse
wir müssen
ihr müsset
Sie müssen
sie müssen

PERFECT *(1)*
ich habe gemusst
du habest gemusst
er/sie habe gemusst
wir haben gemusst
ihr habet gemusst
Sie haben gemusst
sie haben gemusst

INFINITIVE

PRESENT
müssen
PAST
gemusst haben

PARTICIPLE

PRESENT
müssend

IMPERFECT
ich müsste
du müsstest
er/sie müsste
wir müssten
ihr müsstet
Sie müssten
sie müssten

PLUPERFECT *(3)*
ich hätte gemusst
du hättest gemusst
er/sie hätte gemusst
wir hätten gemusst
ihr hättet gemusst
Sie hätten gemusst
sie hätten gemusst

PAST
gemusst

NOTE

when preceded by an infinitive: (1) ich habe ...
müssen *etc (2)* ich hatte ... müssen *etc (3)* ich
hätte ... müssen *etc*

PRESENT	IMPERFECT	FUTURE
ich nehme	ich nahm	ich werde nehmen
du nimmst	du nahmst	du wirst nehmen
er/sie nimmt	er/sie nahm	er/sie wird nehmen
wir nehmen	wir nahmen	wir werden nehmen
ihr nehmt	ihr nahmt	ihr werdet nehmen
Sie nehmen	Sie nahmen	Sie werden nehmen
sie nehmen	sie nahmen	sie werden nehmen

PERFECT	PLUPERFECT	CONDITIONAL
ich habe genommen	ich hatte genommen	ich würde nehmen
du hast genommen	du hattest genommen	du würdest nehmen
er/sie hat genommen	er/sie hatte genommen	er/sie würde nehmen
wir haben genommen	wir hatten genommen	wir würden nehmen
ihr habt genommen	ihr hattet genommen	ihr würdet nehmen
Sie haben genommen	Sie hatten genommen	Sie würden nehmen
sie haben genommen	sie hatten genommen	sie würden nehmen

SUBJUNCTIVE

PRESENT	PERFECT
ich nehme	ich habe genommen
du nehmest	du habest genommen
er/sie nehme	er/sie habe genommen
wir nehmen	wir haben genommen
ihr nehmet	ihr habet genommen
Sie nehmen	Sie haben genommen
sie nehmen	sie haben genommen

IMPERFECT	PLUPERFECT
ich nähme	ich hätte genommen
du nähmest	du hättest genommen
er/sie nähme	er/sie hätte genommen
wir nähmen	wir hätten genommen
ihr nähmet	ihr hättet genommen
Sie nähmen	Sie hätten genommen
sie nähmen	sie hätten genommen

FUTURE PERFECT
ich werde genommen haben
du wirst genommen haben *etc*

INFINITIVE

PRESENT
nehmen

PAST
genommen haben

PARTICIPLE

PRESENT
nehmend

PAST
genommen

IMPERATIVE

nimm!
nehmt!
nehmen Sie!
nehmen wir!

PRESENT
ich nenne
du nennst
er/sie nennt
wir nennen
ihr nennt
Sie nennen
sie nennen

PERFECT
ich habe genannt
du hast genannt
er/sie hat genannt
wir haben genannt
ihr habt genannt
Sie haben genannt
sie haben genannt

IMPERFECT
ich nannte
du nanntest
er/sie nannte
wir nannten
ihr nanntet
Sie nannten
sie nannten

PLUPERFECT
ich hatte genannt
du hattest genannt
er/sie hatte genannt
wir hatten genannt
ihr hattet genannt
Sie hatten genannt
sie hatten genannt

FUTURE
ich werde nennen
du wirst nennen
er/sie wird nennen
wir werden nennen
ihr werdet nennen
Sie werden nennen
sie werden nennen

CONDITIONAL
ich würde nennen
du würdest nennen
er/sie würde nennen
wir würden nennen
ihr würdet nennen
Sie würden nennen
sie würden nennen

SUBJUNCTIVE

PRESENT
ich nenne
du nennest
er/sie nenne
wir nennen
ihr nennet
Sie nennen
sie nennen

IMPERFECT
ich nennte
du nenntest
er/sie nennte
wir nennten
ihr nenntet
Sie nennten
sie nennten

FUTURE PERFECT
ich werde genannt haben
du wirst genannt haben *etc*

PERFECT
ich habe genannt
du habest genannt
er/sie habe genannt
wir haben genannt
ihr habet genannt
Sie haben genannt
sie haben genannt

PLUPERFECT
ich hätte genannt
du hättest genannt
er/sie hätte genannt
wir hätten genannt
ihr hättet genannt
Sie hätten genannt
sie hätten genannt

INFINITIVE

PRESENT
nennen
PAST
genannt haben

PARTICIPLE
PRESENT
nennend
PAST
gennant

IMPERATIVE
nenn(e)!
nennt!
nennen Sie!
nennen wir!

PASSEN
105 *to fit; to suit*

PRESENT
ich passe
du passt
er/sie passt
wir passen
ihr passt
Sie passen
sie passen

PERFECT
ich habe gepasst
du hast gepasst
er/sie hat gepasst
wir haben gepasst
ihr habt gepasst
Sie haben gepasst
sie haben gepasst

IMPERFECT
ich passte
du passtest
er/sie passte
wir passten
ihr passtet
Sie passten
sie passten

PLUPERFECT
ich hatte gepasst
du hattest gepasst
er/sie hatte gepasst
wir hatten gepasst
ihr hattet gepasst
Sie hatten gepasst
sie hatten gepasst

FUTURE
ich werde passen
du wirst passen
er/sie wird passen
wir werden passen
ihr werdet passen
Sie werden passen
sie werden passen

CONDITIONAL
ich würde passen
du würdest passen
er/sie würde passen
wir würden passen
ihr würdet passen
Sie würden passen
sie würden passen

SUBJUNCTIVE

PRESENT
ich passe
du passest
er/sie passe
wir passen
ihr passet
Sie passen
sie passen

IMPERFECT
ich passte
du passtest
er/sie passte
wir passten
ihr passtet
Sie passten
sie passten

FUTURE PERFECT
ich werde gepasst haben
du wirst gepasst haben *etc*

PERFECT
ich habe gepasst
du habest gepasst
er/sie habe gepasst
wir haben gepasst
ihr habet gepasst
Sie haben gepasst
sie haben gepasst

PLUPERFECT
ich hätte gepasst
du hättest gepasst
er/sie hätte gepasst
wir hätten gepasst
ihr hättet gepasst
Sie hätten gepasst
sie hätten gepasst

INFINITIVE

PRESENT
passen
PAST
gepasst haben

PARTICIPLE

PRESENT
passend
PAST
gepasst

IMPERATIVE

pass(e)!
passt!
passen Sie!
passen wir!

NOTE

takes the dative: ich passe ihm, ich habe ihm gepasst *etc*

PRESENT
ich pfeife
du pfeifst
er/sie pfeift
wir pfeifen
ihr pfeift
Sie pfeifen
sie pfeifen

PERFECT
ich habe gepfiffen
du hast gepfiffen
er/sie hat gepfiffen
wir haben gepfiffen
ihr habt gepfiffen
Sie haben gepfiffen
sie haben gepfiffen

IMPERFECT
ich pfiff
du pfiffst
er/sie pfiff
wir pfiffen
ihr pfifft
Sie pfiffen
sie pfiffen

PLUPERFECT
ich hatte gepfiffen
du hattest gepfiffen
er/sie hatte gepfiffen
wir hatten gepfiffen
ihr hattet gepfiffen
Sie hatten gepfiffen
sie hatten gepfiffen

FUTURE
ich werde pfeifen
du wirst pfeifen
er/sie wird pfeifen
wir werden pfeifen
ihr werdet pfeifen
Sie werden pfeifen
sie werden pfeifen

CONDITIONAL
ich würde pfeifen
du würdest pfeifen
er/sie würde pfeifen
wir würden pfeifen
ihr würdet pfeifen
Sie würden pfeifen
sie würden pfeifen

SUBJUNCTIVE

PRESENT
ich pfeife
du pfeifest
er/sie pfeife
wir pfeifen
ihr pfeifet
Sie pfeifen
sie pfeifen

IMPERFECT
ich pfiffe
du pfiffest
er/sie pfiffe
wir pfiffen
ihr pfiffet
Sie pfiffen
sie pfiffen

PERFECT
ich habe gepfiffen
du habest gepfiffen
er/sie habe gepfiffen
wir haben gepfiffen
ihr habet gepfiffen
Sie haben gepfiffen
sie haben gepfiffen

PLUPERFECT
ich hätte gepfiffen
du hättest gepfiffen
er/sie hätte gepfiffen
wir hätten gepfiffen
ihr hättet gepfiffen
Sie hätten gepfiffen
sie hätten gepfiffen

FUTURE PERFECT
ich werde gepfiffen haben
du wirst gepfiffen haben *etc*

INFINITIVE

PRESENT
pfeifen
PAST
gepfiffen haben

PARTICIPLE

PRESENT
pfeifend
PAST
gepfiffen

IMPERATIVE

pfeif(e)!
pfeift!
pfeifen Sie!
pfeifen wir!

PREISEN
107 *to praise*

PRESENT
ich preise
du preist
er/sie preist
wir preisen
ihr preist
Sie preisen
sie preisen

PERFECT
ich habe gepriesen
du hast gepriesen
er/sie hat gepriesen
wir haben gepriesen
ihr habt gepriesen
Sie haben gepriesen
sie haben gepriesen

IMPERFECT
ich pries
du priest
er/sie pries
wir priesen
ihr priest
Sie priesen
sie priesen

PLUPERFECT
ich hatte gepriesen
du hattest gepriesen
er/sie hatte gepriesen
wir hatten gepriesen
ihr hattet gepriesen
Sie hatten gepriesen
sie hatten gepriesen

FUTURE
ich werde preisen
du wirst preisen
er/sie wird preisen
wir werden preisen
ihr werdet preisen
Sie werden preisen
sie werden preisen

CONDITIONAL
ich würde preisen
du würdest preisen
er/sie würde preisen
wir würden preisen
ihr würdet preisen
Sie würden preisen
sie würden preisen

SUBJUNCTIVE

PRESENT
ich preise
du preisest
er/sie preise
wir preisen
ihr preiset
Sie preisen
sie preisen

IMPERFECT
ich priese
du priesest
er/sie priese
wir priesen
ihr prieset
Sie priesen
sie priesen

FUTURE PERFECT
ich werde gepriesen haben
du wirst gepriesen haben *etc*

PERFECT
ich habe gepriesen
du habest gepriesen
er/sie habe gepriesen
wir haben gepriesen
ihr habet gepriesen
Sie haben gepriesen
sie haben gepriesen

PLUPERFECT
ich hätte gepriesen
du hättest gepriesen
er/sie hätte gepriesen
wir hätten gepriesen
ihr hättet gepriesen
Sie hätten gepriesen
sie hätten gepriesen

INFINITIVE

PRESENT
preisen
PAST
gepriesen haben

PARTICIPLE

PRESENT
preisend
PAST
gepriesen

IMPERATIVE

preis(e)!
preist!
preisen Sie!
preisen wir!

PRESENT
ich quelle
du quillst
er/sie quillt
wir quellen
ihr quellt
Sie quellen
sie quellen

PERFECT
ich bin gequollen
du bist gequollen
er/sie ist gequollen
wir sind gequollen
ihr seid gequollen
Sie sind gequollen
sie sind gequollen

IMPERFECT
ich quoll
du quollst
er/sie quoll
wir quollen
ihr quollt
Sie quollen
sie quollen

PLUPERFECT
ich war gequollen
du warst gequollen
er/sie war gequollen
wir waren gequollen
ihr wart gequollen
Sie waren gequollen
sie waren gequollen

FUTURE
ich werde quellen
du wirst quellen
er/sie wird quellen
wir werden quellen
ihr werdet quellen
Sie werden quellen
sie werden quellen

CONDITIONAL
ich würde quellen
du würdest quellen
er/sie würde quellen
wir würden quellen
ihr würdet quellen
Sie würden quellen
sie würden quellen

SUBJUNCTIVE

PRESENT
ich quelle
du quellest
er/sie quelle
wir quellen
ihr quellet
Sie quellen
sie quellen

IMPERFECT
ich quölle
du quöllest
er/sie quölle
wir quöllen
ihr quöllet
Sie quöllen
sie quöllen

FUTURE PERFECT
ich werde gequollen sein
du wirst gequollen sein *etc*

PERFECT
ich sei gequollen
du sei(e)st gequollen
er/sie sei gequollen
wir seien gequollen
ihr seiet gequollen
Sie seien gequollen
sie seien gequollen

PLUPERFECT
ich wäre gequollen
du wär(e)st gequollen
er/sie wäre gequollen
wir wären gequollen
ihr wär(e)t gequollen
Sie wären gequollen
sie wären gequollen

INFINITIVE

PRESENT
quellen

PAST
gequollen sein

PARTICIPLE

PRESENT
quellend

PAST
gequollen

IMPERATIVE
quill!
quellt!
quellen Sie!
quellen wir!

RATEN
109 *to guess; to advise*

PRESENT	IMPERFECT	FUTURE
ich rate	ich riet	ich werde raten
du rätst	du rietest	du wirst raten
er/sie rät	er/sie riet	er/sie wird raten
wir raten	wir rieten	wir werden raten
ihr ratet	ihr rietet	ihr werdet raten
Sie raten	Sie rieten	Sie werden raten
sie raten	sie rieten	sie werden raten

PERFECT	PLUPERFECT	CONDITIONAL
ich habe geraten	ich hatte geraten	ich würde raten
du hast geraten	du hattest geraten	du würdest raten
er/sie hat geraten	er/sie hatte geraten	er/sie würde raten
wir haben geraten	wir hatten geraten	wir würden raten
ihr habt geraten	ihr hattet geraten	ihr würdet raten
Sie haben geraten	Sie hatten geraten	Sie würden raten
sie haben geraten	sie hatten geraten	sie würden raten

SUBJUNCTIVE

PRESENT	PERFECT
ich rate	ich habe geraten
du ratest	du habest geraten
er/sie rate	er/sie habe geraten
wir raten	wir haben geraten
ihr ratet	ihr habet geraten
Sie raten	Sie haben geraten
sie raten	sie haben geraten

IMPERFECT	PLUPERFECT
ich riete	ich hätte geraten
du rietest	du hättest geraten
er/sie riete	er/sie hätte geraten
wir rieten	wir hätten geraten
ihr rietet	ihr hättet geraten
Sie rieten	Sie hätten geraten
sie rieten	sie hätten geraten

FUTURE PERFECT
ich werde geraten haben
du wirst geraten haben *etc*

INFINITIVE

PRESENT
raten

PAST
geraten haben

PARTICIPLE

PRESENT
ratend

PAST
geraten

IMPERATIVE

rat(e)!
ratet!
raten Sie!
raten wir!

PRESENT
ich regiere
du regierst
er/sie regiert
wir regieren
ihr regiert
Sie regieren
sie regieren

PERFECT
ich habe regiert
du hast regiert
er/sie hat regiert
wir haben regiert
ihr habt regiert
Sie haben regiert
sie haben regiert

IMPERFECT
ich regierte
du regiertest
er/sie regierte
wir regierten
ihr regiertet
Sie regierten
sie regierten

PLUPERFECT
ich hatte regiert
du hattest regiert
er/sie hatte regiert
wir hatten regiert
ihr hattet regiert
Sie hatten regiert
sie hatten regiert

FUTURE
ich werde regieren
du wirst regieren
er/sie wird regieren
wir werden regieren
ihr werdet regieren
Sie werden regieren
sie werden regieren

CONDITIONAL
ich würde regieren
du würdest regieren
er/sie würde regieren
wir würden regieren
ihr würdet regieren
Sie würden regieren
sie würden regieren

SUBJUNCTIVE

PRESENT
ich regiere
du regierest
er/sie regiere
wir regieren
ihr regieret
Sie regieren
sie regieren

IMPERFECT
ich regierte
du regiertest
er/sie regierte
wir regierten
ihr regiertet
Sie regierten
sie regierten

FUTURE PERFECT
ich werde regiert haben
du wirst regiert haben *etc*

PERFECT
ich habe regiert
du habest regiert
er/sie habe regiert
wir haben regiert
ihr habet regiert
Sie haben regiert
sie haben regiert

PLUPERFECT
ich hätte regiert
du hättest regiert
er/sie hätte regiert
wir hätten regiert
ihr hättet regiert
Sie hätten regiert
sie hätten regiert

INFINITIVE

PRESENT
regieren
PAST
regiert haben

PARTICIPLE

PRESENT
regierend
PAST
regiert

IMPERATIVE

regier(e)!
regiert!
regieren Sie!
regieren wir!

REIBEN
111 *to rub*

PRESENT	IMPERFECT	FUTURE
ich reibe	ich rieb	ich werde reiben
du reibst	du riebst	du wirst reiben
er/sie reibt	er/sie rieb	er/sie wird reiben
wir reiben	wir rieben	wir werden reiben
ihr reibt	ihr riebt	ihr werdet reiben
Sie reiben	Sie rieben	Sie werden reiben
sie reiben	sie rieben	sie werden reiben

PERFECT	PLUPERFECT	CONDITIONAL
ich habe gerieben	ich hatte gerieben	ich würde reiben
du hast gerieben	du hattest gerieben	du würdest reiben
er/sie hat gerieben	er/sie hatte gerieben	er/sie würde reiben
wir haben gerieben	wir hatten gerieben	wir würden reiben
ihr habt gerieben	ihr hattet gerieben	ihr würdet reiben
Sie haben gerieben	Sie hatten gerieben	Sie würden reiben
sie haben gerieben	sie hatten gerieben	sie würden reiben

SUBJUNCTIVE

PRESENT	PERFECT
ich reibe	ich habe gerieben
du reibest	du habest gerieben
er/sie reibe	er/sie habe gerieben
wir reiben	wir haben gerieben
ihr reibet	ihr habet gerieben
Sie reiben	Sie haben gerieben
sie reiben	sie haben gerieben

IMPERFECT	PLUPERFECT
ich riebe	ich hätte gerieben
du riebest	du hättest gerieben
er/sie riebe	er/sie hätte gerieben
wir rieben	wir hätten gerieben
ihr riebet	ihr hättet gerieben
Sie rieben	Sie hätten gerieben
sie rieben	sie hätten gerieben

FUTURE PERFECT
ich werde gerieben haben
du wirst gerieben haben *etc*

INFINITIVE

PRESENT
reiben

PAST
gerieben haben

PARTICIPLE

PRESENT
reibend

PAST
gerieben

IMPERATIVE

reib(e)!
reibt!
reiben Sie!
reiben wir!

REISSEN
to tear **112**

PRESENT
ich reiße
du reißt
er/sie reißt
wir reißen
ihr reißt
Sie reißen
sie reißen

PERFECT *(1)*
ich habe gerissen
du hast gerissen
er/sie hat gerissen
wir haben gerissen
ihr habt gerissen
Sie haben gerissen
sie haben gerissen

IMPERFECT
ich riss
du rissest
er/sie riss
wir rissen
ihr risst
Sie rissen
sie rissen

PLUPERFECT *(2)*
ich hatte gerissen
du hattest gerissen
er/sie hatte gerissen
wir hatten gerissen
ihr hattet gerissen
Sie hatten gerissen
sie hatten gerissen

FUTURE
ich werde reißen
du wirst reißen
er/sie wird reißen
wir werden reißen
ihr werdet reißen
Sie werden reißen
sie werden reißen

CONDITIONAL
ich würde reißen
du würdest reißen
er/sie würde reißen
wir würden reißen
ihr würdet reißen
Sie würden reißen
sie würden reißen

SUBJUNCTIVE

PRESENT
ich reiße
du reißest
er/sie reiße
wir reißen
ihr reißet
Sie reißen
sie reißen

IMPERFECT
ich risse
du rissest
er/sie risse
wir rissen
ihr risset
Sie rissen
sie rissen

FUTURE PERFECT *(5)*
ich werde gerissen haben
du wirst gerissen haben *etc*

PERFECT *(3)*
ich habe gerissen
du habest gerissen
er/sie habe gerissen
wir haben gerissen
ihr habet gerissen
Sie haben gerissen
sie haben gerissen

PLUPERFECT *(4)*
ich hätte gerissen
du hättest gerissen
er/sie hätte gerissen
wir hätten gerissen
ihr hättet gerissen
Sie hätten gerissen
sie hätten gerissen

INFINITIVE

PRESENT
reißen
PAST *(6)*
gerissen haben

PARTICIPLE
PRESENT
reißend

PAST
gerissen

IMPERATIVE
reiß(e)!
reißt!
reißen Sie!
reißen wir!

NOTE

also intransitive: (1) **ich bin gerissen** *etc (2)* **ich war gerissen** *etc (3)* **ich sei gerissen** *etc (4)* **ich wäre gerissen** *etc (5)* **ich werde gerissen sein** *etc (6)* **gerissen sein**

REITEN
113 to ride

PRESENT	IMPERFECT	FUTURE
ich reite	ich ritt	ich werde reiten
du reitest	du rittst	du wirst reiten
er/sie reitet	er/sie ritt	er/sie wird reiten
wir reiten	wir ritten	wir werden reiten
ihr reitet	ihr rittet	ihr werdet reiten
Sie reiten	Sie ritten	Sie werden reiten
sie reiten	sie ritten	sie werden reiten

PERFECT (1)	PLUPERFECT (2)	CONDITIONAL
ich bin geritten	ich war geritten	ich würde reiten
du bist geritten	du warst geritten	du würdest reiten
er/sie ist geritten	er/sie war geritten	er/sie würde reiten
wir sind geritten	wir waren geritten	wir würden reiten
ihr seid geritten	ihr wart geritten	ihr würdet reiten
Sie sind geritten	Sie waren geritten	Sie würden reiten
sie sind geritten	sie waren geritten	sie würden reiten

SUBJUNCTIVE

PRESENT	PERFECT (1)
ich reite	ich sei geritten
du reitest	du sei(e)st geritten
er/sie reite	er/sie sei geritten
wir reiten	wir seien geritten
ihr reitet	ihr seiet geritten
Sie reiten	Sie seien geritten
sie reiten	sie seien geritten

IMPERFECT	PLUPERFECT (3)
ich ritte	ich wäre geritten
du rittest	du wär(e)st geritten
er/sie ritte	er/sie wäre geritten
wir ritten	wir wären geritten
ihr rittet	ihr wär(e)t geritten
Sie ritten	Sie wären geritten
sie ritten	sie wären geritten

FUTURE PERFECT (4)
ich werde geritten sein
du wirst geritten sein *etc*

INFINITIVE

PRESENT
reiten

PAST (5)
geritten sein

PARTICIPLE

PRESENT
reitend

PAST
geritten

IMPERATIVE

reit(e)!
reitet!
reiten Sie!
reiten wir!

NOTE

also transitive: (1) ich habe geritten *etc* (2) ich hatte geritten *etc* (3) ich hätte geritten *etc* (4) ich werde geritten haben *etc* (5) geritten haben

PRESENT
ich renne
du rennst
er/sie rennt
wir rennen
ihr rennt
Sie rennen
sie rennen

PERFECT
ich bin gerannt
du bist gerannt
er/sie ist gerannt
wir sind gerannt
ihr seid gerannt
Sie sind gerannt
sie sind gerannt

IMPERFECT
ich rannte
du ranntest
er/sie rannte
wir rannten
ihr ranntet
Sie rannten
sie rannten

PLUPERFECT
ich war gerannt
du warst gerannt
er/sie war gerannt
wir waren gerannt
ihr wart gerannt
Sie waren gerannt
sie waren gerannt

FUTURE
ich werde rennen
du wirst rennen
er/sie wird rennen
wir werden rennen
ihr werdet rennen
Sie werden rennen
sie werden rennen

CONDITIONAL
ich würde rennen
du würdest rennen
er/sie würde rennen
wir würden rennen
ihr würdet rennen
Sie würden rennen
sie würden rennen

SUBJUNCTIVE

PRESENT
ich renne
du rennest
er/sie renne
wir rennen
ihr rennet
Sie rennen
sie rennen

IMPERFECT
ich rennte
du renntest
er/sie rennte
wir rennten
ihr renntet
Sie rennten
sie rennten

FUTURE PERFECT
ich werde gerannt sein
du wirst gerannt sein *etc*

PERFECT
ich sei gerannt
du sei(e)st gerannt
er/sie sei gerannt
wir seien gerannt
ihr seiet gerannt
Sie seien gerannt
sie seien gerannt

PLUPERFECT
ich wäre gerannt
du wär(e)st gerannt
er/sie wäre gerannt
wir wären gerannt
ihr wär(e)t gerannt
Sie wären gerannt
sie wären gerannt

INFINITIVE

PRESENT
rennen
PAST
gerannt sein

PARTICIPLE

PRESENT
rennend

PAST
gerannt

IMPERATIVE
renn(e)!
rennt!
rennen Sie!
rennen wir!

RIECHEN
115 *to smell*

PRESENT	IMPERFECT	FUTURE
ich rieche	ich roch	ich werde riechen
du riechst	du rochst	du wirst riechen
er/sie riecht	er/sie roch	er/sie wird riechen
wir riechen	wir rochen	wir werden riechen
ihr riecht	ihr rocht	ihr werdet riechen
Sie riechen	Sie rochen	Sie werden riechen
sie riechen	sie rochen	sie werden riechen

PERFECT	PLUPERFECT	CONDITIONAL
ich habe gerochen	ich hatte gerochen	ich würde riechen
du hast gerochen	du hattest gerochen	du würdest riechen
er/sie hat gerochen	er/sie hatte gerochen	er/sie würde riechen
wir haben gerochen	wir hatten gerochen	wir würden riechen
ihr habt gerochen	ihr hattet gerochen	ihr würdet riechen
Sie haben gerochen	Sie hatten gerochen	Sie würden riechen
sie haben gerochen	sie hatten gerochen	sie würden riechen

SUBJUNCTIVE

PRESENT	PERFECT
ich rieche	ich habe gerochen
du riechest	du habest gerochen
er/sie rieche	er/sie habe gerochen
wir riechen	wir haben gerochen
ihr riechet	ihr habet gerochen
Sie riechen	Sie haben gerochen
sie riechen	sie haben gerochen

IMPERFECT	PLUPERFECT
ich röche	ich hätte gerochen
du röchest	du hättest gerochen
er/sie röche	er/sie hätte gerochen
wir röchen	wir hätten gerochen
ihr röchet	ihr hättet gerochen
Sie röchen	Sie hätten gerochen
sie röchen	sie hätten gerochen

FUTURE PERFECT
ich werde gerochen haben
du wirst gerochen haben *etc*

INFINITIVE

PRESENT
riechen

PAST
gerochen haben

PARTICIPLE

PRESENT
riechend

PAST
gerochen

IMPERATIVE

riech(e)!
riecht!
riechen Sie!
riechen wir!

PRESENT
ich ringe
du ringst
er/sie ringt
wir ringen
ihr ringt
Sie ringen
sie ringen

PERFECT
ich habe gerungen
du hast gerungen
er/sie hat gerungen
wir haben gerungen
ihr habt gerungen
Sie haben gerungen
sie haben gerungen

IMPERFECT
ich rang
du rangst
er/sie rang
wir rangen
ihr rangt
Sie rangen
sie rangen

PLUPERFECT
ich hatte gerungen
du hattest gerungen
er/sie hatte gerungen
wir hatten gerungen
ihr hattet gerungen
Sie hatten gerungen
sie hatten gerungen

FUTURE
ich werde ringen
du wirst ringen
er/sie wird ringen
wir werden ringen
ihr werdet ringen
Sie werden ringen
sie werden ringen

CONDITIONAL
ich würde ringen
du würdest ringen
er/sie würde ringen
wir würden ringen
ihr würdet ringen
Sie würden ringen
sie würden ringen

SUBJUNCTIVE

PRESENT
ich ringe
du ringest
er/sie ringe
wir ringen
ihr ringet
Sie ringen
sie ringen

IMPERFECT
ich ränge
du rängest
er/sie ränge
wir rängen
ihr ränget
Sie rängen
sie rängen

FUTURE PERFECT
ich werde gerungen haben
du wirst gerungen haben *etc*

PERFECT
ich habe gerungen
du habest gerungen
er/sie habe gerungen
wir haben gerungen
ihr habet gerungen
Sie haben gerungen
sie haben gerungen

PLUPERFECT
ich hätte gerungen
du hättest gerungen
er/sie hätte gerungen
wir hätten gerungen
ihr hättet gerungen
Sie hätten gerungen
sie hätten gerungen

INFINITIVE

PRESENT
ringen
PAST
gerungen haben

PARTICIPLE

PRESENT
ringend
PAST
gerungen

IMPERATIVE

ring(e)!
ringt!
ringen Sie!
ringen wir!

RINNEN
117 to flow

PRESENT	IMPERFECT	FUTURE
ich rinne	ich rann	ich werde rinnen
du rinnst	du rannst	du wirst rinnen
er/sie rinnt	er/sie rann	er/sie wird rinnen
wir rinnen	wir rannen	wir werden rinnen
ihr rinnt	ihr rannt	ihr werdet rinnen
Sie rinnen	Sie rannen	Sie werden rinnen
sie rinnen	sie rannen	sie werden rinnen

PERFECT	PLUPERFECT	CONDITIONAL
ich bin geronnen	ich war geronnen	ich würde rinnen
du bist geronnen	du warst geronnen	du würdest rinnen
er/sie ist geronnen	er/sie war geronnen	er/sie würde rinnen
wir sind geronnen	wir waren geronnen	wir würden rinnen
ihr seid geronnen	ihr wart geronnen	ihr würdet rinnen
Sie sind geronnen	Sie waren geronnen	Sie würden rinnen
sie sind geronnen	sie waren geronnen	sie würden rinnen

SUBJUNCTIVE

INFINITIVE

PRESENT	PERFECT	
ich rinne	ich sei geronnen	**PRESENT**
du rinnest	du sei(e)st geronnen	rinnen
er/sie rinne	er/sie sei geronnen	**PAST**
wir rinnen	wir seien geronnen	geronnen sein
ihr rinnet	ihr seiet geronnen	
Sie rinnen	Sie seien geronnen	## PARTICIPLE
sie rinnen	sie seien geronnen	**PRESENT**
		rinnend

IMPERFECT (1)	PLUPERFECT	
ich ränne	ich wäre geronnen	**PAST**
du rännest	du wär(e)st geronnen	geronnen
er/sie ränne	er/sie wäre geronnen	
wir rännen	wir wären geronnen	## IMPERATIVE
ihr ännet	ihr wär(e)t geronnen	rinn(e)!
Sie rännen	Sie wären geronnen	rinnt!
sie rännen	sie wären geronnen	rinnen Sie!
		rinnen wir!

FUTURE PERFECT
ich werde geronnen sein
du wirst geronnen sein *etc*

NOTE

(1) **ich rönne, du rönnest** *etc is also possible*

PRESENT
ich rufe
du rufst
er/sie ruft
wir rufen
ihr ruft
Sie rufen
sie rufen

PERFECT
ich habe gerufen
du hast gerufen
er/sie hat gerufen
wir haben gerufen
ihr habt gerufen
Sie haben gerufen
sie haben gerufen

IMPERFECT
ich rief
du riefst
er/sie rief
wir riefen
ihr rieft
Sie riefen
sie riefen

PLUPERFECT
ich hatte gerufen
du hattest gerufen
er/sie hatte gerufen
wir hatten gerufen
ihr hattet gerufen
Sie hatten gerufen
sie hatten gerufen

FUTURE
ich werde rufen
du wirst rufen
er/sie wird rufen
wir werden rufen
ihr werdet rufen
Sie werden rufen
sie werden rufen

CONDITIONAL
ich würde rufen
du würdest rufen
er/sie würde rufen
wir würden rufen
ihr würdet rufen
Sie würden rufen
sie würden rufen

SUBJUNCTIVE

PRESENT
ich rufe
du rufest
er/sie rufe
wir rufen
ihr rufet
Sie rufen
sie rufen

IMPERFECT
ich riefe
du riefest
er/sie riefe
wir riefen
ihr riefet
Sie riefen
sie riefen

FUTURE PERFECT
ich werde gerufen haben
du wirst gerufen haben *etc*

PERFECT
ich habe gerufen
du habest gerufen
er/sie habe gerufen
wir haben gerufen
ihr habet gerufen
Sie haben gerufen
sie haben gerufen

PLUPERFECT
ich hätte gerufen
du hättest gerufen
er/sie hätte gerufen
wir hätten gerufen
ihr hättet gerufen
Sie hätten gerufen
sie hätten gerufen

INFINITIVE

PRESENT
rufen

PAST
gerufen haben

PARTICIPLE

PRESENT
rufend

PAST
gerufen

IMPERATIVE

ruf(e)!
ruft!
rufen Sie!
rufen wir!

SAUFEN
119 *to drink*

PRESENT
ich saufe
du säufst
er/sie säuft
wir saufen
ihr sauft
Sie saufen
sie saufen

IMPERFECT
ich soff
du soffst
er/sie soff
wir soffen
ihr sofft
Sie soffen
sie soffen

FUTURE
ich werde saufen
du wirst saufen
er/sie wird saufen
wir werden saufen
ihr werdet saufen
Sie werden saufen
sie werden saufen

PERFECT
ich habe gesoffen
du hast gesoffen
er/sie hat gesoffen
wir haben gesoffen
ihr habt gesoffen
Sie haben gesoffen
sie haben gesoffen

PLUPERFECT
ich hatte gesoffen
du hattest gesoffen
er/sie hatte gesoffen
wir hatten gesoffen
ihr hattet gesoffen
Sie hatten gesoffen
sie hatten gesoffen

CONDITIONAL
ich würde saufen
du würdest saufen
er/sie würde saufen
wir würden saufen
ihr würdet saufen
Sie würden saufen
sie würden saufen

SUBJUNCTIVE

PRESENT
ich saufe
du saufest
er/sie saufe
wir saufen
ihr saufet
Sie saufen
sie saufen

PERFECT
ich habe gesoffen
du habest gesoffen
er/sie habe gesoffen
wir haben gesoffen
ihr habet gesoffen
Sie haben gesoffen
sie haben gesoffen

INFINITIVE

PRESENT
saufen

PAST
gesoffen haben

IMPERFECT
ich söffe
du söffest
er/sie söffe
wir söffen
ihr söffet
Sie söffen
sie söffen

PLUPERFECT
ich hätte gesoffen
du hättest gesoffen
er/sie hätte gesoffen
wir hätten gesoffen
ihr hättet gesoffen
Sie hätten gesoffen
sie hätten gesoffen

PARTICIPLE

PRESENT
saufend

PAST
gesoffen

IMPERATIVE
sauf(e)!
sauft!
saufen Sie!
saufen wir!

FUTURE PERFECT
ich werde gesoffen haben
du wirst gesoffen haben *etc*

PRESENT
ich sauge
du saugst
er/sie saugt
wir saugen
ihr saugt
Sie saugen
sie saugen

IMPERFECT
ich sog
du sogst
er/sie sog
wir sogen
ihr sogt
Sie sogen
sie sogen

FUTURE
ich werde saugen
du wirst saugen
er/sie wird saugen
wir werden saugen
ihr werdet saugen
Sie werden saugen
sie werden saugen

PERFECT
ich habe gesogen
du hast gesogen
er/sie hat gesogen
wir haben gesogen
ihr habt gesogen
Sie haben gesogen
sie haben gesogen

PLUPERFECT
ich hatte gesogen
du hattest gesogen
er/sie hatte gesogen
wir hatten gesogen
ihr hattet gesogen
Sie hatten gesogen
sie hatten gesogen

CONDITIONAL
ich würde saugen
du würdest saugen
er/sie würde saugen
wir würden saugen
ihr würdet saugen
Sie würden saugen
sie würden saugen

SUBJUNCTIVE

PRESENT
ich sauge
du saugest
er/sie sauge
wir saugen
ihr sauget
Sie saugen
sie saugen

IMPERFECT
ich söge
du sögest
er/sie söge
wir sögen
ihr söget
Sie sögen
sie sögen

PERFECT
ich habe gesogen
du habest gesogen
er/sie habe gesogen
wir haben gesogen
ihr habet gesogen
Sie haben gesogen
sie haben gesogen

PLUPERFECT
ich hätte gesogen
du hättest gesogen
er/sie hätte gesogen
wir hätten gesogen
ihr hättet gesogen
Sie hätten gesogen
sie hätten gesogen

INFINITIVE

PRESENT
saugen
PAST
gesogen haben

PARTICIPLE

PRESENT
saugend
PAST
gesogen

IMPERATIVE

saug(e)!
saugt!
saugen Sie!
saugen wir!

FUTURE PERFECT
ich werde gesogen haben
du wirst gesogen haben *etc*

NOTE

weak conjugation also possible, esp. common in technical language: ich saugte, ich habe gesaugt *etc*

SCHAFFEN
121 *to create (1)*

PRESENT	IMPERFECT	FUTURE
ich schaffe	ich schuf	ich werde schaffen
du schaffst	du schufst	du wirst schaffen
er/sie schafft	er/sie schuf	er/sie wird schaffen
wir schaffen	wir schufen	wir werden schaffen
ihr schafft	ihr schuft	ihr werdet schaffen
Sie schaffen	Sie schufen	Sie werden schaffen
sie schaffen	sie schufen	sie werden schaffen

PERFECT	PLUPERFECT	CONDITIONAL
ich habe geschaffen	ich hatte geschaffen	ich würde schaffen
du hast geschaffen	du hattest geschaffen	du würdest schaffen
er/sie hat geschaffen	er/sie hatte geschaffen	er/sie würde schaffen
wir haben geschaffen	wir hatten geschaffen	wir würden schaffen
ihr habt geschaffen	ihr hattet geschaffen	ihr würdet schaffen
Sie haben geschaffen	Sie hatten geschaffen	Sie würden schaffen
sie haben geschaffen	sie hatten geschaffen	sie würden schaffen

SUBJUNCTIVE

PRESENT	PERFECT
ich schaffe	ich habe geschaffen
du schaffest	du habest geschaffen
er/sie schaffe	er/sie habe geschaffen
wir schaffen	wir haben geschaffen
ihr schaffet	ihr habet geschaffen
Sie schaffen	Sie haben geschaffen
sie schaffen	sie haben geschaffen

IMPERFECT	PLUPERFECT
ich schüfe	ich hätte geschaffen
du schüfest	du hättest geschaffen
er/sie schüfe	er/sie hätte geschaffen
wir schüfen	wir hätten geschaffen
ihr schüfet	ihr hättet geschaffen
Sie schüfen	Sie hätten geschaffen
sie schüfen	sie hätten geschaffen

FUTURE PERFECT
ich werde geschaffen haben
du wirst geschaffen haben *etc*

INFINITIVE

PRESENT
schaffen

PAST
geschaffen haben

PARTICIPLE

PRESENT
schaffend

PAST
geschaffen

IMPERATIVE

schaff(e)!
schafft!
schaffen Sie!
schaffen wir!

NOTE

(1) also a weak verb meaning 'to do, work, manage': ich schaffte, ich habe geschafft *etc*

PRESENT
ich schalle
du schallst
er/sie schallt
wir schallen
ihr schallt
Sie schallen
sie schallen

PERFECT
ich habe geschallt
du hast geschallt
er/sie hat geschallt
wir haben geschallt
ihr habt geschallt
Sie haben geschallt
sie haben geschallt

IMPERFECT
ich scholl
du schollst
er/sie scholl
wir schollen
ihr schollt
Sie schollen
sie schollen

PLUPERFECT
ich hatte geschallt
du hattest geschallt
er/sie hatte geschallt
wir hatten geschallt
ihr hattet geschallt
Sie hatten geschallt
sie hatten geschallt

FUTURE
ich werde schallen
du wirst schallen
er/sie wird schallen
wir werden schallen
ihr werdet schallen
Sie werden schallen
sie werden schallen

CONDITIONAL
ich würde schallen
du würdest schallen
er/sie würde schallen
wir würden schallen
ihr würdet schallen
Sie würden schallen
sie würden schallen

SUBJUNCTIVE

PRESENT
ich schalle
du schallest
er/sie schalle
wir schallen
ihr schallet
Sie schallen
sie schallen

IMPERFECT
ich schölle
du schöllest
er/sie schölle
wir schöllen
ihr schöllet
Sie schöllen
sie schöllen

FUTURE PERFECT
ich werde geschallt haben
du wirst geschallt haben *etc*

PERFECT
ich habe geschallt
du habest geschallt
er/sie habe geschallt
wir haben geschallt
ihr habet geschallt
Sie haben geschallt
sie haben geschallt

PLUPERFECT
ich hätte geschallt
du hättest geschallt
er/sie hätte geschallt
wir hätten geschallt
ihr hättet geschallt
Sie hätten geschallt
sie hätten geschallt

INFINITIVE

PRESENT
schallen
PAST
geschallt haben

PARTICIPLE

PRESENT
schallend
PAST
geschallt

IMPERATIVE

schall(e)!
schallt!
schallen Sie!
schallen wir!

NOTE

weak conjugation is more common: **ich schallte** *etc*

SCHEIDEN
123 *to separate*

PRESENT	IMPERFECT	FUTURE
ich scheide	ich schied	ich werde scheiden
du scheidest	du schiedest	du wirst scheiden
er/sie scheidet	er/sie schied	er/sie wird scheiden
wir scheiden	wir schieden	wir werden scheiden
ihr scheidet	ihr schiedet	ihr werdet scheiden
Sie scheiden	Sie schieden	Sie werden scheiden
sie scheiden	sie schieden	sie werden scheiden

PERFECT *(1)*	PLUPERFECT *(2)*	CONDITIONAL
ich habe geschieden	ich hatte geschieden	ich würde scheiden
du hast geschieden	du hattest geschieden	du würdest scheiden
er/sie hat geschieden	er/sie hatte geschieden	er/sie würde scheiden
wir haben geschieden	wir hatten geschieden	wir würden scheiden
ihr habt geschieden	ihr hattet geschieden	ihr würdet scheiden
Sie haben geschieden	Sie hatten geschieden	Sie würden scheiden
sie haben geschieden	sie hatten geschieden	sie würden scheiden

SUBJUNCTIVE

PRESENT	PERFECT *(3)*
ich scheide	ich habe geschieden
du scheidest	du habest geschieden
er/sie scheide	er/sie habe geschieden
wir scheiden	wir haben geschieden
ihr scheidet	ihr habet geschieden
Sie scheiden	Sie haben geschieden
sie scheiden	sie haben geschieden

IMPERFECT	PLUPERFECT *(4)*
ich schiede	ich hätte geschieden
du schiedest	du hättest geschieden
er/sie schiede	er/sie hätte geschieden
wir schieden	wir hätten geschieden
ihr schiedet	ihr hättet geschieden
Sie schieden	Sie hätten geschieden
sie schieden	sie hätten geschieden

FUTURE PERFECT *(5)*
ich werde geschieden haben
du wirst geschieden haben *etc*

INFINITIVE

PRESENT
scheiden
PAST *(6)*
geschieden haben

PARTICIPLE

PRESENT
scheidend

PAST
geschieden

IMPERATIVE

scheid(e)!
scheidet!
scheiden Sie!
scheiden wir!

NOTE

also intransitive ('to part'): (1) ich bin
geschieden *etc (2)* ich war geschieden *etc
(3)* ich sei geschieden *etc (4)* ich wäre
geschieden *etc (5)* ich werde geschieden sein *etc
(6)* geschieden sein

PRESENT
ich scheine
du scheinst
er/sie scheint
wir scheinen
ihr scheint
Sie scheinen
sie scheinen

PERFECT
ich habe geschienen
du hast geschienen
er/sie hat geschienen
wir haben geschienen
ihr habt geschienen
Sie haben geschienen
sie haben geschienen

IMPERFECT
ich schien
du schienst
er/sie schien
wir schienen
ihr schient
Sie schienen
sie schienen

PLUPERFECT
ich hatte geschienen
du hattest geschienen
er/sie hatte geschienen
wir hatten geschienen
ihr hattet geschienen
Sie hatten geschienen
sie hatten geschienen

FUTURE
ich werde scheinen
du wirst scheinen
er/sie wird scheinen
wir werden scheinen
ihr werdet scheinen
Sie werden scheinen
sie werden scheinen

CONDITIONAL
ich würde scheinen
du würdest scheinen
er/sie würde scheinen
wir würden scheinen
ihr würdet scheinen
Sie würden scheinen
sie würden scheinen

SUBJUNCTIVE

PRESENT
ich scheine
du scheinest
er/sie scheine
wir scheinen
ihr scheinet
Sie scheinen
sie scheinen

IMPERFECT
ich schiene
du schienest
er/sie schiene
wir schienen
ihr schienet
Sie schienen
sie schienen

FUTURE PERFECT
ich werde geschienen haben
du wirst geschienen haben *etc*

PERFECT
ich habe geschienen
du habest geschienen
er/sie habe geschienen
wir haben geschienen
ihr habet geschienen
Sie haben geschienen
sie haben geschienen

PLUPERFECT
ich hätte geschienen
du hättest geschienen
er/sie hätte geschienen
wir hätten geschienen
ihr hättet geschienen
Sie hätten geschienen
sie hätten geschienen

INFINITIVE

PRESENT
scheinen
PAST
geschienen haben

PARTICIPLE

PRESENT
scheinend
PAST
geschienen

IMPERATIVE

schein(e)!
scheint!
scheinen Sie!
scheinen wir!

SCHELTEN
125 *to scold*

PRESENT	IMPERFECT	FUTURE
ich schelte	ich schalt	ich werde schelten
du schiltst	du schaltst	du wirst schelten
er/sie schilt	er/sie schalt	er/sie wird schelten
wir schelten	wir schalten	wir werden schelten
ihr scheltet	ihr schaltet	ihr werdet schelten
Sie schelten	Sie schalten	Sie werden schelten
sie schelten	sie schalten	sie werden schelten

PERFECT	PLUPERFECT	CONDITIONAL
ich habe gescholten	ich hatte gescholten	ich würde schelten
du hast gescholten	du hattest gescholten	du würdest schelten
er/sie hat gescholten	er/sie hatte gescholten	er/sie würde schelten
wir haben gescholten	wir hatten gescholten	wir würden schelten
ihr habt gescholten	ihr hattet gescholten	ihr würdet schelten
Sie haben gescholten	Sie hatten gescholten	Sie würden schelten
sie haben gescholten	sie hatten gescholten	sie würden schelten

SUBJUNCTIVE

INFINITIVE

PRESENT	PERFECT
ich schelte	ich habe gescholten
du scheltest	du habest gescholten
er/sie schelte	er/sie habe gescholten
wir schelten	wir haben gescholten
ihr scheltet	ihr habet gescholten
Sie schelten	Sie haben gescholten
sie schelten	sie haben gescholten

PRESENT
schelten

PAST
gescholten haben

PARTICIPLE

PRESENT
scheltend

IMPERFECT	PLUPERFECT
ich schölte	ich hätte gescholten
du schöltest	du hättest gescholten
er/sie schölte	er/sie hätte gescholten
wir schölten	wir hätten gescholten
ihr schöltet	ihr hättet gescholten
Sie schölten	Sie hätten gescholten
sie schölten	sie hätten gescholten

PAST
gescholten

IMPERATIVE

schilt!
schiltet!
schelten Sie!
schelten wir!

FUTURE PERFECT
ich werde gescholten haben
du wirst gescholten haben *etc*

PRESENT
ich schere
du scherst
er/sie schert
wir scheren
ihr schert
Sie scheren
sie scheren

PERFECT
ich habe geschoren
du hast geschoren
er/sie hat geschoren
wir haben geschoren
ihr habt geschoren
Sie haben geschoren
sie haben geschoren

IMPERFECT
ich schor
du schorst
er/sie schor
wir schoren
ihr schort
Sie schoren
sie schoren

PLUPERFECT
ich hatte geschoren
du hattest geschoren
er/sie hatte geschoren
wir hatten geschoren
ihr hattet geschoren
Sie hatten geschoren
sie hatten geschoren

FUTURE
ich werde scheren
du wirst scheren
er/sie wird scheren
wir werden scheren
ihr werdet scheren
Sie werden scheren
sie werden scheren

CONDITIONAL
ich würde scheren
du würdest scheren
er/sie würde scheren
wir würden scheren
ihr würdet scheren
Sie würden scheren
sie würden scheren

SUBJUNCTIVE

PRESENT
ich schere
du scherest
er/sie schere
wir scheren
ihr scheret
Sie scheren
sie scheren

IMPERFECT
ich schöre
du schörest
er/sie schöre
wir schören
ihr schöret
Sie schören
sie schören

FUTURE PERFECT
ich werde geschoren haben
du wirst geschoren haben *etc*

PERFECT
ich habe geschoren
du habest geschoren
er/sie habe geschoren
wir haben geschoren
ihr habet geschoren
Sie haben geschoren
sie haben geschoren

PLUPERFECT
ich hätte geschoren
du hättest geschoren
er/sie hätte geschoren
wir hätten geschoren
ihr hättet geschoren
Sie hätten geschoren
sie hätten geschoren

INFINITIVE

PRESENT
scheren
PAST
geschoren haben

PARTICIPLE

PRESENT
scherend

PAST
geschoren

IMPERATIVE

scher(e)!
schert!
scheren Sie!
scheren wir!

SCHIEBEN
127 *to push*

PRESENT
ich schiebe
du schiebst
er/sie schiebt
wir schieben
ihr schiebt
Sie schieben
sie schieben

IMPERFECT
ich schob
du schobst
er/sie schob
wir schoben
ihr schobt
Sie schoben
sie schoben

FUTURE
ich werde schieben
du wirst schieben
er/sie wird schieben
wir werden schieben
ihr werdet schieben
Sie werden schieben
sie werden schieben

PERFECT
ich habe geschoben
du hast geschoben
er/sie hat geschoben
wir haben geschoben
ihr habt geschoben
Sie haben geschoben
sie haben geschoben

PLUPERFECT
ich hatte geschoben
du hattest geschoben
er/sie hatte geschoben
wir hatten geschoben
ihr hattet geschoben
Sie hatten geschoben
sie hatten geschoben

CONDITIONAL
ich würde schieben
du würdest schieben
er/sie würde schieben
wir würden schieben
ihr würdet schieben
Sie würden schieben
sie würden schieben

SUBJUNCTIVE

PRESENT
ich schiebe
du schiebest
er/sie schiebe
wir schieben
ihr schiebet
Sie schieben
sie schieben

PERFECT
ich habe geschoben
du habest geschoben
er/sie habe geschoben
wir haben geschoben
ihr habet geschoben
Sie haben geschoben
sie haben geschoben

INFINITIVE

PRESENT
schieben
PAST
geschoben haben

PARTICIPLE

PRESENT
schiebend

IMPERFECT
ich schöbe
du schöbest
er/sie schöbe
wir schöben
ihr schöbet
Sie schöben
sie schöben

PLUPERFECT
ich hätte geschoben
du hättest geschoben
er/sie hätte geschoben
wir hätten geschoben
ihr hättet geschoben
Sie hätten geschoben
sie hätten geschoben

PAST
geschoben

IMPERATIVE

schieb(e)!
schiebt!
schieben Sie!
schieben wir!

FUTURE PERFECT
ich werde geschoben haben
du wirst geschoben haben *etc*

to shoot **128**

PRESENT
ich schieße
du schießt
er/sie schießt
wir schießen
ihr schießt
Sie schießen
sie schießen

PERFECT *(1)*
ich habe geschossen
du hast geschossen
er/sie hat geschossen
wir haben geschossen
ihr habt geschossen
Sie haben geschossen
sie haben geschossen

IMPERFECT
ich schoss
du schossest
er/sie schoss
wir schossen
ihr schosst
Sie schossen
sie schossen

PLUPERFECT *(2)*
ich hatte geschossen
du hattest geschossen
er/sie hatte geschossen
wir hatten geschossen
ihr hattet geschossen
Sie hatten geschossen
sie hatten geschossen

FUTURE
ich werde schießen
du wirst schießen
er/sie wird schießen
wir werden schießen
ihr werdet schießen
Sie werden schießen
sie werden schießen

CONDITIONAL
ich würde schießen
du würdest schießen
er/sie würde schießen
wir würden schießen
ihr würdet schießen
Sie würden schießen
sie würden schießen

SUBJUNCTIVE

PRESENT
ich schieße
du schießest
er/sie schieße
wir schießen
ihr schießet
Sie schießen
sie schießen

IMPERFECT
ich schösse
du schössest
er/sie schösse
wir schössen
ihr schösset
Sie schössen
sie schössen

FUTURE PERFECT *(5)*
ich werde geschossen haben
du wirst geschossen haben *etc*

PERFECT *(3)*
ich habe geschossen
du habest geschossen
er/sie habe geschossen
wir haben geschossen
ihr habet geschossen
Sie haben geschossen
sie haben geschossen

PLUPERFECT *(4)*
ich hätte geschossen
du hättest geschossen
er/sie hätte geschossen
wir hätten geschossen
ihr hättet geschossen
Sie hätten geschossen
sie hätten geschossen

INFINITIVE

PRESENT
schießen
PAST *(6)*
geschossen haben

PARTICIPLE

PRESENT
schießend

PAST
geschossen

IMPERATIVE
schieß(e)!
schießt!
schießen Sie!
schießen wir!

NOTE

*also intransitive ('to gush'): (1) ich bin
geschossen etc (2) ich war geschossen etc
(3) ich sei geschossen etc (4) ich wäre geschossen etc (5) ich werde geschossen sein etc
(6) geschossen sein*

PRESENT	IMPERFECT	FUTURE
ich schlafe	ich schlief	ich werde schlafen
du schläfst	du schliefst	du wirst schlafen
er/sie schläft	er/sie schlief	er/sie wird schlafen
wir schlafen	wir schliefen	wir werden schlafen
ihr schlaft	ihr schlieft	ihr werdet schlafen
Sie schlafen	Sie schliefen	Sie werden schlafen
sie schlafen	sie schliefen	sie werden schlafen

PERFECT	PLUPERFECT	CONDITIONAL
ich habe geschlafen	ich hatte geschlafen	ich würde schlafen
du hast geschlafen	du hattest geschlafen	du würdest schlafen
er/sie hat geschlafen	er/sie hatte geschlafen	er/sie würde schlafen
wir haben geschlafen	wir hatten geschlafen	wir würden schlafen
ihr habt geschlafen	ihr hattet geschlafen	ihr würdet schlafen
Sie haben geschlafen	Sie hatten geschlafen	Sie würden schlafen
sie haben geschlafen	sie hatten geschlafen	sie würden schlafen

SUBJUNCTIVE

PRESENT	PERFECT
ich schlafe	ich habe geschlafen
du schlafest	du habest geschlafen
er/sie schlafe	er/sie habe geschlafen
wir schlafen	wir haben geschlafen
ihr schlafet	ihr habet geschlafen
Sie schlafen	Sie haben geschlafen
sie schlafen	sie haben geschlafen

IMPERFECT	PLUPERFECT
ich schliefe	ich hätte geschlafen
du schliefest	du hättest geschlafen
er/sie schliefe	er/sie hätte geschlafen
wir schliefen	wir hätten geschlafen
ihr schliefet	ihr hättet geschlafen
Sie schliefen	Sie hätten geschlafen
sie schliefen	sie hätten geschlafen

FUTURE PERFECT
ich werde geschlafen haben
du wirst geschlafen haben *etc*

INFINITIVE

PRESENT
schlafen
PAST
geschlafen haben

PARTICIPLE

PRESENT
schlafend

PAST
geschlafen

IMPERATIVE

schlaf(e)!
schlaft!
schlafen Sie!
schlafen wir!

PRESENT

ich schlage
du schlägst
er/sie schlägt
wir schlagen
ihr schlagt
Sie schlagen
sie schlagen

PERFECT

ich habe geschlagen
du hast geschlagen
er/sie hat geschlagen
wir haben geschlagen
ihr habt geschlagen
Sie haben geschlagen
sie haben geschlagen

IMPERFECT

ich schlug
du schlugst
er/sie schlug
wir schlugen
ihr schlugt
Sie schlugen
sie schlugen

PLUPERFECT

ich hatte geschlagen
du hattest geschlagen
er/sie hatte geschlagen
wir hatten geschlagen
ihr hattet geschlagen
Sie hatten geschlagen
sie hatten geschlagen

FUTURE

ich werde schlagen
du wirst schlagen
er/sie wird schlagen
wir werden schlagen
ihr werdet schlagen
Sie werden schlagen
sie werden schlagen

CONDITIONAL

ich würde schlagen
du würdest schlagen
er/sie würde schlagen
wir würden schlagen
ihr würdet schlagen
Sie würden schlagen
sie würden schlagen

SUBJUNCTIVE

PRESENT

ich schlage
du schlagest
er/sie schlage
wir schlagen
ihr schlaget
Sie schlagen
sie schlagen

IMPERFECT

ich schlüge
du schlügest
er/sie schlüge
wir schlügen
ihr schlüget
Sie schlügen
sie schlügen

FUTURE PERFECT

ich werde geschlagen haben
du wirst geschlagen haben *etc*

PERFECT

ich habe geschlagen
du habest geschlagen
er/sie habe geschlagen
wir haben geschlagen
ihr habet geschlagen
Sie haben geschlagen
sie haben geschlagen

PLUPERFECT

ich hätte geschlagen
du hättest geschlagen
er/sie hätte geschlagen
wir hätten geschlagen
ihr hättet geschlagen
Sie hätten geschlagen
sie hätten geschlagen

INFINITIVE

PRESENT

schlagen

PAST

geschlagen haben

PARTICIPLE

PRESENT

schlagend

PAST

geschlagen

IMPERATIVE

schlag(e)!
schlagt!
schlagen Sie!
schlagen wir!

SCHLEICHEN
131 *to creep*

PRESENT	IMPERFECT	FUTURE
ich schleiche	ich schlich	ich werde schleichen
du schleichst	du schlichst	du wirst schleichen
er/sie schleicht	er/sie schlich	er/sie wird schleichen
wir schleichen	wir schlichen	wir werden schleichen
ihr schleicht	ihr schlicht	ihr werdet schleichen
Sie schleichen	Sie schlichen	Sie werden schleichen
sie schleichen	sie schlichen	sie werden schleichen

PERFECT	PLUPERFECT	CONDITIONAL
ich bin geschlichen	ich war geschlichen	ich würde schleichen
du bist geschlichen	du warst geschlichen	du würdest schleichen
er/sie ist geschlichen	er/sie war geschlichen	er/sie würde schleichen
wir sind geschlichen	wir waren geschlichen	wir würden schleichen
ihr seid geschlichen	ihr wart geschlichen	ihr würdet schleichen
Sie sind geschlichen	Sie waren geschlichen	Sie würden schleichen
sie sind geschlichen	sie waren geschlichen	sie würden schleichen

SUBJUNCTIVE

PRESENT	PERFECT
ich schleiche	ich sei geschlichen
du schleichest	du sei(e)st geschlichen
er/sie schleiche	er/sie sei geschlichen
wir schleichen	wir seien geschlichen
ihr schleichet	ihr seiet geschlichen
Sie schleichen	Sie seien geschlichen
sie schleichen	sie seien geschlichen

IMPERFECT	PLUPERFECT
ich schliche	ich wäre geschlichen
du schlichest	du wär(e)st geschlichen
er/sie schliche	er/sie wäre geschlichen
wir schlichen	wir wären geschlichen
ihr schlichet	ihr wär(e)t geschlichen
Sie schlichen	Sie wären geschlichen
sie schlichen	sie wären geschlichen

FUTURE PERFECT
ich werde geschlichen sein
du wirst geschlichen sein *etc*

INFINITIVE

PRESENT
schleichen
PAST
geschlichen sein

PARTICIPLE

PRESENT
schleichend
PAST
geschlichen

IMPERATIVE

schleich(e)!
schleicht!
schleichen Sie!
schleichen wir!

to grind; to sharpen (1) **132**

PRESENT
ich schleife
du schleifst
er/sie schleift
wir schleifen
ihr schleift
Sie schleifen
sie schleifen

PERFECT
ich habe geschliffen
du hast geschliffen
er/sie hat geschliffen
wir haben geschliffen
ihr habt geschliffen
Sie haben geschliffen
sie haben geschliffen

IMPERFECT
ich schliff
du schliffst
er/sie schliff
wir schliffen
ihr schlifft
Sie schliffen
sie schliffen

PLUPERFECT
ich hatte geschliffen
du hattest geschliffen
er/sie hatte geschliffen
wir hatten geschliffen
ihr hattet geschliffen
Sie hatten geschliffen
sie hatten geschliffen

FUTURE
ich werde schleifen
du wirst schleifen
er/sie wird schleifen
wir werden schleifen
ihr werdet schleifen
Sie werden schleifen
sie werden schleifen

CONDITIONAL
ich würde schleifen
du würdest schleifen
er/sie würde schleifen
wir würden schleifen
ihr würdet schleifen
Sie würden schleifen
sie würden schleifen

SUBJUNCTIVE

PRESENT
ich schleife
du schleifest
er/sie schleife
wir schleifen
ihr schleifet
Sie schleifen
sie schleifen

IMPERFECT
ich schliffe
du schliffest
er/sie schliffe
wir schliffen
ihr schliffet
Sie schliffen
sie schliffen

FUTURE PERFECT
ich werde geschliffen haben
du wirst geschliffen haben *etc*

PERFECT
ich habe geschliffen
du habest geschliffen
er/sie habe geschliffen
wir haben geschliffen
ihr habet geschliffen
Sie haben geschliffen
sie haben geschliffen

PLUPERFECT
ich hätte geschliffen
du hättest geschliffen
er/sie hätte geschliffen
wir hätten geschliffen
ihr hättet geschliffen
Sie hätten geschliffen
sie hätten geschliffen

INFINITIVE

PRESENT
schleifen
PAST
geschliffen haben

PARTICIPLE

PRESENT
schleifend
PAST
geschliffen

IMPERATIVE

schleif(e)!
schleift!
schleifen Sie!
schleifen wir!

NOTE

(1) also a weak verb meaning 'to drag': ich schleifte, ich habe geschleift etc

SCHLIESSEN
133 *to close, to shut*

PRESENT
ich schließe
du schließt
er/sie schließt
wir schließen
ihr schließt
Sie schließen
sie schließen

IMPERFECT
ich schloss
du schlossest
er/sie schloss
wir schlossen
ihr schlosst
Sie schlossen
sie schlossen

FUTURE
ich werde schließen
du wirst schließen
er/sie wird schließen
wir werden schließen
ihr werdet schließen
Sie werden schließen
sie werden schließen

PERFECT
ich habe geschlossen
du hast geschlossen
er/sie hat geschlossen
wir haben geschlossen
ihr habt geschlossen
Sie haben geschlossen
sie haben geschlossen

PLUPERFECT
ich hatte geschlossen
du hattest geschlossen
er/sie hatte geschlossen
wir hatten geschlossen
ihr hattet geschlossen
Sie hatten geschlossen
sie hatten geschlossen

CONDITIONAL
ich würde schließen
du würdest schließen
er/sie würde schließen
wir würden schließen
ihr würdet schließen
Sie würden schließen
sie würden schließen

SUBJUNCTIVE

PRESENT
ich schließe
du schließest
er/sie schließe
wir schließen
ihr schließet
Sie schließen
sie schließen

PERFECT
ich habe geschlossen
du habest geschlossen
er/sie habe geschlossen
wir haben geschlossen
ihr habet geschlossen
Sie haben geschlossen
sie haben geschlossen

INFINITIVE

PRESENT
schließen
PAST
geschlossen haben

PARTICIPLE

PRESENT
schließend

IMPERFECT
ich schlösse
du schlössest
er/sie schlösse
wir schlössen
ihr schlösset
Sie schlössen
sie schlössen

PLUPERFECT
ich hätte geschlossen
du hättest geschlossen
er/sie hätte geschlossen
wir hätten geschlossen
ihr hättet geschlossen
Sie hätten geschlossen
sie hätten geschlossen

PAST
geschlossen

IMPERATIVE

schließ(e)!
schließt!
schließen Sie!
schließen wir!

FUTURE PERFECT
ich werde geschlossen haben
du wirst geschlossen haben *etc*

PRESENT

ich schlinge
du schlingst
er/sie schlingt
wir schlingen
ihr schlingt
Sie schlingen
sie schlingen

PERFECT

ich habe geschlungen
du hast geschlungen
er/sie hat geschlungen
wir haben geschlungen
ihr habt geschlungen
Sie haben geschlungen
sie haben geschlungen

IMPERFECT

ich schlang
du schlangst
er/sie schlang
wir schlangen
ihr schlangt
Sie schlangen
sie schlangen

PLUPERFECT

ich hatte geschlungen
du hattest geschlungen
er/sie hatte geschlungen
wir hatten geschlungen
ihr hattet geschlungen
Sie hatten geschlungen
sie hatten geschlungen

FUTURE

ich werde schlingen
du wirst schlingen
er/sie wird schlingen
wir werden schlingen
ihr werdet schlingen
Sie werden schlingen
sie werden schlingen

CONDITIONAL

ich würde schlingen
du würdest schlingen
er/sie würde schlingen
wir würden schlingen
ihr würdet schlingen
Sie würden schlingen
sie würden schlingen

SUBJUNCTIVE

PRESENT

ich schlinge
du schlingest
er/sie schlinge
wir schlingen
ihr schlinget
Sie schlingen
sie schlingen

IMPERFECT

ich schlänge
du schlängest
er/sie schlänge
wir schlängen
ihr schlänget
Sie schlängen
sie schlängen

FUTURE PERFECT

ich werde geschlungen haben
du wirst geschlungen haben *etc*

PERFECT

ich habe geschlungen
du habest geschlungen
er/sie habe geschlungen
wir haben geschlungen
ihr habet geschlungen
Sie haben geschlungen
sie haben geschlungen

PLUPERFECT

ich hätte geschlungen
du hättest geschlungen
er/sie hätte geschlungen
wir hätten geschlungen
ihr hättet geschlungen
Sie hätten geschlungen
sie hätten geschlungen

INFINITIVE

PRESENT

schlingen

PAST

geschlungen haben

PARTICIPLE

PRESENT

schlingend

PAST

geschlungen

IMPERATIVE

schling(e)!
schlingt!
schlingen Sie!
schlingen wir!

SCHMEISSEN
135 *to sling, to fling*

PRESENT	IMPERFECT	FUTURE
ich schmeiße	ich schmiss	ich werde schmeißen
du schmeißt	du schmissest	du wirst schmeißen
er/sie schmeißt	er/sie schmiss	er/sie wird schmeißen
wir schmeißen	wir schmissen	wir werden schmeißen
ihr schmeißt	ihr schmisst	ihr werdet schmeißen
Sie schmeißen	Sie schmissen	Sie werden schmeißen
sie schmeißen	sie schmissen	sie werden schmeißen

PERFECT	PLUPERFECT	CONDITIONAL
ich habe geschmissen	ich hatte geschmissen	ich würde schmeißen
du hast geschmissen	du hattest geschmissen	du würdest schmeißen
er/sie hat geschmissen	er/sie hatte geschmissen	er/sie würde schmeißen
wir haben geschmissen	wir hatten geschmissen	wir würden schmeißen
ihr habt geschmissen	ihr hattet geschmissen	ihr würdet schmeißen
Sie haben geschmissen	Sie hatten geschmissen	Sie würden schmeißen
sie haben geschmissen	sie hatten geschmissen	sie würden schmeißen

SUBJUNCTIVE

PRESENT	PERFECT
ich schmeiße	ich habe geschmissen
du schmeißest	du habest geschmissen
er/sie schmeiße	er/sie habe geschmissen
wir schmeißen	wir haben geschmissen
ihr schmeißet	ihr habet geschmissen
Sie schmeißen	Sie haben geschmissen
sie schmeißen	sie haben geschmissen

IMPERFECT	PLUPERFECT
ich schmisse	ich hätte geschmissen
du schmissest	du hättest geschmissen
er/sie schmisse	er/sie hätte geschmissen
wir schmissen	wir hätten geschmissen
ihr schmisset	ihr hättet geschmissen
Sie schmissen	Sie hätten geschmissen
sie schmissen	sie hätten geschmissen

FUTURE PERFECT
ich werde geschmissen haben
du wirst geschmissen haben *etc*

INFINITIVE

PRESENT
schmeißen

PAST
geschmissen haben

PARTICIPLE

PRESENT
schmeißend

PAST
geschmissen

IMPERATIVE

schmeiß(e)!
schmeiß!
schmeißen Sie!
schmeißen wir!

PRESENT
ich schmelze
du schmilzt
er/sie schmilzt
wir schmelzen
ihr schmelzt
Sie schmelzen
sie schmelzen

PERFECT *(1)*
ich habe geschmolzen
du hast geschmolzen
er/sie hat geschmolzen
wir haben geschmolzen
ihr habt geschmolzen
Sie haben geschmolzen
sie haben geschmolzen

IMPERFECT
ich schmolz
du schmolzest
er/sie schmolz
wir schmolzen
ihr schmolzt
Sie schmolzen
sie schmolzen

PLUPERFECT *(2)*
ich hatte geschmolzen
du hattest geschmolzen
er/sie hatte geschmolzen
wir hatten geschmolzen
ihr hattet geschmolzen
Sie hatten geschmolzen
sie hatten geschmolzen

FUTURE
ich werde schmelzen
du wirst schmelzen
er/sie wird schmelzen
wir werden schmelzen
ihr werdet schmelzen
Sie werden schmelzen
sie werden schmelzen

CONDITIONAL
ich würde schmelzen
du würdest schmelzen
er/sie würde schmelzen
wir würden schmelzen
ihr würdet schmelzen
Sie würden schmelzen
sie würden schmelzen

SUBJUNCTIVE

PRESENT
ich schmelze
du schmelzest
er/sie schmelze
wir schmelzen
ihr schmelzet
Sie schmelzen
sie schmelzen

IMPERFECT
ich schmölze
du schmölzest
er/sie schmölze
wir schmölzen
ihr schmölzet
Sie schmölzen
sie schmölzen

FUTURE PERFECT *(5)*
ich werde geschmolzen haben
du wirst geschmolzen haben *etc*

PERFECT *(3)*
ich habe geschmolzen
du habest geschmolzen
er/sie habe geschmolzen
wir haben geschmolzen
ihr habet geschmolzen
Sie haben geschmolzen
sie haben geschmolzen

PLUPERFECT *(4)*
ich hätte geschmolzen
du hättest geschmolzen
er/sie hätte geschmolzen
wir hätten geschmolzen
ihr hättet geschmolzen
Sie hätten geschmolzen
sie hätten geschmolzen

INFINITIVE

PRESENT
schmelzen
PAST *(6)*
geschmolzen haben

PARTICIPLE

PRESENT
schmelzend

PAST
geschmolzen

IMPERATIVE
schmilz!
schmelzt!
schmelzen Sie!
schmelzen wir!

NOTE

also intransitive: (1) ich bin geschmolzen
etc (2) ich war geschmolzen *etc (3)* ich sei
geschmolzen *etc (4)* ich wäre geschmolzen *etc*
(5) ich werde geschmolzen sein *etc*
(6) geschmolzen sein

PRESENT

ich schneide
du schneidest
er/sie schneidet
wir schneiden
ihr schneidet
Sie schneiden
sie schneiden

PERFECT

ich habe geschnitten
du hast geschnitten
er/sie hat geschnitten
wir haben geschnitten
ihr habt geschnitten
Sie haben geschnitten
sie haben geschnitten

IMPERFECT

ich schnitt
du schnittst
er/sie schnitt
wir schnitten
ihr schnittet
Sie schnitten
sie schnitten

PLUPERFECT

ich hatte geschnitten
du hattest geschnitten
er/sie hatte geschnitten
wir hatten geschnitten
ihr hattet geschnitten
Sie hatten geschnitten
sie hatten geschnitten

FUTURE

ich werde schneiden
du wirst schneiden
er/sie wird schneiden
wir werden schneiden
ihr werdet schneiden
Sie werden schneiden
sie werden schneiden

CONDITIONAL

ich würde schneiden
du würdest schneiden
er/sie würde schneiden
wir würden schneiden
ihr würdet schneiden
Sie würden schneiden
sie würden schneiden

SUBJUNCTIVE

PRESENT

ich schneide
du schneidest
er/sie schneide
wir schneiden
ihr schneidet
Sie schneiden
sie schneiden

IMPERFECT

ich schnitte
du schnittest
er/sie schnitte
wir schnitten
ihr schnittet
Sie schnitten
sie schnitten

FUTURE PERFECT

ich werde geschnitten haben
du wirst geschnitten haben *etc*

PERFECT

ich habe geschnitten
du habest geschnitten
er/sie habe geschnitten
wir haben geschnitten
ihr habet geschnitten
Sie haben geschnitten
sie haben geschnitten

PLUPERFECT

ich hätte geschnitten
du hättest geschnitten
er/sie hätte geschnitten
wir hätten geschnitten
ihr hättet geschnitten
Sie hätten geschnitten
sie hätten geschnitten

INFINITIVE

PRESENT

schneiden

PAST

geschnitten haben

PARTICIPLE

PRESENT

schneidend

PAST

geschnitten

IMPERATIVE

schneid(e)!
schneidet!
schneiden Sie!
schneiden wir!

PRESENT
ich schreibe
du schreibst
er/sie schreibt
wir schreiben
ihr schreibt
Sie schreiben
sie schreiben

IMPERFECT
ich schrieb
du schriebst·
er/sie schrieb
wir schrieben
ihr schriebt
Sie schrieben
sie schrieben

FUTURE
ich werde schreiben
du wirst schreiben
er/sie wird schreiben
wir werden schreiben
ihr werdet schreiben
Sie werden schreiben
sie werden schreiben

PERFECT
ich habe geschrieben
du hast geschrieben
er/sie hat geschrieben
wir haben geschrieben
ihr habt geschrieben
Sie haben geschrieben
sie haben geschrieben

PLUPERFECT
ich hatte geschrieben
du hattest geschrieben
er/sie hatte geschrieben
wir hatten geschrieben
ihr hattet geschrieben
Sie hatten geschrieben
sie hatten geschrieben

CONDITIONAL
ich würde schreiben
du würdest schreiben
er/sie würde schreiben
wir würden schreiben
ihr würdet schreiben
Sie würden schreiben
sie würden schreiben

SUBJUNCTIVE

PRESENT
ich schreibe
du schreibest
er/sie schreibe
wir schreiben
ihr schreibet
Sie schreiben
sie schreiben

PERFECT
ich habe geschrieben
du habest geschrieben
er/sie habe geschrieben
wir haben geschrieben
ihr habet geschrieben
Sie haben geschrieben
sie haben geschrieben

INFINITIVE

PRESENT
schreiben
PAST
geschrieben haben

PARTICIPLE

PRESENT
schreibend

IMPERFECT
ich schriebe
du schriebest
er/sie schriebe
wir schrieben
ihr schriebet
Sie schrieben
sie schrieben

PLUPERFECT
ich hätte geschrieben
du hättest geschrieben
er/sie hätte geschrieben
wir hätten geschrieben
ihr hättet geschrieben
Sie hätten geschrieben
sie hätten geschrieben

PAST
geschrieben

IMPERATIVE

schreib(e)!
schreibt!
schreiben Sie!
schreiben wir!

FUTURE PERFECT
ich werde geschrieben haben
du wirst geschrieben haben *etc*

SCHREIEN
139 *to shout*

PRESENT	IMPERFECT	FUTURE
ich schreie	ich schrie	ich werde schreien
du schreist	du schriest	du wirst schreien
er/sie schreit	er/sie schrie	er/sie wird schreien
wir schreien	wir schrien	wir werden schreien
ihr schreit	ihr schriet	ihr werdet schreien
Sie schreien	Sie schrien	Sie werden schreien
sie schreien	sie schrien	sie werden schreien

PERFECT	PLUPERFECT	CONDITIONAL
ich habe geschrien	ich hatte geschrien	ich würde schreien
du hast geschrien	du hattest geschrien	du würdest schreien
er/sie hat geschrien	er/sie hatte geschrien	er/sie würde schreien
wir haben geschrien	wir hatten geschrien	wir würden schreien
ihr habt geschrien	ihr hattet geschrien	ihr würdet schreien
Sie haben geschrien	Sie hatten geschrien	Sie würden schreien
sie haben geschrien	sie hatten geschrien	sie würden schreien

SUBJUNCTIVE

PRESENT	PERFECT
ich schreie	ich habe geschrien
du schreiest	du habest geschrien
er/sie schreie	er/sie habe geschrien
wir schreien	wir haben geschrien
ihr schreiet	ihr habet geschrien
Sie schreien	Sie haben geschrien
sie schreien	sie haben geschrien

IMPERFECT	PLUPERFECT
ich schrie	ich hätte geschrien
du schriest	du hättest geschrien
er/sie schrie	er/sie hätte geschrien
wir schrien	wir hätten geschrien
ihr schriet	ihr hättet geschrien
Sie schrien	Sie hätten geschrien
sie schrien	sie hätten geschrien

FUTURE PERFECT
ich werde geschrien haben
du wirst geschrien haben *etc*

INFINITIVE

PRESENT
schreien

PAST
geschrien haben

PARTICIPLE

PRESENT
schreiend

PAST
geschrien

IMPERATIVE

schrei(e)!
schreit!
schreien Sie!
schreien wir!

PRESENT
ich schreite
du schreitest
er/sie schreitet
wir schreiten
ihr schreitet
Sie schreiten
sie schreiten

IMPERFECT
ich schritt
du schrittst
er/sie schritt
wir schritten
ihr schrittet
Sie schritten
sie schritten

FUTURE
ich werde schreiten
du wirst schreiten
er/sie wird schreiten
wir werden schreiten
ihr werdet schreiten
Sie werden schreiten
sie werden schreiten

PERFECT
ich bin geschritten
du bist geschritten
er/sie ist geschritten
wir sind geschritten
ihr seid geschritten
Sie sind geschritten
sie sind geschritten

PLUPERFECT
ich war geschritten
du warst geschritten
er/sie war geschritten
wir waren geschritten
ihr wart geschritten
Sie waren geschritten
sie waren geschritten

CONDITIONAL
ich würde schreiten
du würdest schreiten
er/sie würde schreiten
wir würden schreiten
ihr würdet schreiten
Sie würden schreiten
sie würden schreiten

SUBJUNCTIVE

PRESENT
ich schreite
du schreitest
er/sie schreite
wir schreiten
ihr schreitet
Sie schreiten
sie schreiten

PERFECT
ich sei geschritten
du sei(e)st geschritten
er/sie sei geschritten
wir seien geschritten
ihr seiet geschritten
Sie seien geschritten
sie seien geschritten

INFINITIVE

PRESENT
schreiten
PAST
geschritten sein

IMPERFECT
ich schritte
du schrittest
er/sie schritte
wir schritten
ihr schrittet
Sie schritten
sie schritten

PLUPERFECT
ich wäre geschritten
du wär(e)st geschritten
er/sie wäre geschritten
wir wären geschritten
ihr wär(e)t geschritten
Sie wären geschritten
sie wären geschritten

PARTICIPLE

PRESENT
schreitend
PAST
geschritten

IMPERATIVE

schreit(e)!
schreitet!
schreiten Sie!
schreiten wir!

FUTURE PERFECT
ich werde geschritten sein
du wirst geschritten sein *etc*

SCHWEIGEN
141 *to be silent*

PRESENT
ich schweige
du schweigst
er/sie schweigt
wir schweigen
ihr schweigt
Sie schweigen
sie schweigen

IMPERFECT
ich schwieg
du schwiegst
er/sie schwieg
wir schwiegen
ihr schwiegt
Sie schwiegen
sie schwiegen

FUTURE
ich werde schweigen
du wirst schweigen
er/sie wird schweigen
wir werden schweigen
ihr werdet schweigen
Sie werden schweigen
sie werden schweigen

PERFECT
ich habe geschwiegen
du hast geschwiegen
er/sie hat geschwiegen
wir haben geschwiegen
ihr habt geschwiegen
Sie haben geschwiegen
sie haben geschwiegen

PLUPERFECT
ich hatte geschwiegen
du hattest geschwiegen
er/sie hatte geschwiegen
wir hatten geschwiegen
ihr hattet geschwiegen
Sie hatten geschwiegen
sie hatten geschwiegen

CONDITIONAL
ich würde schweigen
du würdest schweigen
er/sie würde schweigen
wir würden schweigen
ihr würdet schweigen
Sie würden schweigen
sie würden schweigen

SUBJUNCTIVE

PRESENT
ich schweige
du schweigest
er/sie schweige
wir schweigen
ihr schweiget
Sie schweigen
sie schweigen

PERFECT
ich habe geschwiegen
du habest geschwiegen
er/sie habe geschwiegen
wir haben geschwiegen
ihr habet geschwiegen
Sie haben geschwiegen
sie haben geschwiegen

INFINITIVE

PRESENT
schweigen
PAST
geschwiegen haben

PARTICIPLE

PRESENT
schweigend

IMPERFECT
ich schweige
du schwiegest
er/sie schwiege
wir schweigen
ihr schweiget
Sie schweigen
sie schweigen

PLUPERFECT
ich hätte geschwiegen
du hättest geschwiegen
er/sie hätte geschwiegen
wir hätten geschwiegen
ihr hättet geschwiegen
Sie hätten geschwiegen
sie hätten geschwiegen

PAST
geschwiegen

IMPERATIVE

schweig(e)!
schweigt!
schweigen Sie!
schweigen wir!

FUTURE PERFECT
ich werde geschwiegen haben
du wirst geschwiegen haben *etc*

PRESENT
ich schwelle
du schwillst
er/sie schwillt
wir schwellen
ihr schwellt
Sie schwellen
sie schwellen

PERFECT *(1)*
ich bin geschwollen
du bist geschwollen
er/sie ist geschwollen
wir sind geschwollen
ihr seid geschwollen
Sie sind geschwollen
sie sind geschwollen

IMPERFECT
ich schwoll
du schwollst
er/sie schwoll
wir schwollen
ihr schwollt
Sie schwollen
sie schwollen

PLUPERFECT *(2)*
ich war geschwollen
du warst geschwollen
er/sie war geschwollen
wir waren geschwollen
ihr wart geschwollen
Sie waren geschwollen
sie waren geschwollen

FUTURE
ich werde schwellen
du wirst schwellen
er/sie wird schwellen
wir werden schwellen
ihr werdet schwellen
Sie werden schwellen
sie werden schwellen

CONDITIONAL
ich würde schwellen
du würdest schwellen
er/sie würde schwellen
wir würden schwellen
ihr würdet schwellen
Sie würden schwellen
sie würden schwellen

SUBJUNCTIVE

PRESENT
ich schwelle
du schwellest
er/sie schwelle
wir schwellen
ihr schwellet
Sie schwellen
sie schwellen

IMPERFECT
ich schwölle
du schwöllest
er/sie schwölle
wir schwöllen
ihr schwöllet
Sie schwöllen
sie schwöllen

FUTURE PERFECT *(4)*
ich werde geschwollen sein
du wirst geschwollen sein *etc*

PERFECT *(1)*
ich sei geschwollen
du sei(e)st geschwollen
er/sie sei geschwollen
wir seien geschwollen
ihr seiet geschwollen
Sie seien geschwollen
sie seien geschwollen

PLUPERFECT *(3)*
ich wäre geschwollen
du wär(e)st geschwollen
er/sie wäre geschwollen
wir wären geschwollen
ihr wär(e)t geschwollen
Sie wären geschwollen
sie wären geschwollen

NOTE

also transitive: *(1)* **ich habe geschwollen** *etc*
(2) **ich hatte geschwollen** *etc* *(3)* **ich hätte geschwollen** *etc* *(4)* **ich werde geschwollen haben** *etc*
(5) **geschwollen haben**

INFINITIVE

PRESENT
schwellen
PAST *(5)*
geschwollen sein

PARTICIPLE

PRESENT
schwellend

PAST
geschwollen

IMPERATIVE

schwill!
schwellt!
schwellen Sie!
schwellen wir!

SCHWIMMEN
143 *to swim*

PRESENT
ich schwimme
du schwimmst
er/sie schwimmt
wir schwimmen
ihr schwimmt
Sie schwimmen
sie schwimmen

IMPERFECT
ich schwamm
du schwammst
er/sie schwamm
wir schwammen
ihr schwammt
Sie schwammen
sie schwammen

FUTURE
ich werde schwimmen
du wirst schwimmen
er/sie wird schwimmen
wir werden schwimmen
ihr werdet schwimmen
Sie werden schwimmen
sie werden schwimmen

PERFECT
ich bin geschwommen
du bist geschwommen
er/sie ist geschwommen
wir sind geschwommen
ihr seid geschwommen
Sie sind geschwommen
sie sind geschwommen

PLUPERFECT
ich war geschwommen
du warst geschwommen
er/sie war geschwommen
wir waren geschwommen
ihr wart geschwommen
Sie waren geschwommen
sie waren geschwommen

CONDITIONAL
ich würde schwimmen
du würdest schwimmen
er/sie würde schwimmen
wir würden schwimmen
ihr würdet schwimmen
Sie würden schwimmen
sie würden schwimmen

SUBJUNCTIVE

PRESENT
ich schwimme
du schwimmest
er/sie schwimme
wir schwimmen
ihr schwimmet
Sie schwimmen
sie schwimmen

PERFECT
ich sei geschwommen
du sei(e)st geschwommen
er/sie sei geschwommen
wir seien geschwommen
ihr seiet geschwommen
Sie seien geschwommen
sie seien geschwommen

INFINITIVE

PRESENT
schwimmen

PAST
geschwommen sein

PARTICIPLE

PRESENT
schwimmend

IMPERFECT *(1)*
ich schwömme
du schwömmest
er/sie schwömme
wir schwömmen
ihr schwömmet
Sie schwömmen
sie schwömmen

PLUPERFECT
ich wäre geschwommen
du wär(e)st geschwommen
er/sie wäre geschwommen
wir wären geschwommen
ihr wär(e)t geschwommen
Sie wären geschwommen
sie wären geschwommen

PAST
geschwommen

IMPERATIVE

schwimm(e)!
schwimmt!
schwimmen Sie!
schwimmen wir!

FUTURE PERFECT
ich werde geschwommen sein
du wirst geschwommen sein *etc*

NOTE

(1) ich **schwämme** *etc is also possible*

SCHWINDEN
to fade, to dwindle **144**

PRESENT
ich schwinde
du schwindest
er/sie schwindet
wir schwinden
ihr schwindet
Sie schwinden
sie schwinden

PERFECT
ich bin geschwunden
du bist geschwunden
er/sie ist geschwunden
wir sind geschwunden
ihr seid geschwunden
Sie sind geschwunden
sie sind geschwunden

IMPERFECT
ich schwand
du schwandest
er/sie schwand
wir schwanden
ihr schwandet
Sie schwanden
sie schwanden

PLUPERFECT
ich war geschwunden
du warst geschwunden
er/sie war geschwunden
wir waren geschwunden
ihr wart geschwunden
Sie waren geschwunden
sie waren geschwunden

FUTURE
ich werde schwinden
du wirst schwinden
er/sie wird schwinden
wir werden schwinden
ihr werdet schwinden
Sie werden schwinden
sie werden schwinden

CONDITIONAL
ich würde schwinden
du würdest schwinden
er/sie würde schwinden
wir würden schwinden
ihr würdet schwinden
Sie würden schwinden
sie würden schwinden

SUBJUNCTIVE

PRESENT
ich schwinde
du schwindest
er/sie schwinde
wir schwinden
ihr schwindet
Sie schwinden
sie schwinden

IMPERFECT
ich schwände
du schwändest
er/sie schwände
wir schwänden
ihr schwändet
Sie schwänden
sie schwänden

FUTURE PERFECT
ich werde geschwunden sein
du wirst geschwunden sein *etc*

PERFECT
ich sei geschwunden
du sei(e)st geschwunden
er/sie sei geschwunden
wir seien geschwunden
ihr seiet geschwunden
Sie seien geschwunden
sie seien geschwunden

PLUPERFECT
ich wäre geschwunden
du wär(e)st geschwunden
er/sie wäre geschwunden
wir wären geschwunden
ihr wär(e)t geschwunden
Sie wären geschwunden
sie wären geschwunden

INFINITIVE

PRESENT
schwinden
PAST
geschwunden sein

PARTICIPLE

PRESENT
schwindend
PAST
geschwunden

IMPERATIVE
schwind(e)!
schwindet!
schwinden Sie!
schwinden wir!

SCHWINGEN
145 *to swing*

PRESENT	IMPERFECT	FUTURE
ich schwinge	ich schwang	ich werde schwingen
du schwingst	du schwangst	du wirst schwingen
er/sie schwingt	er/sie schwang	er/sie wird schwingen
wir schwingen	wir schwangen	wir werden schwingen
ihr schwingt	ihr schwangt	ihr werdet schwingen
Sie schwingen	Sie schwangen	Sie werden schwingen
sie schwingen	sie schwangen	sie werden schwingen

PERFECT	PLUPERFECT	CONDITIONAL
ich habe geschwungen	ich hatte geschwungen	ich würde schwingen
du hast geschwungen	du hattest geschwungen	du würdest schwingen
er/sie hat geschwungen	er/sie hatte geschwungen	er/sie würde schwingen
wir haben geschwungen	wir hatten geschwungen	wir würden schwingen
ihr habt geschwungen	ihr hattet geschwungen	ihr würdet schwingen
Sie haben geschwungen	Sie hatten geschwungen	Sie würden schwingen
sie haben geschwungen	sie hatten geschwungen	sie würden schwingen

SUBJUNCTIVE

PRESENT	PERFECT
ich schwinge	ich habe geschwungen
du schwingest	du habest geschwungen
er/sie schwinge	er/sie habe geschwungen
wir schwingen	wir haben geschwungen
ihr schwinget	ihr habet geschwungen
Sie schwingen	Sie haben geschwungen
sie schwingen	sie haben geschwungen

IMPERFECT	PLUPERFECT
ich schwänge	ich hätte geschwungen
du schwängest	du hättest geschwungen
er/sie schwänge	er/sie hätte geschwungen
wir schwängen	wir hätten geschwungen
ihr schwänget	ihr hättet geschwungen
Sie schwängen	Sie hätten geschwungen
sie schwängen	sie hätten geschwungen

FUTURE PERFECT
ich werde geschwungen haben
du wirst geschwungen haben *etc*

INFINITIVE

PRESENT
schwingen

PAST
geschwungen haben

PARTICIPLE

PRESENT
schwingend

PAST
geschwungen

IMPERATIVE

schwing(e)!
schwingt!
schwingen Sie!
schwingen wir!

PRESENT
ich schwöre
du schwörst
er/sie schwört
wir schwören
ihr schwört
Sie schwören
sie schwören

IMPERFECT
ich schwor
du schworst
er/sie schwor
wir schworen
ihr schwort
Sie schworen
sie schworen

FUTURE
ich werde schwören
du wirst schwören
er/sie wird schwören
wir werden schwören
ihr werdet schwören
Sie werden schwören
sie werden schwören

PERFECT
ich habe geschworen
du hast geschworen
er/sie hat geschworen
wir haben geschworen
ihr habt geschworen
Sie haben geschworen
sie haben geschworen

PLUPERFECT
ich hatte geschworen
du hattest geschworen
er/sie hatte geschworen
wir hatten geschworen
ihr hattet geschworen
Sie hatten geschworen
sie hatten geschworen

CONDITIONAL
ich würde schwören
du würdest schwören
er/sie würde schwören
wir würden schwören
ihr würdet schwören
Sie würden schwören
sie würden schwören

SUBJUNCTIVE

PRESENT
ich schwöre
du schwörest
er/sie schwöre
wir schwören
ihr schwöret
Sie schwören
sie schwören

IMPERFECT *(1)*
ich schwüre
du schwürest
er/sie schwüre
wir schwüren
ihr schwüret
Sie schwüren
sie schwüren

PERFECT
ich habe geschworen
du habest geschworen
er/sie habe geschworen
wir haben geschworen
ihr habet geschworen
Sie haben geschworen
sie haben geschworen

PLUPERFECT
ich hätte geschworen
du hättest geschworen
er/sie hätte geschworen
wir hätten geschworen
ihr hättet geschworen
Sie hätten geschworen
sie hätten geschworen

INFINITIVE

PRESENT
schwören
PAST
geschworen haben

PARTICIPLE

PRESENT
schwörend

PAST
geschworen

IMPERATIVE

schwör(e)!
schwört!
schwören Sie!
schwören wir!

FUTURE PERFECT
ich werde geschworen haben
du wirst geschworen haben *etc*

NOTE

(1) ich **schwöre** *etc is also possible*

PRESENT	IMPERFECT	FUTURE
ich sehe	ich sah	ich werde sehen
du siehst	du sahst	du wirst sehen
er/sie sieht	er/sie sah	er/sie wird sehen
wir sehen	wir sahen	wir werden sehen
ihr seht	ihr saht	ihr werdet sehen
Sie sehen	Sie sahen	Sie werden sehen
sie sehen	sie sahen	sie werden sehen

PERFECT	PLUPERFECT	CONDITIONAL
ich habe gesehen	ich hatte gesehen	ich würde sehen
du hast gesehen	du hattest gesehen	du würdest sehen
er/sie hat gesehen	er/sie hatte gesehen	er/sie würde sehen
wir haben gesehen	wir hatten gesehen	wir würden sehen
ihr habt gesehen	ihr hattet gesehen	ihr würdet sehen
Sie haben gesehen	Sie hatten gesehen	Sie würden sehen
sie haben gesehen	sie hatten gesehen	sie würden sehen

SUBJUNCTIVE

INFINITIVE

PRESENT	PERFECT
ich sehe	ich habe gesehen
du sehest	du habest gesehen
er/sie sehe	er/sie habe gesehen
wir sehen	wir haben gesehen
ihr sehet	ihr habet gesehen
Sie sehen	Sie haben gesehen
sie sehen	sie haben gesehen

PRESENT
sehen
PAST
gesehen haben

PARTICIPLE

IMPERFECT	PLUPERFECT
ich sähe	ich hätte gesehen
du sähest	du hättest gesehen
er/sie sähe	er/sie hätte gesehen
wir sähen	wir hätten gesehen
ihr sähet	ihr hättet gesehen
Sie sähen	Sie hätten gesehen
sie sähen	sie hätten gesehen

PRESENT
sehend

PAST
gesehen

IMPERATIVE
sieh(e)!
seht!
sehen Sie!
sehen wir!

FUTURE PERFECT
ich werde gesehen haben
du wirst gesehen haben *etc*

PRESENT
ich bin
du bist
er/sie ist
wir sind
ihr seid
Sie sind
sie sind

IMPERFECT
ich war
du warst
er/sie war
wir waren
ihr wart
Sie waren
sie waren

FUTURE
ich werde sein
du wirst sein
er/sie wird sein
wir werden sein
ihr werdet sein
Sie werden sein
sie werden sein

PERFECT
ich bin gewesen
du bist gewesen
er/sie ist gewesen
wir sind gewesen
ihr seid gewesen
Sie sind gewesen
sie sind gewesen

PLUPERFECT
ich war gewesen
du warst gewesen
er/sie war gewesen
wir waren gewesen
ihr wart gewesen
Sie waren gewesen
sie waren gewesen

CONDITIONAL
ich würde sein
du würdest sein
er/sie würde sein
wir würden sein
ihr würdet sein
Sie würden sein
sie würden sein

SUBJUNCTIVE

PRESENT
ich sei
du sei(e)st
er/sie sei
wir seien
ihr seiet
Sie seien
sie seien

PERFECT
ich sei gewesen
du sei(e)st gewesen
er/sie sei gewesen
wir seien gewesen
ihr seiet gewesen
Sie seien gewesen
sie seien gewesen

INFINITIVE

PRESENT
sein
PAST
gewesen sein

PARTICIPLE

PRESENT
seiend

IMPERFECT
ich wäre
du wär(e)st
er/sie wäre
wir wären
ihr wär(e)t
Sie wären
sie wären

PLUPERFECT
ich wäre gewesen
du wär(e)st gewesen
er/sie wäre gewesen
wir wären gewesen
ihr wär(e)t gewesen
Sie wären gewesen
sie wären gewesen

PAST
gewesen

IMPERATIVE

sei!
seid!
seien Sie!
seien wir!

FUTURE PERFECT
ich werde gewesen sein
du wirst gewesen sein *etc*

PRESENT
ich sende
du sendest
er/sie sendet
wir senden
ihr sendet
Sie senden
sie senden

IMPERFECT
ich sandte
du sandtest
er/sie sandte
wir sandten
ihr sandtet
Sie sandten
sie sandten

FUTURE
ich werde senden
du wirst senden
er/sie wird senden
wir werden senden
ihr werdet senden
Sie werden senden
sie werden senden

PERFECT
ich habe gesandt
du hast gesandt
er/sie hat gesandt
wir haben gesandt
ihr habt gesandt
Sie haben gesandt
sie haben gesandt

PLUPERFECT
ich hatte gesandt
du hattest gesandt
er/sie hatte gesandt
wir hatten gesandt
ihr hattet gesandt
Sie hatten gesandt
sie hatten gesandt

CONDITIONAL
ich würde senden
du würdest senden
er/sie würde senden
wir würden senden
ihr würdet senden
Sie würden senden
sie würden senden

SUBJUNCTIVE

PRESENT
ich sende
du sendest
er/sie sende
wir senden
ihr sendet
Sie senden
sie senden

PERFECT
ich habe gesandt
du habest gesandt
er/sie habe gesandt
wir haben gesandt
ihr habet gesandt
Sie haben gesandt
sie haben gesandt

INFINITIVE

PRESENT
senden
PAST
gesandt haben

PARTICIPLE

PRESENT
sendend

IMPERFECT
ich sendete
du sendetest
er/sie sendete
wir sendeten
ihr sendetet
Sie sendeten
sie sendeten

PLUPERFECT
ich hätte gesandt
du hättest gesandt
er/sie hätte gesandt
wir hätten gesandt
ihr hättet gesandt
Sie hätten gesandt
sie hätten gesandt

PAST
gesandt

IMPERATIVE

send(e)!
sendet!
senden Sie!
senden wir!

FUTURE PERFECT
ich werde gesandt haben
du wirst gesandt haben *etc*

NOTE

(1) also a weak verb meaning 'to broadcast':
ich sendete, ich habe gesendet *etc*

PRESENT
ich singe
du singst
er/sie singt
wir singen
ihr singt
Sie singen
sie singen

PERFECT
ich habe gesungen
du hast gesungen
er/sie hat gesungen
wir haben gesungen
ihr habt gesungen
Sie haben gesungen
sie haben gesungen

IMPERFECT
ich sang
du sangst
er/sie sang
wir sangen
ihr sangt
Sie sangen
sie sangen

PLUPERFECT
ich hatte gesungen
du hattest gesungen
er/sie hatte gesungen
wir hatten gesungen
ihr hattet gesungen
Sie hatten gesungen
sie hatten gesungen

FUTURE
ich werde singen
du wirst singen
er/sie wird singen
wir werden singen
ihr werdet singen
Sie werden singen
sie werden singen

CONDITIONAL
ich würde singen
du würdest singen
er/sie würde singen
wir würden singen
ihr würdet singen
Sie würden singen
sie würden singen

SUBJUNCTIVE

PRESENT
ich singe
du singest
er/sie singe
wir singen
ihr singet
Sie singen
sie singen

IMPERFECT
ich sänge
du sängest
er/sie sänge
wir sängen
ihr sänget
Sie sängen
sie sängen

PERFECT
ich habe gesungen
du habest gesungen
er/sie habe gesungen
wir haben gesungen
ihr habet gesungen
Sie haben gesungen
sie haben gesungen

PLUPERFECT
ich hätte gesungen
du hättest gesungen
er/sie hätte gesungen
wir hätten gesungen
ihr hättet gesungen
Sie hätten gesungen
sie hätten gesungen

FUTURE PERFECT
ich werde gesungen haben
du wirst gesungen haben *etc*

INFINITIVE

PRESENT
singen

PAST
gesungen haben

PARTICIPLE

PRESENT
singend

PAST
gesungen

IMPERATIVE

sing(e)!
singt!
singen Sie!
singen wir!

SINKEN
151 to sink

PRESENT	IMPERFECT	FUTURE
ich sinke	ich sank	ich werde sinken
du sinkst	du sankst	du wirst sinken
er/sie sinkt	er/sie sank	er/sie wird sinken
wir sinken	wir sanken	wir werden sinken
ihr sinkt	ihr sankt	ihr werdet sinken
Sie sinken	Sie sanken	Sie werden sinken
sie sinken	sie sanken	sie werden sinken

PERFECT	PLUPERFECT	CONDITIONAL
ich bin gesunken	ich war gesunken	ich würde sinken
du bist gesunken	du warst gesunken	du würdest sinken
er/sie ist gesunken	er/sie war gesunken	er/sie würde sinken
wir sind gesunken	wir waren gesunken	wir würden sinken
ihr seid gesunken	ihr wart gesunken	ihr würdet sinken
Sie sind gesunken	Sie waren gesunken	Sie würden sinken
sie sind gesunken	sie waren gesunken	sie würden sinken

SUBJUNCTIVE

PRESENT	PERFECT
ich sinke	ich sei gesunken
du sinkest	du sei(e)st gesunken
er/sie sinke	er/sie sei gesunken
wir sinken	wir seien gesunken
ihr sinket	ihr seiet gesunken
Sie sinken	Sie seien gesunken
sie sinken	sie seien gesunken

IMPERFECT	PLUPERFECT
ich sänke	ich wäre gesunken
du sänkest	du wär(e)st gesunken
er/sie sänke	er/sie wäre gesunken
wir sänken	wir wären gesunken
ihr sänket	ihr wär(e)t gesunken
Sie sänken	Sie wären gesunken
sie sänken	sie wären gesunken

FUTURE PERFECT
ich werde gesunken sein
du wirst gesunken sein *etc*

INFINITIVE

PRESENT
sinken

PAST
gesunken sein

PARTICIPLE

PRESENT
sinkend

PAST
gesunken

IMPERATIVE

sink(e)!
sinkt!
sinken Sie!
sinken wir!

PRESENT
ich sinne
du sinnst
er/sie sinnt
wir sinnen
ihr sinnt
Sie sinnen
sie sinnen

IMPERFECT
ich sann
du sannst
er/sie sann
wir sannen
ihr sannt
Sie sannen
sie sannen

FUTURE
ich werde sinnen
du wirst sinnen
er/sie wird sinnen
wir werden sinnen
ihr werdet sinnen
Sie werden sinnen
sie werden sinnen

PERFECT
ich habe gesonnen
du hast gesonnen
er/sie hat gesonnen
wir haben gesonnen
ihr habt gesonnen
Sie haben gesonnen
sie haben gesonnen

PLUPERFECT
ich hatte gesonnen
du hattest gesonnen
er/sie hatte gesonnen
wir hatten gesonnen
ihr hattet gesonnen
Sie hatten gesonnen
sie hatten gesonnen

CONDITIONAL
ich würde sinnen
du würdest sinnen
er/sie würde sinnen
wir würden sinnen
ihr würdet sinnen
Sie würden sinnen
sie würden sinnen

SUBJUNCTIVE

PRESENT
ich sinne
du sinnest
er/sie sinne
wir sinnen
ihr sinnet
Sie sinnen
sie sinnen

PERFECT
ich habe gesonnen
du habest gesonnen
er/sie habe gesonnen
wir haben gesonnen
ihr habet gesonnen
Sie haben gesonnen
sie haben gesonnen

INFINITIVE

PRESENT
sinnen
PAST
gesonnen haben

IMPERFECT
ich sänne
du sännest
er/sie sänne
wir sännen
ihr sännet
Sie sännen
sie sännen

PLUPERFECT
ich hätte gesonnen
du hättest gesonnen
er/sie hätte gesonnen
wir hätten gesonnen
ihr hättet gesonnen
Sie hätten gesonnen
sie hätten gesonnen

PARTICIPLE

PRESENT
sinnend
PAST
gesonnen haben

IMPERATIVE

sinn(e)!
sinnt!
sinnen Sie!
sinnen wir!

FUTURE PERFECT
ich werde gesonnen haben
du wirst gesonnen haben *etc*

SITZEN
153 *to sit*

PRESENT
ich sitze
du sitzt
er/sie sitzt
wir sitzen
ihr sitzt
Sie sitzen
sie sitzen

IMPERFECT
ich saß
du saßest
er/sie saß
wir saßen
ihr saßt
Sie saßen
sie saßen

FUTURE
ich werde sitzen
du wirst sitzen
er/sie wird sitzen
wir werden sitzen
ihr werdet sitzen
Sie werden sitzen
sie werden sitzen

PERFECT
ich habe gesessen
du hast gesessen
er/sie hat gesessen
wir haben gesessen
ihr habt gesessen
Sie haben gesessen
sie haben gesessen

PLUPERFECT
ich hatte gesessen
du hattest gesessen
er/sie hatte gesessen
wir hatten gesessen
ihr hattet gesessen
Sie hatten gesessen
sie hatten gesessen

CONDITIONAL
ich würde sitzen
du würdest sitzen
er/sie würde sitzen
wir würden sitzen
ihr würdet sitzen
Sie würden sitzen
sie würden sitzen

SUBJUNCTIVE

PRESENT
ich sitze
du sitzest
er/sie sitze
wir sitzen
ihr sitzet
Sie sitzen
sie sitzen

PERFECT
ich habe gesessen
du habest gesessen
er/sie habe gesessen
wir haben gesessen
ihr habet gesessen
Sie haben gesessen
sie haben gesessen

INFINITIVE

PRESENT
sitzen
PAST
gesessen haben

PARTICIPLE

PRESENT
sitzend

IMPERFECT
ich säße
du säßest
er/sie säße
wir säßen
ihr säßet
Sie säßen
sie säßen

PLUPERFECT
ich hätte gesessen
du hättest gesessen
er/sie hätte gesessen
wir hätten gesessen
ihr hättet gesessen
Sie hätten gesessen
sie hätten gesessen

PAST
gesessen

IMPERATIVE

sitz(e)!
sitzt!
sitzen Sie!
sitzen wir!

FUTURE PERFECT
ich werde gesessen haben
du wirst gesessen haben *etc*

PRESENT
ich soll
du sollst
er/sie soll
wir sollen
ihr sollt
Sie sollen
sie sollen

PERFECT *(1)*
ich habe gesollt
du hast gesollt
er/sie hat gesollt
wir haben gesollt
ihr habt gesollt
Sie haben gesollt
sie haben gesollt

IMPERFECT
ich sollte
du solltest
er/sie sollte
wir sollten
ihr solltet
Sie sollten
sie sollten

PLUPERFECT *(2)*
ich hatte gesollt
du hattest gesollt
er/sie hatte gesollt
wir hatten gesollt
ihr hattet gesollt
Sie hatten gesollt
sie hatten gesollt

FUTURE
ich werde sollen
du wirst sollen
er/sie wird sollen
wir werden sollen
ihr werdet sollen
Sie werden sollen
sie werden sollen

CONDITIONAL
ich würde sollen
du würdest sollen
er/sie würde sollen
wir würden sollen
ihr würdet sollen
Sie würden sollen
sie würden sollen

SUBJUNCTIVE

PRESENT
ich solle
du sollest
er/sie solle
wir sollen
ihr sollet
Sie sollen
sie sollen

PERFECT *(1)*
ich habe gesollt
du habest gesollt
er/sie habe gesollt
wir haben gesollt
ihr habet gesollt
Sie haben gesollt
sie haben gesollt

IMPERFECT
ich sollte
du solltest
er/sie sollte
wir sollten
ihr solltet
Sie sollten
sie sollten

PLUPERFECT *(3)*
ich hätte gesollt
du hättest gesollt
er/sie hätte gesollt
wir hätten gesollt
ihr hättet gesollt
Sie hätten gesollt
sie hätten gesollt

INFINITIVE

PRESENT
sollen
PAST
gesollt haben

PARTICIPLE

PRESENT
sollend

PAST
gesollt

NOTE

when preceded by an infinitive: (1) ich habe ... sollen
etc (2) ich hatte ... sollen *etc (3)* ich hätte ... sollen *etc*

SPEIEN
155 to spit

PRESENT
ich speie
du speist
er/sie speit
wir speien
ihr speit
Sie speien
sie speien

PERFECT
ich habe gespien
du hast gespien
er/sie hat gespien
wir haben gespien
ihr habt gespien
Sie haben gespien
sie haben gespien

IMPERFECT
ich spie
du spiest
er/sie spie
wir spien
ihr spiet
Sie spien
sie spien

PLUPERFECT
ich hatte gespien
du hattest gespien
er/sie hatte gespien
wir hatten gespien
ihr hattet gespien
Sie hatten gespien
sie hatten gespien

FUTURE
ich werde speien
du wirst speien
er/sie wird speien
wir werden speien
ihr werdet speien
Sie werden speien
sie werden speien

CONDITIONAL
ich würde speien
du würdest speien
er/sie würde speien
wir würden speien
ihr würdet speien
Sie würden speien
sie würden speien

SUBJUNCTIVE

PRESENT
ich speie
du speiest
er/sie speie
wir speien
ihr speiet
Sie speien
sie speien

IMPERFECT
ich spie
du spiest
er/sie spie
wir spien
ihr spiet
Sie spien
sie spien

FUTURE PERFECT
ich werde gespien haben
du wirst gespien haben *etc*

PERFECT
ich habe gespien
du habest gespien
er/sie habe gespien
wir haben gespien
ihr habet gespien
Sie haben gespien
sie haben gespien

PLUPERFECT
ich hätte gespien
du hättest gespien
er/sie hätte gespien
wir hätten gespien
ihr hättet gespien
Sie hätten gespien
sie hätten gespien

INFINITIVE

PRESENT
speien
PAST
gespien haben

PARTICIPLE

PRESENT
speiend
PAST
gespien

IMPERATIVE

spei(e)!
speit!
speien Sie!
speien wir!

PRESENT
ich spinne
du spinnst
er/sie spinnt
wir spinnen
ihr spinnt
Sie spinnen
sie spinnen

PERFECT
ich habe gesponnen
du hast gesponnen
er/sie hat gesponnen
wir haben gesponnen
ihr habt gesponnen
Sie haben gesponnen
sie haben gesponnen

IMPERFECT
ich spann
du spannst
er/sie spann
wir spannen
ihr spannt
Sie spannen
sie spannen

PLUPERFECT
ich hatte gesponnen
du hattest gesponnen
er/sie hatte gesponnen
wir hatten gesponnen
ihr hattet gesponnen
Sie hatten gesponnen
sie hatten gesponnen

FUTURE
ich werde spinnen
du wirst spinnen
er/sie wird spinnen
wir werden spinnen
ihr werdet spinnen
Sie werden spinnen
sie werden spinnen

CONDITIONAL
ich würde spinnen
du würdest spinnen
er/sie würde spinnen
wir würden spinnen
ihr würdet spinnen
Sie würden spinnen
sie würden spinnen

SUBJUNCTIVE

PRESENT
ich spinne
du spinnest
er/sie spinne
wir spinnen
ihr spinnet
Sie spinnen
sie spinnen

IMPERFECT (1)
ich spönne
du spönnest
er/sie spönne
wir spönnen
ihr spönnet
Sie spönnen
sie spönnen

FUTURE PERFECT
ich werde gesponnen haben
du wirst gesponnen haben *etc*

PERFECT
ich habe gesponnen
du habest gesponnen
er/sie habe gesponnen
wir haben gesponnen
ihr habet gesponnen
Sie haben gesponnen
sie haben gesponnen

PLUPERFECT
ich hätte gesponnen
du hättest gesponnen
er/sie hätte gesponnen
wir hätten gesponnen
ihr hättet gesponnen
Sie hätten gesponnen
sie hätten gesponnen

INFINITIVE

PRESENT
spinnen
PAST
gesponnen haben

PARTICIPLE

PRESENT
spinnend

PAST
gesponnen

IMPERATIVE
spinn(e)!
spinnt!
spinnen Sie!
spinnen wir!

NOTE

(1) ich **spänne** *etc is also possible*

PRESENT
ich spreche
du sprichst
er/sie spricht
wir sprechen
ihr sprecht
Sie sprechen
sie sprechen

PERFECT
ich habe gesprochen
du hast gesprochen
er/sie hat gesprochen
wir haben gesprochen
ihr habt gesprochen
Sie haben gesprochen
sie haben gesprochen

IMPERFECT
ich sprach
du sprachst
er/sie sprach
wir sprachen
ihr spracht
Sie sprachen
sie sprachen

PLUPERFECT
ich hatte gesprochen
du hattest gesprochen
er/sie hatte gesprochen
wir hatten gesprochen
ihr hattet gesprochen
Sie hatten gesprochen
sie hatten gesprochen

FUTURE
ich werde sprechen
du wirst sprechen
er/sie wird sprechen
wir werden sprechen
ihr werdet sprechen
Sie werden sprechen
sie werden sprechen

CONDITIONAL
ich würde sprechen
du würdest sprechen
er/sie würde sprechen
wir würden sprechen
ihr würdet sprechen
Sie würden sprechen
sie würden sprechen

SUBJUNCTIVE

PRESENT
ich spreche
du sprechest
er/sie spreche
wir sprechen
ihr sprechet
Sie sprechen
sie sprechen

IMPERFECT
ich spräche
du sprächest
er/sie spräche
wir sprächen
ihr sprächet
Sie sprächen
sie sprächen

FUTURE PERFECT
ich werde gesprochen haben
du wirst gesprochen haben *etc*

PERFECT
ich habe gesprochen
du habest gesprochen
er/sie habe gesprochen
wir haben gesprochen
ihr habet gesprochen
Sie haben gesprochen
sie haben gesprochen

PLUPERFECT
ich hätte gesprochen
du hättest gesprochen
er/sie hätte gesprochen
wir hätten gesprochen
ihr hättet gesprochen
Sie hätten gesprochen
sie hätten gesprochen

INFINITIVE

PRESENT
sprechen
PAST
gesprochen haben

PARTICIPLE

PRESENT
sprechend
PAST
gesprochen

IMPERATIVE

sprich!
sprecht!
sprechen Sie!
sprechen wir!

PRESENT
ich sprieße
du sprießt
er/sie sprießt
wir sprießen
ihr sprießt
Sie sprießen
sie sprießen

IMPERFECT
ich spross
du sprossest
er/sie spross
wir sprossen
ihr sprosst
Sie sprossen
sie sprossen

FUTURE
ich werde sprießen
du wirst sprießen
er/sie wird sprießen
wir werden sprießen
ihr werdet sprießen
Sie werden sprießen
sie werden sprießen

PERFECT
ich bin gesprossen
du bist gesprossen
er/sie ist gesprossen
wir sind gesprossen
ihr seid gesprossen
Sie sind gesprossen
sie sind gesprossen

PLUPERFECT
ich war gesprossen
du warst gesprossen
er/sie war gesprossen
wir waren gesprossen
ihr wart gesprossen
Sie waren gesprossen
sie waren gesprossen

CONDITIONAL
ich würde sprießen
du würdest sprießen
er/sie würde sprießen
wir würden sprießen
ihr würdet sprießen
Sie würden sprießen
sie würden sprießen

SUBJUNCTIVE

PRESENT
ich sprieße
du sprießest
er/sie sprieße
wir sprießen
ihr sprießet
Sie sprießen
sie sprießen

PERFECT
ich sei gesprossen
du sei(e)st gesprossen
er/sie sei gesprossen
wir seien gesprossen
ihr seiet gesprossen
Sie seien gesprossen
sie seien gesprossen

INFINITIVE

PRESENT
sprießen

PAST
gesprossen sein

IMPERFECT
ich sprösse
du sprössest
er/sie sprösse
wir sprössen
ihr sprösset
Sie sprössen
sie sprössen

PLUPERFECT
ich wäre gesprossen
du wär(e)st gesprossen
er/sie wäre gesprossen
wir wären gesprossen
ihr wär(e)t gesprossen
Sie wären gesprossen
sie wären gesprossen

PARTICIPLE

PRESENT
sprießend

PAST
gesprossen

IMPERATIVE
sprieß(e)!
sprießt!
sprießen Sie!
sprießen wir!

FUTURE PERFECT
ich werde gesprossen sein
du wirst gesprossen sein *etc*

SPRINGEN
159 *to jump*

PRESENT
ich springe
du springst
er/sie springt
wir springen
ihr springt
Sie springen
sie springen

IMPERFECT
ich sprang
du sprangst
er/sie sprang
wir sprangen
ihr sprangt
Sie sprangen
sie sprangen

FUTURE
ich werde springen
du wirst springen
er/sie wird springen
wir werden springen
ihr werdet springen
Sie werden springen
sie werden springen

PERFECT
ich bin gesprungen
du bist gesprungen
er/sie ist gesprungen
wir sind gesprungen
ihr seid gesprungen
Sie sind gesprungen
sie sind gesprungen

PLUPERFECT
ich war gesprungen
du warst gesprungen
er/sie war gesprungen
wir waren gesprungen
ihr wart gesprungen
Sie waren gesprungen
sie waren gesprungen

CONDITIONAL
ich würde springen
du würdest springen
er/sie würde springen
wir würden springen
ihr würdet springen
Sie würden springen
sie würden springen

SUBJUNCTIVE

PRESENT
ich springe
du springest
er/sie springe
wir springen
ihr springet
Sie springen
sie springen

PERFECT
ich sei gesprungen
du sei(e)st gesprungen
er/sie sei gesprungen
wir seien gesprungen
ihr seiet gesprungen
Sie seien gesprungen
sie seien gesprungen

INFINITIVE

PRESENT
springen

PAST
gesprungen sein

PARTICIPLE

PRESENT
springend

IMPERFECT
ich spränge
du sprängest
er/sie spränge
wir sprängen
ihr spränget
Sie sprängen
sie sprängen

PLUPERFECT
ich wäre gesprungen
du wär(e)st gesprungen
er/sie wäre gesprungen
wir wären gesprungen
ihr wär(e)t gesprungen
Sie wären gesprungen
sie wären gesprungen

PAST
gesprungen

IMPERATIVE

spring(e)!
springt!
springen Sie!
springen wir!

FUTURE PERFECT
ich werde gesprungen sein
du wirst gesprungen sein *etc*

PRESENT
ich steche
du stichst
er/sie sticht
wir stechen
ihr stecht
Sie stechen
sie stechen

PERFECT
ich habe gestochen
du hast gestochen
er/sie hat gestochen
wir haben gestochen
ihr habt gestochen
Sie haben gestochen
sie haben gestochen

IMPERFECT
ich stach
du stachst
er/sie stach
wir stachen
ihr stacht
Sie stachen
sie stachen

PLUPERFECT
ich hatte gestochen
du hattest gestochen
er/sie hatte gestochen
wir hatten gestochen
ihr hattet gestochen
Sie hatten gestochen
sie hatten gestochen

FUTURE
ich werde stechen
du wirst stechen
er/sie wird stechen
wir werden stechen
ihr werdet stechen
Sie werden stechen
sie werden stechen

CONDITIONAL
ich würde stechen
du würdest stechen
er/sie würde stechen
wir würden stechen
ihr würdet stechen
Sie würden stechen
sie würden stechen

SUBJUNCTIVE

PRESENT
ich steche
du stechest
er/sie steche
wir stechen
ihr stechet
Sie stechen
sie stechen

IMPERFECT
ich stäche
du stächest
er/sie stäche
wir stächen
ihr stächet
Sie stächen
sie stächen

PERFECT
ich habe gestochen
du habest gestochen
er/sie habe gestochen
wir haben gestochen
ihr habet gestochen
Sie haben gestochen
sie haben gestochen

PLUPERFECT
ich hätte gestochen
du hättest gestochen
er/sie hätte gestochen
wir hätten gestochen
ihr hättet gestochen
Sie hätten gestochen
sie hätten gestochen

FUTURE PERFECT
ich werde gestochen haben
du wirst gestochen haben *etc*

INFINITIVE

PRESENT
stechen
PAST
gestochen haben

PARTICIPLE

PRESENT
stechend
PAST
gestochen

IMPERATIVE
stich!
stecht!
stechen Sie!
stechen wir!

PRESENT
ich stecke
du steckst
er/sie steckt
wir stecken
ihr steckt
Sie stecken
sie stecken

PERFECT
ich habe gesteckt
du hast gesteckt
er/sie hat gesteckt
wir haben gesteckt
ihr habt gesteckt
Sie haben gesteckt
sie haben gesteckt

IMPERFECT *(2)*
ich stak
du stakst
er/sie stak
wir staken
ihr stakt
Sie staken
sie staken

PLUPERFECT
ich hatte gesteckt
du hattest gesteckt
er/sie hatte gesteckt
wir hatten gesteckt
ihr hattet gesteckt
Sie hatten gesteckt
sie hatten gesteckt

FUTURE
ich werde stecken
du wirst stecken
er/sie wird stecken
wir werden stecken
ihr werdet stecken
Sie werden stecken
sie werden stecken

CONDITIONAL
ich würde stecken
du würdest stecken
er/sie würde stecken
wir würden stecken
ihr würdet stecken
Sie würden stecken
sie würden stecken

SUBJUNCTIVE

PRESENT
ich stecke
du steckest
er/sie stecke
wir stecken
ihr stecket
Sie stecken
sie stecken

IMPERFECT
ich stäke
du stäkest
er/sie stäke
wir stäken
ihr stäket
Sie stäken
sie stäken

FUTURE PERFECT
ich werde gesteckt haben
du wirst gesteckt haben *etc*

PERFECT
ich habe gesteckt
du habest gesteckt
er/sie habe gesteckt
wir haben gesteckt
ihr habet gesteckt
Sie haben gesteckt
sie haben gesteckt

PLUPERFECT
ich hätte gesteckt
du hättest gesteckt
er/sie hätte gesteckt
wir hätten gesteckt
ihr hättet gesteckt
Sie hätten gesteckt
sie hätten gesteckt

INFINITIVE

PRESENT
stecken
PAST
gesteckt haben

PARTICIPLE

PRESENT
steckend
PAST
gesteckt

IMPERATIVE

steck(e)!
steckt!
stecken Sie!
stecken wir!

NOTE

*(1) also a weak verb meaning 'to put': ich steckte
etc (2) ich steckte, du stecktest etc is also possible*

PRESENT
ich stehe
du stehst
er/sie steht
wir stehen
ihr steht
Sie stehen
sie stehen

PERFECT
ich habe gestanden
du hast gestanden
er/sie hat gestanden
wir haben gestanden
ihr habt gestanden
Sie haben gestanden
sie haben gestanden

IMPERFECT
ich stand
du standst
er/sie stand
wir standen
ihr standet
Sie standen
sie standen

PLUPERFECT
ich hatte gestanden
du hattest gestanden
er/sie hatte gestanden
wir hatten gestanden
ihr hattet gestanden
Sie hatten gestanden
sie hatten gestanden

FUTURE
ich werde stehen
du wirst stehen
er/sie wird stehen
wir werden stehen
ihr werdet stehen
Sie werden stehen
sie werden stehen

CONDITIONAL
ich würde stehen
du würdest stehen
er/sie würde stehen
wir würden stehen
ihr würdet stehen
Sie würden stehen
sie würden stehen

SUBJUNCTIVE

PRESENT
ich stehe
du stehest
er/sie stehe
wir stehen
ihr stehet
Sie stehen
sie stehen

IMPERFECT (1)
ich stünde
du stündest
er/sie stünde
wir stünden
ihr stündet
Sie stünden
sie stünden

FUTURE PERFECT
ich werde gestanden haben
du wirst gestanden haben *etc*

PERFECT
ich habe gestanden
du habest gestanden
er/sie habe gestanden
wir haben gestanden
ihr habet gestanden
Sie haben gestanden
sie haben gestanden

PLUPERFECT
ich hätte gestanden
du hättest gestanden
er/sie hätte gestanden
wir hätten gestanden
ihr hättet gestanden
Sie hätten gestanden
sie hätten gestanden

INFINITIVE

PRESENT
stehen
PAST
gestanden haben

PARTICIPLE

PRESENT
stehend
PAST
gestanden

IMPERATIVE
steh(e)!
steht!
stehen Sie!
stehen wir!

NOTE

(1) **ich stände, du ständest** *etc is also possible*

STEHLEN
163 to steal

PRESENT	IMPERFECT	FUTURE
ich stehle	ich stahl	ich werde stehlen
du stiehlst	du stahlst	du wirst stehlen
er/sie stiehlt	er/sie stahl	er/sie wird stehlen
wir stehlen	wir stahlen	wir werden stehlen
ihr stehlt	ihr stahlt	ihr werdet stehlen
Sie stehlen	Sie stahlen	Sie werden stehlen
sie stehlen	sie stahlen	sie werden stehlen

PERFECT	PLUPERFECT	CONDITIONAL
ich habe gestohlen	ich hatte gestohlen	ich würde stehlen
du hast gestohlen	du hattest gestohlen	du würdest stehlen
er/sie hat gestohlen	er/sie hatte gestohlen	er/sie würde stehlen
wir haben gestohlen	wir hatten gestohlen	wir würden stehlen
ihr habt gestohlen	ihr hattet gestohlen	ihr würdet stehlen
Sie haben gestohlen	Sie hatten gestohlen	Sie würden stehlen
sie haben gestohlen	sie hatten gestohlen	sie würden stehlen

SUBJUNCTIVE

PRESENT	PERFECT
ich stehle	ich habe gestohlen
du stehlest	du habest gestohlen
er/sie stehle	er/sie habe gestohlen
wir stehlen	wir haben gestohlen
ihr stehlet	ihr habet gestohlen
Sie stehlen	Sie haben gestohlen
sie stehlen	sie haben gestohlen

IMPERFECT	PLUPERFECT
ich stähle	ich hätte gestohlen
du stählest	du hättest gestohlen
er/sie stähle	er/sie hätte gestohlen
wir stählen	wir hätten gestohlen
ihr stählet	ihr hättet gestohlen
Sie stählen	Sie hätten gestohlen
sie stählen	sie hätten gestohlen

FUTURE PERFECT
ich werde gestohlen haben
du wirst gestohlen haben *etc*

INFINITIVE

PRESENT
stehlen
PAST
gestohlen haben

PARTICIPLE

PRESENT
stehlend

PAST
gestohlen

IMPERATIVE

stiehl!
stehlt!
stehlen Sie!
stehlen wir!

PRESENT

ich steige
du steigst
er/sie steigt
wir steigen
ihr steigt
Sie steigen
sie steigen

PERFECT

ich bin gestiegen
du bist gestiegen
er/sie ist gestiegen
wir sind gestiegen
ihr seid gestiegen
Sie sind gestiegen
sie sind gestiegen

IMPERFECT

ich stieg
du stiegst
er/sie stieg
wir stiegen
ihr stiegt
Sie stiegen
sie stiegen

PLUPERFECT

ich war gestiegen
du warst gestiegen
er/sie war gestiegen
wir waren gestiegen
ihr wart gestiegen
Sie waren gestiegen
sie waren gestiegen

FUTURE

ich werde steigen
du wirst steigen
er/sie wird steigen
wir werden steigen
ihr werdet steigen
Sie werden steigen
sie werden steigen

CONDITIONAL

ich würde steigen
du würdest steigen
er/sie würde steigen
wir würden steigen
ihr würdet steigen
Sie würden steigen
sie würden steigen

SUBJUNCTIVE

PRESENT

ich steige
du steigest
er/sie steige
wir steigen
ihr steiget
Sie steigen
sie steigen

IMPERFECT

ich stiege
du stiegest
er/sie stiege
wir stiegen
ihr stieget
Sie stiegen
sie stiegen

FUTURE PERFECT

ich werde gestiegen sein
du wirst gestiegen sein *etc*

PERFECT

ich sei gestiegen
du sei(e)st gestiegen
er/sie sei gestiegen
wir seien gestiegen
ihr seiet gestiegen
Sie seien gestiegen
sie seien gestiegen

PLUPERFECT

ich wäre gestiegen
du wär(e)st gestiegen
er/sie wäre gestiegen
wir wären gestiegen
ihr wär(e)t gestiegen
Sie wären gestiegen
sie wären gestiegen

INFINITIVE

PRESENT

steigen

PAST

gestiegen sein

PARTICIPLE

PRESENT

steigend

PAST

gestiegen

IMPERATIVE

steig(e)!
steigt!
steigen Sie!
steigen wir!

PRESENT
ich sterbe
du stirbst
er/sie stirbt
wir sterben
ihr sterbt
Sie sterben
sie sterben

IMPERFECT
ich starb
du starbst
er/sie starb
wir starben
ihr starbt
Sie starben
sie starben

FUTURE
ich werde sterben
du wirst sterben
er/sie wird sterben
wir werden sterben
ihr werdet sterben
Sie werden sterben
sie werden sterben

PERFECT
ich bin gestorben
du bist gestorben
er/sie ist gestorben
wir sind gestorben
ihr seid gestorben
Sie sind gestorben
sie sind gestorben

PLUPERFECT
ich war gestorben
du warst gestorben
er/sie war gestorben
wir waren gestorben
ihr wart gestorben
Sie waren gestorben
sie waren gestorben

CONDITIONAL
ich würde sterben
du würdest sterben
er/sie würde sterben
wir würden sterben
ihr würdet sterben
Sie würden sterben
sie würden sterben

SUBJUNCTIVE

PRESENT
ich sterbe
du sterbest
er/sie sterbe
wir sterben
ihr sterbet
Sie sterben
sie sterben

PERFECT
ich sei gestorben
du sei(e)st gestorben
er/sie sei gestorben
wir seien gestorben
ihr seiet gestorben
Sie seien gestorben
sie seien gestorben

INFINITIVE

PRESENT
sterben

PAST
gestorben sein

PARTICIPLE

PRESENT
sterbend

IMPERFECT
ich stürbe
du stürbest
er/sie stürbe
wir stürben
ihr stürbet
Sie stürben
sie stürben

PLUPERFECT
ich wäre gestorben
du wär(e)st gestorben
er/sie wäre gestorben
wir wären gestorben
ihr wär(e)t gestorben
Sie wären gestorben
sie wären gestorben

PAST
gestorben

IMPERATIVE

stirb!
sterbt!
sterben Sie!
sterben wir!

FUTURE PERFECT
ich werde gestorben sein
du wirst gestorben sein *etc*

PRESENT
ich stinke
du stinkst
er/sie stinkt
wir stinken
ihr stinkt
Sie stinken
sie stinken

PERFECT
ich habe gestunken
du hast gestunken
er/sie hat gestunken
wir haben gestunken
ihr habt gestunken
Sie haben gestunken
sie haben gestunken

IMPERFECT
ich stank
du stankst
er/sie stank
wir stanken
ihr stankt
Sie stanken
sie stanken

PLUPERFECT
ich hatte gestunken
du hattest gestunken
er/sie hatte gestunken
wir hatten gestunken
ihr hattet gestunken
Sie hatten gestunken
sie hatten gestunken

FUTURE
ich werde stinken
du wirst stinken
er/sie wird stinken
wir werden stinken
ihr werdet stinken
Sie werden stinken
sie werden stinken

CONDITIONAL
ich würde stinken
du würdest stinken
er/sie würde stinken
wir würden stinken
ihr würdet stinken
Sie würden stinken
sie würden stinken

SUBJUNCTIVE

PRESENT
ich stinke
du stinkest
er/sie stinke
wir stinken
ihr stinket
Sie stinken
sie stinken

IMPERFECT
ich stänke
du stänkest
er/sie stänke
wir stänken
ihr stänket
Sie stänken
sie stänken

FUTURE PERFECT
ich werde gestunken haben
du wirst gestunken haben *etc*

PERFECT
ich habe gestunken
du habest gestunken
er/sie habe gestunken
wir haben gestunken
ihr habet gestunken
Sie haben gestunken
sie haben gestunken

PLUPERFECT
ich hätte gestunken
du hättest gestunken
er/sie hätte gestunken
wir hätten gestunken
ihr hättet gestunken
Sie hätten gestunken
sie hätten gestunken

INFINITIVE

PRESENT
stinken
PAST
gestunken haben

PARTICIPLE

PRESENT
stinkend
PAST
gestunken

IMPERATIVE
stink(e)!
stinkt!
stinken Sie!
stinken wir!

STOSSEN
167 — to push

PRESENT
ich stoße
du stößt
er/sie stößt
wir stoßen
ihr stoßt
Sie stoßen
sie stoßen

PERFECT *(1)*
ich habe gestoßen
du hast gestoßen
er/sie hat gestoßen
wir haben gestoßen
ihr habt gestoßen
Sie haben gestoßen
sie haben gestoßen

IMPERFECT
ich stieß
du stießt
er/sie stieß
wir stießen
ihr stießt
Sie stießen
sie stießen

PLUPERFECT *(2)*
ich hatte gestoßen
du hattest gestoßen
er/sie hatte gestoßen
wir hatten gestoßen
ihr hattet gestoßen
Sie hatten gestoßen
sie hatten gestoßen

FUTURE
ich werde stoßen
du wirst stoßen
er/sie wird stoßen
wir werden stoßen
ihr werdet stoßen
Sie werden stoßen
sie werden stoßen

CONDITIONAL
ich würde stoßen
du würdest stoßen
er/sie würde stoßen
wir würden stoßen
ihr würdet stoßen
Sie würden stoßen
sie würden stoßen

SUBJUNCTIVE

PRESENT
ich stoße
du stoßest
er/sie stoße
wir stoßen
ihr stoßet
Sie stoßen
sie stoßen

IMPERFECT
ich stieße
du stießest
er/sie stieße
wir stießen
ihr stießet
Sie stießen
sie stießen

FUTURE PERFECT *(5)*
ich werde gestoßen haben
du wirst gestoßen haben *etc*

PERFECT *(3)*
ich habe gestoßen
du habest gestoßen
er/sie habe gestoßen
wir haben gestoßen
ihr habet gestoßen
Sie haben gestoßen
sie haben gestoßen

PLUPERFECT *(4)*
ich hätte gestoßen
du hättest gestoßen
er/sie hätte gestoßen
wir hätten gestoßen
ihr hättet gestoßen
Sie hätten gestoßen
sie hätten gestoßen

INFINITIVE

PRESENT
stoßen
PAST *(6)*
gestoßen haben

PARTICIPLE

PRESENT
stoßend

PAST
gestoßen

IMPERATIVE
stoß(e)!
stoßt!
stoßen Sie!
stoßen wir!

NOTE

also intransitive with preposition ('to run into'):
(1) ich bin gestoßen etc (2) ich war gestoßen etc
(3) ich sei gestoßen etc (4) ich wäre gestoßen etc
(5) ich werde gestoßen sein etc (6) gestoßen sein

PRESENT
ich streiche
du streichst
er/sie streicht
wir streichen
ihr streicht
Sie streichen
sie streichen

PERFECT (1)
ich habe gestrichen
du hast gestrichen
er/sie hat gestrichen
wir haben gestrichen
ihr habt gestrichen
Sie haben gestrichen
sie haben gestrichen

IMPERFECT
ich strich
du strichst
er/sie strich
wir strichen
ihr stricht
Sie strichen
sie strichen

PLUPERFECT (2)
ich hatte gestrichen
du hattest gestrichen
er/sie hatte gestrichen
wir hatten gestrichen
ihr hattet gestrichen
Sie hatten gestrichen
sie hatten gestrichen

FUTURE
ich werde streichen
du wirst streichen
er/sie wird streichen
wir werden streichen
ihr werdet streichen
Sie werden streichen
sie werden streichen

CONDITIONAL
ich würde streichen
du würdest streichen
er/sie würde streichen
wir würden streichen
ihr würdet streichen
Sie würden streichen
sie würden streichen

SUBJUNCTIVE

PRESENT
ich streiche
du streichest
er/sie streiche
wir streichen
ihr streichet
Sie streichen
sie streichen

IMPERFECT
ich striche
du strichest
er/sie striche
wir strichen
ihr strichet
Sie strichen
sie strichen

FUTURE PERFECT (5)
ich werde gestrichen haben
du wirst gestrichen haben *etc*

PERFECT (3)
ich habe gestrichen
du habest gestrichen
er/sie habe gestrichen
wir haben gestrichen
ihr habet gestrichen
Sie haben gestrichen
sie haben gestrichen

PLUPERFECT (4)
ich hätte gestrichen
du hättest gestrichen
er/sie hätte gestrichen
wir hätten gestrichen
ihr hättet gestrichen
Sie hätten gestrichen
sie hätten gestrichen

INFINITIVE

PRESENT
streichen
PAST (6)
gestrichen haben

PARTICIPLE
PRESENT
streichend

PAST
gestrichen

IMPERATIVE
streich(e)!
streicht!
streichen Sie!
streichen wir!

NOTE

also intransitive with preposition ('to sweep, brush past'): (1) ich bin gestrichen etc (2) ich war gestrichen etc (3) ich sei gestrichen etc (4) ich wäre gestrichen etc (5) ich werde gestrichen sein etc (6) gestrichen sein

PRESENT	IMPERFECT	FUTURE
ich streite	ich stritt	ich werde streiten
du streitest	du strittst	du wirst streiten
er/sie streitet	er/sie stritt	er/sie wird streiten
wir streiten	wir stritten	wir werden streiten
ihr streitet	ihr strittet	ihr werdet streiten
Sie streiten	Sie stritten	Sie werden streiten
sie streiten	sie stritten	sie werden streiten

PERFECT	PLUPERFECT	CONDITIONAL
ich habe gestritten	ich hatte gestritten	ich würde streiten
du hast gestritten	du hattest gestritten	du würdest streiten
er/sie hat gestritten	er/sie hatte gestritten	er/sie würde streiten
wir haben gestritten	wir hatten gestritten	wir würden streiten
ihr habt gestritten	ihr hattet gestritten	ihr würdet streiten
Sie haben gestritten	Sie hatten gestritten	Sie würden streiten
sie haben gestritten	sie hatten gestritten	sie würden streiten

SUBJUNCTIVE

PRESENT	PERFECT
ich streite	ich habe gestritten
du streitest	du habest gestritten
er/sie streite	er/sie habe gestritten
wir streiten	wir haben gestritten
ihr streitet	ihr habet gestritten
Sie streiten	Sie haben gestritten
sie streiten	sie haben gestritten

IMPERFECT	PLUPERFECT
ich stritte	ich hätte gestritten
du strittest	du hättest gestritten
er/sie stritte	er/sie hätte gestritten
wir stritten	wir hätten gestritten
ihr strittet	ihr hättet gestritten
Sie stritten	Sie hätten gestritten
sie stritten	sie hätten gestritten

FUTURE PERFECT
ich werde gestritten haben
du wirst gestritten haben *etc*

INFINITIVE

PRESENT
streiten

PAST
gestritten haben

PARTICIPLE

PRESENT
streitend

PAST
gestritten

IMPERATIVE
streit(e)!
streitet!
streiten Sie!
streiten wir!

PRESENT

ich stürze
du stürzst
er/sie stürzt
wir stürzen
ihr stürzt
Sie stürzen
sie stürzen

IMPERFECT

ich stürzte
du stürztest
er/sie stürzte
wir stürzten
ihr stürztet
Sie stürzten
sie stürzten

FUTURE

ich werde stürzen
du wirst stürzen
er/sie wird stürzen
wir werden stürzen
ihr werdet stürzen
Sie werden stürzen
sie werden stürzen

PERFECT

ich bin gestürzt
du bist gestürzt
er/sie ist gestürzt
wir sind gestürzt
ihr seid gestürzt
Sie sind gestürzt
sie sind gestürzt

PLUPERFECT

ich war gestürzt
du warst gestürzt
er/sie war gestürzt
wir waren gestürzt
ihr wart gestürzt
Sie waren gestürzt
sie waren gestürzt

CONDITIONAL

ich würde stürzen
du würdest stürzen
er/sie würde stürzen
wir würden stürzen
ihr würdet stürzen
Sie würden stürzen
sie würden stürzen

SUBJUNCTIVE

PRESENT

ich stürze
du stürzest
er/sie stürze
wir stürzen
ihr stürzet
Sie stürzen
sie stürzen

PERFECT

ich sei gestürzt
du sei(e)st gestürzt
er/sie sei gestürzt
wir seien gestürzt
ihr seiet gestürzt
Sie seien gestürzt
sie seien gestürzt

INFINITIVE

PRESENT

stürzen

PAST

gestürzt sein

IMPERFECT

ich stürzte
du stürztest
er/sie stürzte
wir stürzten
ihr stürztet
Sie stürzten
sie stürzten

PLUPERFECT

ich wäre gestürzt
du wär(e)st gestürzt
er/sie wäre gestürzt
wir wären gestürzt
ihr wär(e)t gestürzt
Sie wären gestürzt
sie wären gestürzt

PARTICIPLE

PRESENT

stürzend

PAST

gestürzt

IMPERATIVE

stürz(e)!
stürzt!
stürzen Sie!
stürzen wir!

FUTURE PERFECT

ich werde gestürzt sein
du wirst gestürzt sein *etc*

TRAGEN
171 to carry; to wear

PRESENT	IMPERFECT	FUTURE
ich trage	ich trug	ich werde tragen
du trägst	du trugst	du wirst tragen
er/sie trägt	er/sie trug	er/sie wird tragen
wir tragen	wir trugen	wir werden tragen
ihr tragt	ihr trugt	ihr werdet tragen
Sie tragen	Sie trugen	Sie werden tragen
sie tragen	sie trugen	sie werden tragen

PERFECT	PLUPERFECT	CONDITIONAL
ich habe getragen	ich hatte getragen	ich würde tragen
du hast getragen	du hattest getragen	du würdest tragen
er/sie hat getragen	er/sie hatte getragen	er/sie würde tragen
wir haben getragen	wir hatten getragen	wir würden tragen
ihr habt getragen	ihr hattet getragen	ihr würdet tragen
Sie haben getragen	Sie hatten getragen	Sie würden tragen
sie haben getragen	sie hatten getragen	sie würden tragen

SUBJUNCTIVE

INFINITIVE

PRESENT	PERFECT
ich trage	ich habe getragen
du tragest	du habest getragen
er/sie trage	er/sie habe getragen
wir tragen	wir haben getragen
ihr traget	ihr habet getragen
Sie tragen	Sie haben getragen
sie tragen	sie haben getragen

PRESENT
tragen
PAST
getragen haben

PARTICIPLE

IMPERFECT	PLUPERFECT
ich trüge	ich hätte getragen
du trügest	du hättest getragen
er/sie trüge	er/sie hätte getragen
wir trügen	wir hätten getragen
ihr trüget	ihr hättet getragen
Sie trügen	Sie hätten getragen
sie trügen	sie hätten getragen

PRESENT
tragend
PAST
getragen

IMPERATIVE
trag(e)!
tragt!
tragen Sie!
tragen wir!

FUTURE PERFECT
ich werde getragen haben
du wirst getragen haben *etc*

PRESENT
ich treffe
du triffst
er/sie trifft
wir treffen
ihr trefft
Sie treffen
sie treffen

IMPERFECT
ich traf
du trafst
er/sie traf
wir trafen
ihr traft
Sie trafen
sie trafen

FUTURE
ich werde treffen
du wirst treffen
er/sie wird treffen
wir werden treffen
ihr werdet treffen
Sie werden treffen
sie werden treffen

PERFECT
ich habe getroffen
du hast getroffen
er/sie hat getroffen
wir haben getroffen
ihr habt getroffen
Sie haben getroffen
sie haben getroffen

PLUPERFECT
ich hatte getroffen
du hattest getroffen
er/sie hatte getroffen
wir hatten getroffen
ihr hattet getroffen
Sie hatten getroffen
sie hatten getroffen

CONDITIONAL
ich würde treffen
du würdest treffen
er/sie würde treffen
wir würden treffen
ihr würdet treffen
Sie würden treffen
sie würden treffen

SUBJUNCTIVE

PRESENT
ich treffe
du treffest
er/sie treffe
wir treffen
ihr treffet
Sie treffen
sie treffen

PERFECT
ich habe getroffen
du habest getroffen
er/sie habe getroffen
wir haben getroffen
ihr habet getroffen
Sie haben getroffen
sie haben getroffen

INFINITIVE

PRESENT
treffen
PAST
getroffen haben

IMPERFECT
ich träfe
du träfest
er/sie träfe
wir träfen
ihr träfet
Sie träfen
sie träfen

PLUPERFECT
ich hätte getroffen
du hättest getroffen
er/sie hätte getroffen
wir hätten getroffen
ihr hättet getroffen
Sie hätten getroffen
sie hätten getroffen

PARTICIPLE

PRESENT
treffend
PAST
getroffen

IMPERATIVE

triff!
trefft!
treffen Sie!
treffen wir!

FUTURE PERFECT
ich werde getroffen haben
du wirst getroffen haben *etc*

TREIBEN
173 *to drive; to float*

PRESENT
ich treibe
du treibst
er/sie treibt
wir treiben
ihr treibt
Sie treiben
sie treiben

PERFECT *(1)*
ich habe getrieben
du hast getrieben
er/sie hat getrieben
wir haben getrieben
ihr habt getrieben
Sie haben getrieben
sie haben getrieben

IMPERFECT
ich trieb
du triebst
er/sie trieb
wir trieben
ihr triebt
Sie trieben
sie trieben

PLUPERFECT *(2)*
ich hatte getrieben
du hattest getrieben
er/sie hatte getrieben
wir hatten getrieben
ihr hattet getrieben
Sie hatten getrieben
sie hatten getrieben

FUTURE
ich werde treiben
du wirst treiben
er/sie wird treiben
wir werden treiben
ihr werdet treiben
Sie werden treiben
sie werden treiben

CONDITIONAL
ich würde treiben
du würdest treiben
er/sie würde treiben
wir würden treiben
ihr würdet treiben
Sie würden treiben
sie würden treiben

SUBJUNCTIVE

PRESENT
ich treibe
du treibest
er/sie treibe
wir treiben
ihr treibet
Sie treiben
sie treiben

IMPERFECT
ich triebe
du triebest
er/sie triebe
wir trieben
ihr triebet
Sie trieben
sie trieben

FUTURE PERFECT *(5)*
ich werde getrieben haben
du wirst getrieben haben *etc*

PERFECT *(3)*
ich habe getrieben
du habest getrieben
er/sie habe getrieben
wir haben getrieben
ihr habet getrieben
Sie haben getrieben
sie haben getrieben

PLUPERFECT *(4)*
ich hätte getrieben
du hättest getrieben
er/sie hätte getrieben
wir hätten getrieben
ihr hättet getrieben
Sie hätten getrieben
sie hätten getrieben

INFINITIVE

PRESENT
treiben

PAST *(6)*
getrieben haben

PARTICIPLE

PRESENT
treibend

PAST
getrieben

IMPERATIVE
treib(e)!
treibt!
treiben Sie!
treiben wir!

NOTE

also intransitive ('to drift'): (1) ich bin getrieben etc (2) ich war getrieben etc (3) ich sei getrieben etc (4) ich wäre getrieben etc (5) ich werde getrieben sein etc (6) getrieben sein

PRESENT
ich trete
du trittst
er/sie tritt
wir treten
ihr tretet
Sie treten
sie treten

IMPERFECT
ich trat
du tratst
er/sie trat
wir traten
ihr tratet
Sie traten
sie traten

FUTURE
ich werde treten
du wirst treten
er/sie wird treten
wir werden treten
ihr werdet treten
Sie werden treten
sie werden treten

PERFECT *(1)*
ich habe getreten
du hast getreten
er/sie hat getreten
wir haben getreten
ihr habt getreten
Sie haben getreten
sie haben getreten

PLUPERFECT *(2)*
ich hatte getreten
du hattest getreten
er/sie hatte getreten
wir hatten getreten
ihr hattet getreten
Sie hatten getreten
sie hatten getreten

CONDITIONAL
ich würde treten
du würdest treten
er/sie würde treten
wir würden treten
ihr würdet treten
Sie würden treten
sie würden treten

SUBJUNCTIVE

PRESENT
ich trete
du tretest
er/sie trete
wir treten
ihr tretet
Sie treten
sie treten

PERFECT *(3)*
ich habe getreten
du habest getreten
er/sie habe getreten
wir haben getreten
ihr habet getreten
Sie haben getreten
sie haben getreten

INFINITIVE

PRESENT
treten
PAST *(6)*
getreten haben

PARTICIPLE

PRESENT
tretend

IMPERFECT
ich träte
du trätest
er/sie träte
wir träten
ihr trätet
Sie träten
sie träten

PLUPERFECT *(4)*
ich hätte getreten
du hättest getreten
er/sie hätte getreten
wir hätten getreten
ihr hättet getreten
Sie hätten getreten
sie hätten getreten

PAST
getreten

IMPERATIVE

tritt!
tretet!
treten Sie!
treten wir!

FUTURE PERFECT *(5)*
ich werde getreten haben
du wirst getreten haben *etc*

NOTE

also intransitive ('to step'): (1) ich bin getreten
etc (2) ich war getreten *etc (3)* ich sei getreten
etc (4) ich wäre getreten *etc (5)* ich werde
getreten sein *etc (6)* getreten sein

TRINKEN
175 *to drink*

PRESENT
ich trinke
du trinkst
er/sie trinkt
wir trinken
ihr trinkt
Sie trinken
sie trinken

IMPERFECT
ich trank
du trankst
er/sie trank
wir tranken
ihr trankt
Sie tranken
sie tranken

FUTURE
ich werde trinken
du wirst trinken
er/sie wird trinken
wir werden trinken
ihr werdet trinken
Sie werden trinken
sie werden trinken

PERFECT
ich habe getrunken
du hast getrunken
er/sie hat getrunken
wir haben getrunken
ihr habt getrunken
Sie haben getrunken
sie haben getrunken

PLUPERFECT
ich hatte getrunken
du hattest getrunken
er/sie hatte getrunken
wir hatten getrunken
ihr hattet getrunken
Sie hatten getrunken
sie hatten getrunken

CONDITIONAL
ich würde trinken
du würdest trinken
er/sie würde trinken
wir würden trinken
ihr würdet trinken
Sie würden trinken
sie würden trinken

SUBJUNCTIVE

PRESENT
ich trinke
du trinkest
er/sie trinke
wir trinken
ihr trinket
Sie trinken
sie trinken

PERFECT
ich habe getrunken
du habest getrunken
er/sie habe getrunken
wir haben getrunken
ihr habet getrunken
Sie haben getrunken
sie haben getrunken

IMPERFECT
ich tränke
du tränkest
er/sie tränke
wir tränken
ihr tränket
Sie tränken
sie tränken

PLUPERFECT
ich hätte getrunken
du hättest getrunken
er/sie hätte getrunken
wir hätten getrunken
ihr hättet getrunken
Sie hätten getrunken
sie hätten getrunken

FUTURE PERFECT
ich werde getrunken haben
du wirst getrunken haben *etc*

INFINITIVE

PRESENT
trinken
PAST
getrunken haben

PARTICIPLE

PRESENT
trinkend
PAST
getrunken

IMPERATIVE

trink(e)!
trinkt!
trinken Sie!
trinken wir!

PRESENT
ich trockne
du trocknest
er/sie trocknet
wir trocknen
ihr trocknet
Sie trocknen
sie trocknen

IMPERFECT
ich trocknete
du trocknetest
er/sie trocknete
wir trockneten
ihr trocknetet
Sie trockneten
sie trockneten

FUTURE
ich werde trocknen
du wirst trocknen
er/sie wird trocknen
wir werden trocknen
ihr werdet trocknen
Sie werden trocknen
sie werden trocknen

PERFECT
ich habe getrocknet
du hast getrocknet
er/sie hat getrocknet
wir haben getrocknet
ihr habt getrocknet
Sie haben getrocknet
sie haben getrocknet

PLUPERFECT
ich hatte getrocknet
du hattest getrocknet
er/sie hatte getrocknet
wir hatten getrocknet
ihr hattet getrocknet
Sie hatten getrocknet
sie hatten getrocknet

CONDITIONAL
ich würde trocknen
du würdest trocknen
er/sie würde trocknen
wir würden trocknen
ihr würdet trocknen
Sie würden trocknen
sie würden trocknen

SUBJUNCTIVE

PRESENT
ich trockne
du trocknest
er/sie trockne
wir trocknen
ihr trocknet
Sie trocknen
sie trocknen

PERFECT
ich habe getrocknet
du habest getrocknet
er/sie habe getrocknet
wir haben getrocknet
ihr habet getrocknet
Sie haben getrocknet
sie haben getrocknet

INFINITIVE

PRESENT
trocknen
PAST
getrocknet haben

IMPERFECT
ich trocknete
du trocknetest
er/sie trocknete
wir trockneten
ihr trocknetet
Sie trockneten
sie trockneten

PLUPERFECT
ich hätte getrocknet
du hättest getrocknet
er/sie hätte getrocknet
wir hätten getrocknet
ihr hättet getrocknet
Sie hätten getrocknet
sie hätten getrocknet

PARTICIPLE

PRESENT
trocknend
PAST
getrocknet

IMPERATIVE

trockne!
trocknet!
trocknen Sie!
trocknen wir!

FUTURE PERFECT
ich werde getrocknet haben
du wirst getrocknet haben *etc*

TRÜGEN
177 *to deceive*

PRESENT	IMPERFECT	FUTURE
ich trüge	ich trog	ich werde trügen
du trügst	du trogst	du wirst trügen
er/sie trügt	er/sie trog	er/sie wird trügen
wir trügen	wir trogen	wir werden trügen
ihr trügt	ihr trogt	ihr werdet trügen
Sie trügen	Sie trogen	Sie werden trügen
sie trügen	sie trogen	sie werden trügen

PERFECT	PLUPERFECT	CONDITIONAL
ich habe getrogen	ich hatte getrogen	ich würde trügen
du hast getrogen	du hattest getrogen	du würdest trügen
er/sie hat getrogen	er/sie hatte getrogen	er/sie würde trügen
wir haben getrogen	wir hatten getrogen	wir würden trügen
ihr habt getrogen	ihr hattet getrogen	ihr würdet trügen
Sie haben getrogen	Sie hatten getrogen	Sie würden trügen
sie haben getrogen	sie hatten getrogen	sie würden trügen

SUBJUNCTIVE

PRESENT	PERFECT
ich trüge	ich habe getrogen
du trügest	du habest getrogen
er/sie trüge	er/sie habe getrogen
wir trügen	wir haben getrogen
ihr trüget	ihr habet getrogen
Sie trügen	Sie haben getrogen
sie trügen	sie haben getrogen

IMPERFECT	PLUPERFECT
ich tröge	ich hätte getrogen
du trögest	du hättest getrogen
er/sie tröge	er/sie hätte getrogen
wir trögen	wir hätten getrogen
ihr tröget	ihr hättet getrogen
Sie trögen	Sie hätten getrogen
sie trögen	sie hätten getrogen

FUTURE PERFECT
ich werde getrogen haben
du wirst getrogen haben *etc*

INFINITIVE

PRESENT
trügen

PAST
getrogen haben

PARTICIPLE

PRESENT
trügend

PAST
getrogen

IMPERATIVE
trüg(e)!
trügt!
trügen Sie!
trügen wir!

PRESENT

ich tue
du tust
er/sie tut
wir tun
ihr tut
Sie tun
sie tun

PERFECT

ich habe getan
du hast getan
er/sie hat getan
wir haben getan
ihr habt getan
Sie haben getan
sie haben getan

IMPERFECT

ich tat
du tat(e)st
er/sie tat
wir taten
ihr tatet
Sie taten
sie taten

PLUPERFECT

ich hatte getan
du hattest getan
er/sie hatte getan
wir hatten getan
ihr hattet getan
Sie hatten getan
sie hatten getan

FUTURE

ich werde tun
du wirst tun
er/sie wird tun
wir werden tun
ihr werdet tun
Sie werden tun
sie werden tun

CONDITIONAL

ich würde tun
du würdest tun
er/sie würde tun
wir würden tun
ihr würdet tun
Sie würden tun
sie würden tun

SUBJUNCTIVE

PRESENT

ich tue
du tuest
er/sie tue
wir tuen
ihr tuet
Sie tuen
sie tuen

IMPERFECT

ich täte
du tätest
er/sie täte
wir täten
ihr tätet
Sie täten
sie täten

FUTURE PERFECT

ich werde getan haben
du wirst getan haben *etc*

PERFECT

ich habe getan
du habest getan
er/sie habe getan
wir haben getan
ihr habet getan
Sie haben getan
sie haben getan

PLUPERFECT

ich hätte getan
du hättest getan
er/sie hätte getan
wir hätten getan
ihr hättet getan
Sie hätten getan
sie hätten getan

INFINITIVE

PRESENT

tun

PAST

getan haben

PARTICIPLE

PRESENT

tuend

PAST

getan

IMPERATIVE

tu(e)!
tut!
tun Sie!
tun wir!

VERDERBEN
179 to spoil, to ruin

PRESENT
ich verderbe
du verdirbst
er/sie verdirbt
wir verderben
ihr verderbt
Sie verderben
sie verderben

IMPERFECT
ich verdarb
du verdarbst
er/sie verdarb
wir verdarben
ihr verdarbt
Sie verdarben
sie verdarben

FUTURE
ich werde verderben
du wirst verderben
er/sie wird verderben
wir werden verderben
ihr werdet verderben
Sie werden verderben
sie werden verderben

PERFECT (1)
ich habe verdorben
du hast verdorben
er/sie hat verdorben
wir haben verdorben
ihr habt verdorben
Sie haben verdorben
sie haben verdorben

PLUPERFECT (2)
ich hatte verdorben
du hattest verdorben
er/sie hatte verdorben
wir hatten verdorben
ihr hattet verdorben
Sie hatten verdorben
sie hatten verdorben

CONDITIONAL
ich würde verderben
du würdest verderben
er/sie würde verderben
wir würden verderben
ihr würdet verderben
Sie würden verderben
sie würden verderben

SUBJUNCTIVE

PRESENT
ich verderbe
du verderbest
er/sie verderbe
wir verderben
ihr verderbet
Sie verderben
sie verderben

PERFECT (3)
ich habe verdorben
du habest verdorben
er/sie habe verdorben
wir haben verdorben
ihr habet verdorben
Sie haben verdorben
sie haben verdorben

INFINITIVE

PRESENT
verderben
PAST (6)
verdorben haben

PARTICIPLE

PRESENT
verderbend

IMPERFECT
ich verdürbe
du verdürbest
er/sie verdürbe

wir verdürben
ihr verdürbet
Sie verdürben
sie verdürben

PLUPERFECT (4)
ich hätte verdorben
du hättest verdorben
er/sie hätte verdorben

wir hätten verdorben
ihr hättet verdorben
Sie hätten verdorben
sie hätten verdorben

PAST
verdorben

IMPERATIVE

verdirb!
verderbt!
verderben Sie!
verderben wir!

FUTURE PERFECT (5)
ich werde verdorben haben
du wirst verdorben haben *etc*

NOTE

also intransitive ('to be ruined, go bad'): (1) ich
bin verdorben *etc (2)* ich war verdorben *etc*
(3) ich sei verdorben *etc (4)* ich wäre
verdorben *etc (5)* ich werde verdorben sein *etc*
(6) verdorben sein

PRESENT
ich verdrieße
du verdrießt
er/sie verdrießt
wir verdrießen
ihr verdrießt
Sie verdrießen
sie verdrießen

IMPERFECT
ich verdross
du verdrossest
er/sie verdross
wir verdrossen
ihr verdrosst
Sie verdrossen
sie verdrossen

FUTURE
ich werde verdrießen
du wirst verdrießen
er/sie wird verdrießen
wir werden verdrießen
ihr werdet verdrießen
Sie werden verdrießen
sie werden verdrießen

PERFECT
ich habe verdrossen
du hast verdrossen
er/sie hat verdrossen
wir haben verdrossen
ihr habt verdrossen
Sie haben verdrossen
sie haben verdrossen

PLUPERFECT
ich hatte verdrossen
du hattest verdrossen
er/sie hatte verdrossen
wir hatten verdrossen
ihr hattet verdrossen
Sie hatten verdrossen
sie hatten verdrossen

CONDITIONAL
ich würde verdrießen
du würdest verdrießen
er/sie würde verdrießen
wir würden verdrießen
ihr würdet verdrießen
Sie würden verdrießen
sie würden verdrießen

SUBJUNCTIVE

PRESENT
ich verdrieße
du verdrießest
er/sie verdrieße
wir verdrießen
ihr verdrießet
Sie verdrießen
sie verdrießen

PERFECT
ich habe verdrossen
du habest verdrossen
er/sie habe verdrossen
wir haben verdrossen
ihr habet verdrossen
Sie haben verdrossen
sie haben verdrossen

INFINITIVE

PRESENT
verdrießen
PAST
verdrossen haben

IMPERFECT
ich verdrösse
du verdrössest
er/sie verdrösse
wir verdrössen
ihr verdrösset
Sie verdrössen
sie verdrössen

PLUPERFECT
ich hätte verdrossen
du hättest verdrossen
er/sie hätte verdrossen
wir hätten verdrossen
ihr hättet verdrossen
Sie hätten verdrossen
sie hätten verdrossen

PARTICIPLE

PRESENT
verdrießend
PAST
verdrossen

IMPERATIVE
verdrieß(e)!
verdrießt!
verdrießen Sie!
verdrießen wir!

FUTURE PERFECT
ich werde verdrossen haben
du wirst verdrossen haben *etc*

VERGESSEN
181 *to forget*

PRESENT	IMPERFECT	FUTURE
ich vergesse	ich vergaß	ich werde vergessen
du vergisst	du vergaßt	du wirst vergessen
er/sie vergisst	er/sie vergaß	er/sie wird vergessen
wir vergessen	wir vergaßen	wir werden vergessen
ihr vergesst	ihr vergaßt	ihr werdet vergessen
Sie vergessen	Sie vergaßen	Sie werden vergessen
sie vergessen	sie vergaßen	sie werden vergessen

PERFECT	PLUPERFECT	CONDITIONAL
ich habe vergessen	ich hatte vergessen	ich würde vergessen
du hast vergessen	du hattest vergessen	du würdest vergessen
er/sie hat vergessen	er/sie hatte vergessen	er/sie würde vergessen
wir haben vergessen	wir hatten vergessen	wir würden vergessen
ihr habt vergessen	ihr hattet vergessen	ihr würdet vergessen
Sie haben vergessen	Sie hatten vergessen	Sie würden vergessen
sie haben vergessen	sie hatten vergessen	sie würden vergessen

SUBJUNCTIVE

PRESENT	PERFECT
ich vergesse	ich habe vergessen
du vergessest	du habest vergessen
er/sie vergesse	er/sie habe vergessen
wir vergessen	wir haben vergessen
ihr vergesset	ihr habet vergessen
Sie vergessen	Sie haben vergessen
sie vergessen	sie haben vergessen

IMPERFECT	PLUPERFECT
ich vergäße	ich hätte vergessen
du vergäßest	du hättest vergessen
er/sie vergäße	er/sie hätte vergessen
wir vergäßen	wir hätten vergessen
ihr vergäßet	ihr hättet vergessen
Sie vergäßen	Sie hätten vergessen
sie vergäßen	sie hätten vergessen

FUTURE PERFECT
ich werde vergessen haben
du wirst vergessen haben *etc*

INFINITIVE

PRESENT
vergessen

PAST
vergessen haben

PARTICIPLE

PRESENT
vergessend

PAST
vergessen

IMPERATIVE

vergiss!
vergesst!
vergessen Sie!
vergessen wir!

PRESENT
ich verliere
du verlierst
er/sie verliert
wir verlieren
ihr verliert
Sie verlieren
sie verlieren

PERFECT
ich habe verloren
du hast verloren
er/sie hat verloren
wir haben verloren
ihr habt verloren
Sie haben verloren
sie haben verloren

IMPERFECT
ich verlor
du verlorst
er/sie verlor
wir verloren
ihr verlort
Sie verloren
sie verloren

PLUPERFECT
ich hatte verloren
du hattest verloren
er/sie hatte verloren
wir hatten verloren
ihr hattet verloren
Sie hatten verloren
sie hatten verloren

FUTURE
ich werde verlieren
du wirst verlieren
er/sie wird verlieren
wir werden verlieren
ihr werdet verlieren
Sie werden verlieren
sie werden verlieren

CONDITIONAL
ich würde verlieren
du würdest verlieren
er/sie würde verlieren
wir würden verlieren
ihr würdet verlieren
Sie würden verlieren
sie würden verlieren

SUBJUNCTIVE

PRESENT
ich verliere
du verlierest
er/sie verliere
wir verlieren
ihr verlieret
Sie verlieren
sie verlieren

IMPERFECT
ich verlöre
du verlörest
er/sie verlöre
wir verlören
ihr verlöret
Sie verlören
sie verlören

FUTURE PERFECT
ich werde verloren haben
du wirst verloren haben *etc*

PERFECT
ich habe verloren
du habest verloren
er/sie habe verloren
wir haben verloren
ihr habet verloren
Sie haben verloren
sie haben verloren

PLUPERFECT
ich hätte verloren
du hättest verloren
er/sie hätte verloren
wir hätten verloren
ihr hättet verloren
Sie hätten verloren
sie hätten verloren

INFINITIVE

PRESENT
verlieren
PAST
verloren haben

PARTICIPLE

PRESENT
verlierend
PAST
verloren

IMPERATIVE
verlier(e)!
verliert!
verlieren Sie!
verlieren wir!

PRESENT
ich verschleiße
du verschleißt
er/sie verschleißt
wir verschleißen
ihr verschleißt
Sie verschleißen
sie verschleißen

IMPERFECT
ich verschliss
du verschlisst
er/sie verschliss
wir verschlissen
ihr verschlisst
Sie verschlissen
sie verschlissen

FUTURE
ich werde verschleißen
du wirst verschleißen
er/sie wird verschleißen
wir werden verschleißen
ihr werdet verschleißen
Sie werden verschleißen
sie werden verschleißen

PERFECT *(1)*
ich habe verschlissen
du hast verschlissen
er/sie hat verschlissen
wir haben verschlissen
ihr habt verschlissen
Sie haben verschlissen
sie haben verschlissen

PLUPERFECT *(2)*
ich hatte verschlissen
du hattest verschlissen
er/sie hatte verschlissen
wir hatten verschlissen
ihr hattet verschlissen
Sie hatten verschlissen
sie hatten verschlissen

CONDITIONAL
ich würde verschleißen
du würdest verschleißen
er/sie würde verschleißen
wir würden verschleißen
ihr würdet verschleißen
Sie würden verschleißen
sie würden verschleißen

SUBJUNCTIVE

PRESENT
ich verschleiße
du verschleißest
er/sie verschleiße
wir verschleißen
ihr verschleißet
Sie verschleißen
sie verschleißen

PERFECT *(3)*
ich habe verschlissen
du habest verschlissen
er/sie habe verschlissen
wir haben verschlissen
ihr habet verschlissen
Sie haben verschlissen
sie haben verschlissen

INFINITIVE

PRESENT
verschleißen
PAST *(6)*
verschlissen haben

PARTICIPLE

PRESENT
verschleißend

IMPERFECT
ich verschlisse
du verschlissest
er/sie verschlisse
wir verschlissen
ihr verschlisset
Sie verschlissen
sie verschlissen

PLUPERFECT *(4)*
ich hätte verschlissen
du hättest verschlissen
er/sie hätte verschlissen
wir hätten verschlissen
ihr hättet verschlissen
Sie hätten verschlissen
sie hätten verschlissen

PAST
verschlissen

IMPERATIVE

verschleiß(e)!
verschleißt!
verschleißen Sie!
verschleißen wir!

FUTURE PERFECT *(5)*
ich werde verschlissen haben
du wirst verschlissen haben *etc*

NOTE

also intransitive: (1) ich bin verschlissen *etc (2)* ich
war verschlissen *etc (3)* ich sei verschlissen *etc
(4)* ich wäre verschlissen *etc (5)* ich werde
verschlissen sein *etc (6)* verschlissen sein

VERZEIHEN
to forgive **184**

PRESENT	IMPERFECT	FUTURE
ich verzeihe	ich verzieh	ich werde verzeihen
du verzeihst	du verziehst	du wirst verzeihen
er/sie verzeiht	er/sie verzieh	er/sie wird verzeihen
wir verzeihen	wir verziehen	wir werden verzeihen
ihr verzeiht	ihr verzieht	ihr werdet verzeihen
Sie verzeihen	Sie verziehen	Sie werden verzeihen
sie verzeihen	sie verziehen	sie werden verzeihen

PERFECT	PLUPERFECT	CONDITIONAL
ich habe verziehen	ich hatte verziehen	ich würde verzeihen
du hast verziehen	du hattest verziehen	du würdest verzeihen
er/sie hat verziehen	er/sie hatte verziehen	er/sie würde verzeihen
wir haben verziehen	wir hatten verziehen	wir würden verzeihen
ihr habt verziehen	ihr hattet verziehen	ihr würdet verzeihen
Sie haben verziehen	Sie hatten verziehen	Sie würden verzeihen
sie haben verziehen	sie hatten verziehen	sie würden verzeihen

SUBJUNCTIVE

INFINITIVE

PRESENT	PERFECT	
ich verzeihe	ich habe verziehen	**PRESENT** verzeihen
du verzeihest	du habest verziehen	**PAST** verziehen haben
er/sie verzeihe	er/sie habe verziehen	
wir verzeihen	wir haben verziehen	
ihr verzeihet	ihr habet verziehen	**PARTICIPLE**
Sie verzeihen	Sie haben verziehen	**PRESENT** verzeihend
sie verzeihen	sie haben verziehen	

IMPERFECT	PLUPERFECT	PAST verziehen
ich verziehe	ich hätte verziehen	
du verziehest	du hättest verziehen	**IMPERATIVE**
er/sie verziehe	er/sie hätte verziehen	verzeih(e)!
wir verziehen	wir hätten verziehen	verzeiht!
ihr verziehet	ihr hättet verziehen	verzeihen Sie!
Sie verziehen	Sie hätten verziehen	verzeihen wir!
sie verziehen	sie hätten verziehen	

FUTURE PERFECT
ich werde verziehen haben
du wirst verziehen haben *etc*

NOTE

takes the dative: **ich verzeihe ihm, ich habe ihm verziehen** *etc*

VORHABEN
185 *to intend*

PRESENT	IMPERFECT	FUTURE
ich habe vor	ich hatte vor	ich werde vorhaben
du hast vor	du hattest vor	du wirst vorhaben
er/sie hat vor	er/sie hatte vor	er/sie wird vorhaben
wir haben vor	wir hatten vor	wir werden vorhaben
ihr habt vor	ihr hattet vor	ihr werdet vorhaben
Sie haben vor	Sie hatten vor	Sie werden vorhaben
sie haben vor	sie hatten vor	sie werden vorhaben

PERFECT	PLUPERFECT	CONDITIONAL
ich habe vorgehabt	ich hatte vorgehabt	ich würde vorhaben
du hast vorgehabt	du hattest vorgehabt	du würdest vorhaben
er/sie hat vorgehabt	er/sie hatte vorgehabt	er/sie würde vorhaben
wir haben vorgehabt	wir hatten vorgehabt	wir würden vorhaben
ihr habt vorgehabt	ihr hattet vorgehabt	ihr würdet vorhaben
Sie haben vorgehabt	Sie hatten vorgehabt	Sie würden vorhaben
sie haben vorgehabt	sie hatten vorgehabt	sie würden vorhaben

SUBJUNCTIVE

PRESENT	PERFECT
ich habe vor	ich habe vorgehabt
du habest vor	du habest vorgehabt
er/sie habe vor	er/sie habe vorgehabt
wir haben vor	wir haben vorgehabt
ihr habet vor	ihr habet vorgehabt
Sie haben vor	Sie haben vorgehabt
sie haben vor	sie haben vorgehabt

IMPERFECT	PLUPERFECT
ich hätte vor	ich hätte vorgehabt
du hättest vor	du hättest vorgehabt
er/sie hätte vor	er/sie hätte vorgehabt
wir hätten vor	wir hätten vorgehabt
ihr hättet vor	ihr hättet vorgehabt
Sie hätten vor	Sie hätten vorgehabt
sie hätten vor	sie hätten vorgehabt

FUTURE PERFECT
ich werde vorgehabt haben
du wirst vorgehabt haben *etc*

INFINITIVE

PRESENT
vorhaben

PAST
vorgehabt haben

PARTICIPLE

PRESENT
vorhabend

PAST
vorgehabt

IMPERATIVE

hab(e) vor!
habt vor!
haben Sie vor!
haben wir vor!

PRESENT
ich wachse
du wächst
er/sie wächst
wir wachsen
ihr wachst
Sie wachsen
sie wachsen

PERFECT
ich bin gewachsen
du bist gewachsen
er/sie ist gewachsen
wir sind gewachsen
ihr seid gewachsen
Sie sind gewachsen
sie sind gewachsen

IMPERFECT
ich wuchs
du wuchsest
er/sie wuchs
wir wuchsen
ihr wuchst
Sie wuchsen
sie wuchsen

PLUPERFECT
ich war gewachsen
du warst gewachsen
er/sie war gewachsen
wir waren gewachsen
ihr wart gewachsen
Sie waren gewachsen
sie waren gewachsen

FUTURE
ich werde wachsen
du wirst wachsen
er/sie wird wachsen
wir werden wachsen
ihr werdet wachsen
Sie werden wachsen
sie werden wachsen

CONDITIONAL
ich würde wachsen
du würdest wachsen
er/sie würde wachsen
wir würden wachsen
ihr würdet wachsen
Sie würden wachsen
sie würden wachsen

SUBJUNCTIVE

PRESENT
ich wachse
du wachsest
er/sie wachse
wir wachsen
ihr wachset
Sie wachsen
sie wachsen

IMPERFECT
ich wüchse
du wüchsest
er/sie wüchse
wir wüchsen
ihr wüchset
Sie wüchsen
sie wüchsen

FUTURE PERFECT
ich werde gewachsen sein
du wirst gewachsen sein *etc*

PERFECT
ich sei gewachsen
du sei(e)st gewachsen
er/sie sei gewachsen
wir seien gewachsen
ihr seiet gewachsen
Sie seien gewachsen
sie seien gewachsen

PLUPERFECT
ich wäre gewachsen
du wär(e)st gewachsen
er/sie wäre gewachsen
wir wären gewachsen
ihr wär(e)t gewachsen
Sie wären gewachsen
sie wären gewachsen

INFINITIVE

PRESENT
wachsen
PAST
gewachsen sein

PARTICIPLE

PRESENT
wachsend
PAST
gewachsen

IMPERATIVE

wachs(e)!
wachst!
wachsen Sie!
wachsen wir!

NOTE

(1) also a weak verb meaning 'to wax': ich wachste, ich habe gewachst *etc*

WARTEN
187 to wait

PRESENT
ich warte
du wartest
er/sie wartet
wir warten
ihr wartet
Sie warten
sie warten

IMPERFECT
ich wartete
du wartetest
er/sie wartete
wir warteten
ihr wartetet
Sie warteten
sie warteten

FUTURE
ich werde warten
du wirst warten
er/sie wird warten
wir werden warten
ihr werdet warten
Sie werden warten
sie werden warten

PERFECT
ich habe gewartet
du hast gewartet
er/sie hat gewartet
wir haben gewartet
ihr habt gewartet
Sie haben gewartet
sie haben gewartet

PLUPERFECT
ich hatte gewartet
du hattest gewartet
er/sie hatte gewartet
wir hatten gewartet
ihr hattet gewartet
Sie hatten gewartet
sie hatten gewartet

CONDITIONAL
ich würde warten
du würdest warten
er/sie würde warten
wir würden warten
ihr würdet warten
Sie würden warten
sie würden warten

SUBJUNCTIVE

PRESENT
ich warte
du wartest
er/sie warte
wir warten
ihr wartet
Sie warten
sie warten

PERFECT
ich habe gewartet
du habest gewartet
er/sie habe gewartet
wir haben gewartet
ihr habet gewartet
Sie haben gewartet
sie haben gewartet

INFINITIVE

PRESENT
warten

PAST
gewartet haben

PARTICIPLE

PRESENT
wartend

IMPERFECT
ich wartete
du wartetest
er/sie wartete
wir warteten
ihr wartetet
Sie warteten
sie warteten

PLUPERFECT
ich hätte gewartet
du hättest gewartet
er/sie hätte gewartet
wir hätten gewartet
ihr hättet gewartet
Sie hätten gewartet
sie hätten gewartet

PAST
gewartet

IMPERATIVE

wart(e)!
wartet!
warten Sie!
warten wir!

FUTURE PERFECT
ich werde gewartet haben
du wirst gewartet haben *etc*

PRESENT
ich wasche
du wäschst
er/sie wäscht
wir waschen
ihr wascht
Sie waschen
sie waschen

IMPERFECT
ich wusch
du wuschst
er/sie wusch
wir wuschen
ihr wuscht
Sie wuschen
sie wuschen

FUTURE
ich werde waschen
du wirst waschen
er/sie wird waschen
wir werden waschen
ihr werdet waschen
Sie werden waschen
sie werden waschen

PERFECT
ich habe gewaschen
du hast gewaschen
er/sie hat gewaschen
wir haben gewaschen
ihr habt gewaschen
Sie haben gewaschen
sie haben gewaschen

PLUPERFECT
ich hatte gewaschen
du hattest gewaschen
er/sie hatte gewaschen
wir hatten gewaschen
ihr hattet gewaschen
Sie hatten gewaschen
sie hatten gewaschen

CONDITIONAL
ich würde waschen
du würdest waschen
er/sie würde waschen
wir würden waschen
ihr würdet waschen
Sie würden waschen
sie würden waschen

SUBJUNCTIVE

PRESENT
ich wasche
du waschest
er/sie wasche
wir waschen
ihr waschet
Sie waschen
sie waschen

PERFECT
ich habe gewaschen
du habest gewaschen
er/sie habe gewaschen
wir haben gewaschen
ihr habet gewaschen
Sie haben gewaschen
sie haben gewaschen

INFINITIVE

PRESENT
waschen
PAST
gewaschen haben

IMPERFECT
ich wüsche
du wüschest
er/sie wüsche
wir wüschen
ihr wüschet
Sie wüschen
sie wüschen

PLUPERFECT
ich hätte gewaschen
du hättest gewaschen
er/sie hätte gewaschen
wir hätten gewaschen
ihr hättet gewaschen
Sie hätten gewaschen
sie hätten gewaschen

PARTICIPLE

PRESENT
waschend
PAST
gewaschen

IMPERATIVE
wasch(e)!
wascht!
waschen Sie!
waschen wir!

FUTURE PERFECT
ich werde gewaschen haben
du wirst gewaschen haben *etc*

WEBEN
189 *to weave*

PRESENT
ich webe
du webst
er/sie webt
wir weben
ihr webt
Sie weben
sie weben

IMPERFECT
ich wob
du wobst
er/sie wob
wir woben
ihr wobt
Sie woben
sie woben

FUTURE
ich werde weben
du wirst weben
er/sie wird weben
wir werden weben
ihr werdet weben
Sie werden weben
sie werden weben

PERFECT
ich habe gewoben
du hast gewoben
er/sie hat gewoben
wir haben gewoben
ihr habt gewoben
Sie haben gewoben
sie haben gewoben

PLUPERFECT
ich hatte gewoben
du hattest gewoben
er/sie hatte gewoben
wir hatten gewoben
ihr hattet gewoben
Sie hatten gewoben
sie hatten gewoben

CONDITIONAL
ich würde weben
du würdest weben
er/sie würde weben
wir würden weben
ihr würdet weben
Sie würden weben
sie würden weben

SUBJUNCTIVE

PRESENT
ich webe
du webest
er/sie webe
wir weben
ihr webet
Sie weben
sie weben

PERFECT
ich habe gewoben
du habest gewoben
er/sie habe gewoben
wir haben gewoben
ihr habet gewoben
Sie haben gewoben
sie haben gewoben

INFINITIVE

PRESENT
weben

PAST
gewoben haben

IMPERFECT
ich wöbe
du wöbest
er/sie wöbe
wir wöben
ihr wöbet
Sie wöben
sie wöben

PLUPERFECT
ich hätte gewoben
du hättest gewoben
er/sie hätte gewoben
wir hätten gewoben
ihr hättet gewoben
Sie hätten gewoben
sie hätten gewoben

PARTICIPLE

PRESENT
webend

PAST
gewoben

IMPERATIVE
web(e)!
webt!
weben Sie!
weben wir!

FUTURE PERFECT
ich werde gewoben haben
du wirst gewoben haben *etc*

NOTE

also a weak verb: ich webte, ich habe gewebt *etc*

PRESENT
ich wechsle
du wechselst
er/sie wechselt
wir wechseln
ihr wechselt
Sie wechseln
sie wechseln

IMPERFECT
ich wechselte
du wechseltest
er/sie wechselte
wir wechselten
ihr wechseltet
Sie wechselten
sie wechselten

FUTURE
ich werde wechseln
du wirst wechseln
er/sie wird wechseln
wir werden wechseln
ihr werdet wechseln
Sie werden wechseln
sie werden wechseln

PERFECT
ich habe gewechselt
du hast gewechselt
er/sie hat gewechselt
wir haben gewechselt
ihr habt gewechselt
Sie haben gewechselt
sie haben gewechselt

PLUPERFECT
ich hatte gewechselt
du hattest gewechselt
er/sie hatte gewechselt
wir hatten gewechselt
ihr hattet gewechselt
Sie hatten gewechselt
sie hatten gewechselt

CONDITIONAL
ich würde wechseln
du würdest wechseln
er/sie würde wechseln
wir würden wechseln
ihr würdet wechseln
Sie würden wechseln
sie würden wechseln

SUBJUNCTIVE

PRESENT
ich wechsle
du wechslest
er/sie wechsle
wir wechslen
ihr wechslet
Sie wechslen
sie wechslen

PERFECT
ich habe gewechselt
du habest gewechselt
er/sie habe gewechselt
wir haben gewechselt
ihr habet gewechselt
Sie haben gewechselt
sie haben gewechselt

INFINITIVE

PRESENT
wechseln
PAST
gewechselt haben

IMPERFECT
ich wechselte
du wechseltest
er/sie wechselte
wir wechselten
ihr wechseltet
Sie wechselten
sie wechselten

PLUPERFECT
ich hätte gewechselt
du hättest gewechselt
er/sie hätte gewechselt
wir hätten gewechselt
ihr hättet gewechselt
Sie hätten gewechselt
sie hätten gewechselt

PARTICIPLE

PRESENT
wechselnd
PAST
gewechselt

IMPERATIVE
wechsel(e)!
wechselt!
wechseln Sie!
wechseln wir!

FUTURE PERFECT
ich werde gewechselt haben
du wirst gewechselt haben *etc*

SICH WEHTUN
191 *to hurt oneself*

PRESENT

ich tue mir weh
du tust dir weh
er/sie tut sich weh
wir tun uns weh
ihr tut euch weh
Sie tun sich weh
sie tun sich weh

IMPERFECT

ich tat mir weh
du tat(e)st dir weh
er/sie tat sich weh
wir taten uns weh
ihr tatet euch weh
Sie taten sich weh
sie taten sich weh

FUTURE

ich werde mir wehtun
du wirst dir wehtun
er/sie wird sich wehtun
wir werden uns wehtun
ihr werdet euch wehtun
Sie werden sich wehtun
sie werden sich wehtun

PERFECT

ich habe mir wehgetan
du hast dir wehgetan
er/sie hat sich wehgetan
wir haben uns wehgetan
ihr habt euch wehgetan
Sie haben sich wehgetan
sie haben sich wehgetan

PLUPERFECT

ich hatte mir wehgetan
du hattest dir wehgetan
er/sie hatte sich wehgetan
wir hatten uns wehgetan
ihr hattet euch wehgetan
Sie hatten sich wehgetan
sie hatten sich wehgetan

CONDITIONAL

ich würde mir wehtun
du würdest dir wehtun
er/sie würde sich wehtun
wir würden uns wehtun
ihr würdet euch wehtun
Sie würden sich wehtun
sie würden sich wehtun

SUBJUNCTIVE

PRESENT

ich tue mir weh
du tuest dir weh
er/sie tue sich weh
wir tuen uns weh
ihr tuet euch weh
Sie tuen sich weh
sie tuen sich weh

PERFECT

ich habe mir wehgetan
du habest dir wehgetan
er/sie habe sich wehgetan
wir haben uns wehgetan
ihr habet euch wehgetan
Sie haben sich wehgetan
sie haben sich wehgetan

INFINITIVE

PRESENT

sich wehtun

PAST

sich wehgetan haben

PARTICIPLE

PRESENT

mir/sich *etc* wehtuend

IMPERFECT

ich täte mir weh
du tätest dir weh
er/sie täte sich weh
wir täten uns weh
ihr tätet euch weh
Sie täten sich weh
sie täten sich weh

PLUPERFECT

ich hätte mir wehgetan
du hättest dir wehgetan
er/sie hätte sich wehgetan
wir hätten uns wehgetan
ihr hättet euch wehgetan
Sie hätten sich wehgetan
sie hätten sich wehgetan

IMPERATIVE

tu(e) dir weh!
tut euch weh!
tun Sie sich weh!
tun wir uns weh!

FUTURE PERFECT

ich werde mir wehgetan haben
du wirst dir wehgetan haben *etc*

NOTE

two-word spelling also possible: sich weh tun,
weh getan

PRESENT	IMPERFECT	FUTURE
ich weiche	ich wich	ich werde weichen
du weichst	du wichst	du wirst weichen
er/sie weicht	er/sie wich	er/sie wird weichen
wir weichen	wir wichen	wir werden weichen
ihr weicht	ihr wicht	ihr werdet weichen
Sie weichen	Sie wichen	Sie werden weichen
sie weichen	sie wichen	sie werden weichen

PERFECT	PLUPERFECT	CONDITIONAL
ich bin gewichen	ich war gewichen	ich würde weichen
du bist gewichen	du warst gewichen	du würdest weichen
er/sie ist gewichen	er/sie war gewichen	er/sie würde weichen
wir sind gewichen	wir waren gewichen	wir würden weichen
ihr seid gewichen	ihr wart gewichen	ihr würdet weichen
Sie sind gewichen	Sie waren gewichen	Sie würden weichen
sie sind gewichen	sie waren gewichen	sie würden weichen

SUBJUNCTIVE

PRESENT	PERFECT
ich weiche	ich sei gewichen
du weichest	du sei(e)st gewichen
er/sie weiche	er/sie sei gewichen
wir weichen	wir seien gewichen
ihr weichet	ihr seiet gewichen
Sie weichen	Sie seien gewichen
sie weichen	sie seien gewichen

IMPERFECT	PLUPERFECT
ich wiche	ich wäre gewichen
du wichest	du wär(e)st gewichen
er/sie wiche	er/sie wäre gewichen
wir wichen	wir wären gewichen
ihr wichet	ihr wär(e)t gewichen
Sie wichen	Sie wären gewichen
sie wichen	sie wären gewichen

FUTURE PERFECT
ich werde gewichen sein
du wirst gewichen sein *etc*

INFINITIVE

PRESENT
weichen
PAST
gewichen sein

PARTICIPLE

PRESENT
weichend

PAST
gewichen

IMPERATIVE

weich(e)!
weicht!
weichen Sie!
weichen wir!

NOTE

(1) also a weak verb meaning 'to soak': ich weichte,
ich habe geweicht *etc*

WEISEN
193 *to show*

PRESENT	IMPERFECT	FUTURE
ich weise	ich wies	ich werde weisen
du weist	du wies(es)t	du wirst weisen
er/sie weist	er/sie wies	er/sie wird weisen
wir weisen	wir wiesen	wir werden weisen
ihr weist	ihr wiest	ihr werdet weisen
Sie weisen	Sie wiesen	Sie werden weisen
sie weisen	sie wiesen	sie werden weisen

PERFECT	PLUPERFECT	CONDITIONAL
ich habe gewiesen	ich hatte gewiesen	ich würde weisen
du hast gewiesen	du hattest gewiesen	du würdest weisen
er/sie hat gewiesen	er/sie hatte gewiesen	er/sie würde weisen
wir haben gewiesen	wir hatten gewiesen	wir würden weisen
ihr habt gewiesen	ihr hattet gewiesen	ihr würdet weisen
Sie haben gewiesen	Sie hatten gewiesen	Sie würden weisen
sie haben gewiesen	sie hatten gewiesen	sie würden weisen

SUBJUNCTIVE

PRESENT	PERFECT
ich weise	ich habe gewiesen
du weisest	du habest gewiesen
er/sie weise	er/sie habe gewiesen
wir weisen	wir haben gewiesen
ihr weiset	ihr habet gewiesen
Sie weisen	Sie haben gewiesen
sie weisen	sie haben gewiesen

IMPERFECT	PLUPERFECT
ich wiese	ich hätte gewiesen
du wiesest	du hättest gewiesen
er/sie wiese	er/sie hätte gewiesen
wir wiesen	wir hätten gewiesen
ihr wieset	ihr hättet gewiesen
Sie wiesen	Sie hätten gewiesen
sie wiesen	sie hätten gewiesen

FUTURE PERFECT
ich werde gewiesen haben
du wirst gewiesen haben *etc*

INFINITIVE

PRESENT
weisen

PAST
gewiesen haben

PARTICIPLE

PRESENT
weisend

PAST
gewiesen

IMPERATIVE
weis(e)!
weist!
weisen Sie!
weisen wir!

PRESENT
ich wende
du wendest
er/sie wendet
wir wenden
ihr wendet
Sie wenden
sie wenden

IMPERFECT
ich wandte
du wandtest
er/sie wandte
wir wandten
ihr wandtet
Sie wandten
sie wandten

FUTURE
ich werde wenden
du wirst wenden
er/sie wird wenden
wir werden wenden
ihr werdet wenden
Sie werden wenden
sie werden wenden

PERFECT
ich habe gewandt
du hast gewandt
er/sie hat gewandt
wir haben gewandt
ihr habt gewandt
Sie haben gewandt
sie haben gewandt

PLUPERFECT
ich hatte gewandt
du hattest gewandt
er/sie hatte gewandt
wir hatten gewandt
ihr hattet gewandt
Sie hatten gewandt
sie hatten gewandt

CONDITIONAL
ich würde wenden
du würdest wenden
er/sie würde wenden
wir würden wenden
ihr würdet wenden
Sie würden wenden
sie würden wenden

SUBJUNCTIVE

PRESENT
ich wende
du wendest
er/sie wende
wir wenden
ihr wendet
Sie wenden
sie wenden

PERFECT
ich habe gewandt
du habest gewandt
er/sie habe gewandt
wir haben gewandt
ihr habet gewandt
Sie haben gewandt
sie haben gewandt

INFINITIVE

PRESENT
wenden
PAST
gewandt haben

PARTICIPLE

PRESENT
wendend

IMPERFECT
ich wendete
du wendetest
er/sie wendete
wir wendeten
ihr wendetet
Sie wendeten
sie wendeten

PLUPERFECT
ich hätte gewandt
du hättest gewandt
er/sie hätte gewandt
wir hätten gewandt
ihr hättet gewandt
Sie hätten gewandt
sie hätten gewandt

PAST
gewandt

IMPERATIVE
wend(e)!
wendet!
wenden Sie!
wenden wir!

FUTURE PERFECT
ich werde gewandt haben
du wirst gewandt haben *etc*

NOTE

also a weak verb: ich wendete, ich habe
gewendet *etc*

PRESENT
ich werbe
du wirbst
er/sie wirbt
wir werben
ihr werbt
Sie werben
sie werben

IMPERFECT
ich warb
du warbst
er/sie warb
wir warben
ihr warbt
Sie warben
sie warben

FUTURE
ich werde werben
du wirst werben
er/sie wird werben
wir werden werben
ihr werdet werben
Sie werden werben
sie werden werben

PERFECT
ich habe geworben
du hast geworben
er/sie hat geworben
wir haben geworben
ihr habt geworben
Sie haben geworben
sie haben geworben

PLUPERFECT
ich hatte geworben
du hattest geworben
er/sie hatte geworben
wir hatten geworben
ihr hattet geworben
Sie hatten geworben
sie hatten geworben

CONDITIONAL
ich würde werben
du würdest werben
er/sie würde werben
wir würden werben
ihr würdet werben
Sie würden werben
sie würden werben

SUBJUNCTIVE

PRESENT
ich werbe
du werbest
er/sie werbe
wir werben
ihr werbet
Sie werben
sie werben

PERFECT
ich habe geworben
du habest geworben
er/sie habe geworben
wir haben geworben
ihr habet geworben
Sie haben geworben
sie haben geworben

INFINITIVE

PRESENT
werben
PAST
geworben haben

PARTICIPLE

PRESENT
werbend

IMPERFECT
ich würbe
du würbest
er/sie würbe
wir würben
ihr würbet
Sie würben
sie würben

PLUPERFECT
ich hätte geworben
du hättest geworben
er/sie hätte geworben
wir hätten geworben
ihr hättet geworben
Sie hätten geworben
sie hätten geworben

PAST
geworben

IMPERATIVE

wirb!
werbt!
werben Sie!
werben wir!

FUTURE PERFECT
ich werde geworben haben
du wirst geworben haben *etc*

PRESENT
ich werde
du wirst
er/sie wird
wir werden
ihr werdet
Sie werden
sie werden

IMPERFECT
ich wurde
du wurdest
er/sie wurde
wir wurden
ihr wurdet
Sie wurden
sie wurden

FUTURE
ich werde werden
du wirst werden
er/sie wird werden
wir werden werden
ihr werdet werden
Sie werden werden
sie werden werden

PERFECT (1)
ich bin geworden
du bist geworden
er/sie ist geworden
wir sind geworden
ihr seid geworden
Sie sind geworden
sie sind geworden

PLUPERFECT (2)
ich war geworden
du warst geworden
er/sie war geworden
wir waren geworden
ihr wart geworden
Sie waren geworden
sie waren geworden

CONDITIONAL
ich würde werden
du würdest werden
er/sie würde werden
wir würden werden
ihr würdet werden
Sie würden werden
sie würden werden

SUBJUNCTIVE

PRESENT
ich werde
du werdest
er/sie werde
wir werden
ihr werdet
Sie werden
sie werden

PERFECT (3)
ich sei geworden
du sei(e)st geworden
er/sie sei geworden
wir seien geworden
ihr seiet geworden
Sie seien geworden
sie seien geworden

INFINITIVE

PRESENT
werden
PAST (6)
geworden sein

IMPERFECT
ich würde
du würdest
er/sie würde
wir würden
ihr würdet
Sie würden
sie würden

PLUPERFECT (4)
ich wäre geworden
du wär(e)st geworden
er/sie wäre geworden
wir wären geworden
ihr wär(e)t geworden
Sie wären geworden
sie wären geworden

PARTICIPLE

PRESENT
werdend

PAST
geworden

IMPERATIVE
werde!
werdet!
werden Sie!
werden wir!

FUTURE PERFECT (5)
ich werde geworden sein
du wirst geworden sein *etc*

NOTE

when preceded by a past participle to form the passive: (1) ich bin ... worden *etc* (2) ich war ... worden *etc* (3) ich sei ... worden *etc* (4) ich wäre ... worden *etc* (5) ich werde ... worden sein *etc* (6) ... worden sein

WERFEN
197 to throw

PRESENT
ich werfe
du wirfst
er/sie wirft
wir werfen
ihr werft
Sie werfen
sie werfen

PERFECT
ich habe geworfen
du hast geworfen
er/sie hat geworfen
wir haben geworfen
ihr habt geworfen
Sie haben geworfen
sie haben geworfen

IMPERFECT
ich warf
du warfst
er/sie warf
wir warfen
ihr warft
Sie warfen
sie warfen

PLUPERFECT
ich hatte geworfen
du hattest geworfen
er/sie hatte geworfen
wir hatten geworfen
ihr hattet geworfen
Sie hatten geworfen
sie hatten geworfen

FUTURE
ich werde werfen
du wirst werfen
er/sie wird werfen
wir werden werfen
ihr werdet werfen
Sie werden werfen
sie werden werfen

CONDITIONAL
ich würde werfen
du würdest werfen
er/sie würde werfen
wir würden werfen
ihr würdet werfen
Sie würden werfen
sie würden werfen

SUBJUNCTIVE

PRESENT
ich werfe
du werfest
er/sie werfe
wir werfen
ihr werfet
Sie werfen
sie werfen

IMPERFECT
ich würfe
du würfest
er/sie würfe
wir würfen
ihr würfet
Sie würfen
sie würfen

PERFECT
ich habe geworfen
du habest geworfen
er/sie habe geworfen
wir haben geworfen
ihr habet geworfen
Sie haben geworfen
sie haben geworfen

PLUPERFECT
ich hätte geworfen
du hättest geworfen
er/sie hätte geworfen
wir hätten geworfen
ihr hättet geworfen
Sie hätten geworfen
sie hätten geworfen

FUTURE PERFECT
ich werde geworfen haben
du wirst geworfen haben *etc*

INFINITIVE

PRESENT
werfen

PAST
geworfen haben

PARTICIPLE

PRESENT
werfend

PAST
geworfen

IMPERATIVE
wirf!
werft!
werfen Sie!
werfen wir!

PRESENT
ich widme
du widmest
er/sie widmet
wir widmen
ihr widmet
Sie widmen
sie widmen

PERFECT
ich habe gewidmet
du hast gewidmet
er/sie hat gewidmet
wir haben gewidmet
ihr habt gewidmet
Sie haben gewidmet
sie haben gewidmet

IMPERFECT
ich widmete
du widmetest
er/sie widmete
wir widmeten
ihr widmetet
Sie widmeten
sie widmeten

PLUPERFECT
ich hatte gewidmet
du hattest gewidmet
er/sie hatte gewidmet
wir hatten gewidmet
ihr hattet gewidmet
Sie hatten gewidmet
sie hatten gewidmet

FUTURE
ich werde widmen
du wirst widmen
er/sie wird widmen
wir werden widmen
ihr werdet widmen
Sie werden widmen
sie werden widmen

CONDITIONAL
ich würde widmen
du würdest widmen
er/sie würde widmen
wir würden widmen
ihr würdet widmen
Sie würden widmen
sie würden widmen

SUBJUNCTIVE

PRESENT
ich widme
du widmest
er/sie widme
wir widmen
ihr widmet
Sie widmen
sie widmen

IMPERFECT
ich widmete
du widmetest
er/sie widmete
wir widmeten
ihr widmetet
Sie widmeten
sie widmeten

FUTURE PERFECT
ich werde gewidmet haben
du wirst gewidmet haben *etc*

PERFECT
ich habe gewidmet
du habest gewidmet
er/sie habe gewidmet
wir haben gewidmet
ihr habet gewidmet
Sie haben gewidmet
sie haben gewidmet

PLUPERFECT
ich hätte gewidmet
du hättest gewidmet
er/sie hätte gewidmet
wir hätten gewidmet
ihr hättet gewidmet
Sie hätten gewidmet
sie hätten gewidmet

INFINITIVE

PRESENT
widmen
PAST
gewidmet haben

PARTICIPLE

PRESENT
widmend
PAST
gewidmet

IMPERATIVE

widme!
widmet!
widmen Sie!
widmen wir!

WIEGEN
199 to weigh (1)

PRESENT	IMPERFECT	FUTURE
ich wiege	ich wog	ich werde wiegen
du wiegst	du wogst	du wirst wiegen
er/sie wiegt	er/sie wog	er/sie wird wiegen
wir wiegen	wir wogen	wir werden wiegen
ihr wiegt	ihr wogt	ihr werdet wiegen
Sie wiegen	Sie wogen	Sie werden wiegen
sie wiegen	sie wogen	sie werden wiegen

PERFECT	PLUPERFECT	CONDITIONAL
ich habe gewogen	ich hatte gewogen	ich würde wiegen
du hast gewogen	du hattest gewogen	du würdest wiegen
er/sie hat gewogen	er/sie hatte gewogen	er/sie würde wiegen
wir haben gewogen	wir hatten gewogen	wir würden wiegen
ihr habt gewogen	ihr hattet gewogen	ihr würdet wiegen
Sie haben gewogen	Sie hatten gewogen	Sie würden wiegen
sie haben gewogen	sie hatten gewogen	sie würden wiegen

SUBJUNCTIVE

PRESENT	PERFECT
ich wiege	ich habe gewogen
du wiegest	du habest gewogen
er/sie wiege	er/sie habe gewogen
wir wiegen	wir haben gewogen
ihr wieget	ihr habet gewogen
Sie wiegen	Sie haben gewogen
sie wiegen	sie haben gewogen

IMPERFECT	PLUPERFECT
ich wöge	ich hätte gewogen
du wögest	du hättest gewogen
er/sie wöge	er/sie hätte gewogen
wir wögen	wir hätten gewogen
ihr wöget	ihr hättet gewogen
Sie wögen	Sie hätten gewogen
sie wögen	sie hätten gewogen

FUTURE PERFECT
ich werde gewogen haben
du wirst gewogen haben etc

INFINITIVE

PRESENT
wiegen
PAST
gewogen haben

PARTICIPLE

PRESENT
wiegend
PAST
gewogen

IMPERATIVE

wieg(e)!
wiegt!
wiegen Sie!
wiegen wir!

NOTE

(1) also a weak verb meaning 'to rock, sway': ich
wiegte, ich habe gewiegt *etc*

PRESENT
ich winde
du windest
er/sie windet
wir winden
ihr windet
Sie winden
sie winden

IMPERFECT
ich wand
du wandest
er/sie wand
wir wanden
ihr wandet
Sie wanden
sie wanden

FUTURE
ich werde winden
du wirst winden
er/sie wird winden
wir werden winden
ihr werdet winden
Sie werden winden
sie werden winden

PERFECT
ich habe gewunden
du hast gewunden
er/sie hat gewunden
wir haben gewunden
ihr habt gewunden
Sie haben gewunden
sie haben gewunden

PLUPERFECT
ich hatte gewunden
du hattest gewunden
er/sie hatte gewunden
wir hatten gewunden
ihr hattet gewunden
Sie hatten gewunden
sie hatten gewunden

CONDITIONAL
ich würde winden
du würdest winden
er/sie würde winden
wir würden winden
ihr würdet winden
Sie würden winden
sie würden winden

SUBJUNCTIVE

PRESENT
ich winde
du windest
er/sie winde
wir winden
ihr windet
Sie winden
sie winden

PERFECT
ich habe gewunden
du habest gewunden
er/sie habe gewunden
wir haben gewunden
ihr habet gewunden
Sie haben gewunden
sie haben gewunden

INFINITIVE

PRESENT
winden
PAST
gewunden haben

PARTICIPLE

PRESENT
windend

IMPERFECT
ich wände
du wändest
er/sie wände
wir wänden
ihr wändet
Sie wänden
sie wänden

PLUPERFECT
ich hätte gewunden
du hättest gewunden
er/sie hätte gewunden
wir hätten gewunden
ihr hättet gewunden
Sie hätten gewunden
sie hätten gewunden

PAST
gewunden

IMPERATIVE

wind(e)!
windet!
winden Sie!
winden wir!

FUTURE PERFECT
ich werde gewunden haben
du wirst gewunden haben _etc_

PRESENT	IMPERFECT	FUTURE
ich weiß	ich wusste	ich werde wissen
du weißt	du wusstest	du wirst wissen
er/sie weiß	er/sie wusste	er/sie wird wissen
wir wissen	wir wussten	wir werden wissen
ihr wisst	ihr wusstet	ihr werdet wissen
Sie wissen	Sie wussten	Sie werden wissen
sie wissen	sie wussten	sie werden wissen

PERFECT	PLUPERFECT	CONDITIONAL
ich habe gewusst	ich hatte gewusst	ich würde wissen
du hast gewusst	du hattest gewusst	du würdest wissen
er/sie hat gewusst	er/sie hatte gewusst	er/sie würde wissen
wir haben gewusst	wir hatten gewusst	wir würden wissen
ihr habt gewusst	ihr hattet gewusst	ihr würdet wissen
Sie haben gewusst	Sie hatten gewusst	Sie würden wissen
sie haben gewusst	sie hatten gewusst	sie würden wissen

SUBJUNCTIVE

PRESENT	PERFECT
ich wisse	ich habe gewusst
du wissest	du habest gewusst
er/sie wisse	er/sie habe gewusst
wir wissen	wir haben gewusst
ihr wisset	ihr habet gewusst
Sie wissen	Sie haben gewusst
sie wissen	sie haben gewusst

IMPERFECT	PLUPERFECT
ich wüsste	ich hätte gewusst
du wüsstest	du hättest gewusst
er/sie wüsste	er/sie hätte gewusst
wir wüssten	wir hätten gewusst
ihr wüsstet	ihr hättet gewusst
Sie wüssten	Sie hätten gewusst
sie wüssten	sie hätten gewusst

INFINITIVE

PRESENT
wissen

PAST
gewusst haben

PARTICIPLE

PRESENT
wissend

PAST
gewusst

IMPERATIVE

wisse!
wisst!, wisset!
wissen Sie!
wissen wir!

PRESENT
ich will
du willst
er/sie will
wir wollen
ihr wollt
Sie wollen
sie wollen

PERFECT *(1)*
ich habe gewollt
du hast gewollt
er/sie hat gewollt
wir haben gewollt
ihr habt gewollt
Sie haben gewollt
sie haben gewollt

IMPERFECT
ich wollte
du wolltest
er/sie wollte
wir wollten
ihr wolltet
Sie wollten
sie wollten

PLUPERFECT *(2)*
ich hatte gewollt
du hattest gewollt
er/sie hatte gewollt
wir hatten gewollt
ihr hattet gewollt
Sie hatten gewollt
sie hatten gewollt

FUTURE
ich werde wollen
du wirst wollen
er/sie wird wollen
wir werden wollen
ihr werdet wollen
Sie werden wollen
sie werden wollen

CONDITIONAL
ich würde wollen
du würdest wollen
er/sie würde wollen
wir würden wollen
ihr würdet wollen
Sie würden wollen
sie würden wollen

SUBJUNCTIVE

PRESENT
ich wolle
du wollest
er/sie wolle
wir wollen
ihr wollet
Sie wollen
sie wollen

IMPERFECT
ich wollte
du wolltest
er/sie wollte
wir wollten
ihr wolltet
Sie wollten
sie wollten

PERFECT *(1)*
ich habe gewollt
du habest gewollt
er/sie habe gewollt
wir haben gewollt
ihr habet gewollt
Sie haben gewollt
sie haben gewollt

PLUPERFECT *(3)*
ich hätte gewollt
du hättest gewollt
er/sie hätte gewollt
wir hätten gewollt
ihr hättet gewollt
Sie hätten gewollt
sie hätten gewollt

INFINITIVE

PRESENT
wollen

PAST
gewollt haben

PARTICIPLE

PRESENT
wollend

PAST
gewollt

IMPERATIVE
woll(e)!
wollt!
wollen Sie!
wollen wir!

NOTE

when preceded by an infinitive: (1) ich habe ...
wollen *etc (2)* ich hatte ... wollen *etc (3)* ich hätte ...
wollen *etc*

WRINGEN
203 *to wring*

PRESENT	IMPERFECT	FUTURE
ich wringe	ich wrang	ich werde wringen
du wringst	du wrangst	du wirst wringen
er/sie wringt	er/sie wrang	er/sie wird wringen
wir wringen	wir wrangen	wir werden wringen
ihr wringt	ihr wrangt	ihr werdet wringen
Sie wringen	Sie wrangen	Sie werden wringen
sie wringen	sie wrangen	sie werden wringen

PERFECT	PLUPERFECT	CONDITIONAL
ich habe gewrungen	ich hatte gewrungen	ich würde wringen
du hast gewrungen	du hattest gewrungen	du würdest wringen
er/sie hat gewrungen	er/sie hatte gewrungen	er/sie würde wringen
wir haben gewrungen	wir hatten gewrungen	wir würden wringen
ihr habt gewrungen	ihr hattet gewrungen	ihr würdet wringen
Sie haben gewrungen	Sie hatten gewrungen	Sie würden wringen
sie haben gewrungen	sie hatten gewrungen	sie würden wringen

SUBJUNCTIVE

PRESENT	PERFECT
ich wringe	ich habe gewrungen
du wringest	du habest gewrungen
er/sie wringe	er/sie habe gewrungen
wir wringen	wir haben gewrungen
ihr wringet	ihr habet gewrungen
Sie wringen	Sie haben gewrungen
sie wringen	sie haben gewrungen

IMPERFECT	PLUPERFECT
ich wränge	ich hätte gewrungen
du wrängest	du hättest gewrungen
er/sie wränge	er/sie hätte gewrungen
wir wrängen	wir hätten gewrungen
ihr wränget	ihr hättet gewrungen
Sie wrängen	Sie hätten gewrungen
sie wrängen	sie hätten gewrungen

FUTURE PERFECT
ich werde gewrungen haben
du wirst gewrungen haben *etc*

INFINITIVE

PRESENT
wringen

PAST
gewrungen haben

PARTICIPLE

PRESENT
wringend

PAST
gewrungen

IMPERATIVE

wring(e)!
wringt!
wringen Sie!
wringen wir!

PRESENT
ich wünsche mir
du wünschst dir
er/sie wünscht sich
wir wünschen uns
ihr wünscht euch
Sie wünschen sich
sie wünschen sich

PERFECT
ich habe mir gewünscht
du hast dir gewünscht
er/sie hat sich gewünscht
wir haben uns gewünscht
ihr habt euch gewünscht
Sie haben sich gewünscht
sie haben sich gewünscht

IMPERFECT
ich wünschte mir
du wünschtest dir
er/sie wünschte sich
wir wünschten uns
ihr wünschtet euch
Sie wünschten sich
sie wünschten sich

PLUPERFECT
ich hatte mir gewünscht
du hattest dir gewünscht
er/sie hatte sich gewünscht
wir hatten uns gewünscht
ihr hattet euch gewünscht
Sie hatten sich gewünscht
sie hatten sich gewünscht

FUTURE
ich werde mir wünschen
du wirst dir wünschen
er/sie wird sich wünschen
wir werden uns wünschen
ihr werdet euch wünschen
Sie werden sich wünschen
sie werden sich wünschen

CONDITIONAL
ich würde mir wünschen
du würdest dir wünschen
er/sie würde sich wünschen
wir würden uns wünschen
ihr würdet euch wünschen
Sie würden sich wünschen
sie würden sich wünschen

SUBJUNCTIVE

PRESENT
ich wünsche mir
du wünschest dir
er/sie wünsche sich
wir wünschen uns
ihr wünschet euch
Sie wünschen sich
sie wünschen sich

PERFECT
ich habe mir gewünscht
du habest dir gewünscht
er/sie habe sich gewünscht
wir haben uns gewünscht
ihr habet euch gewünscht
Sie haben sich gewünscht
sie haben sich gewünscht

IMPERFECT
ich wünschte mir
du wünschtest dir
er/sie wünschte sich
wir wünschten uns
ihr wünschtet euch
Sie wünschten sich
sie wünschten sich

PLUPERFECT
ich hätte mir gewünscht
du hättest dir gewünscht
er/sie hätte sich gewünscht
wir hätten uns gewünscht
ihr hättet euch gewünscht
Sie hätten sich gewünscht
sie hätten sich gewünscht

FUTURE PERFECT
ich werde mir gewünscht haben
du wirst dir gewünscht haben *etc*

INFINITIVE

PRESENT
sich wünschen
PAST
sich gewünscht haben

PARTICIPLE

PRESENT
mir/sich *etc* wünschend

IMPERATIVE
wünsch(e) dir!
wünscht euch!
wünschen Sie sich!
wünschen wir uns

ZIEHEN
205 *to pull*

PRESENT
ich ziehe
du ziehst
er/sie zieht
wir ziehen
ihr zieht
Sie ziehen
sie ziehen

IMPERFECT
ich zog
du zogst
er/sie zog
wir zogen
ihr zogt
Sie zogen
sie zogen

FUTURE
ich werde ziehen
du wirst ziehen
er/sie wird ziehen
wir werden ziehen
ihr werdet ziehen
Sie werden ziehen
sie werden ziehen

PERFECT *(1)*
ich habe gezogen
du hast gezogen
er/sie hat gezogen
wir haben gezogen
ihr habt gezogen
Sie haben gezogen
sie haben gezogen

PLUPERFECT *(2)*
ich hatte gezogen
du hattest gezogen
er/sie hatte gezogen
wir hatten gezogen
ihr hattet gezogen
Sie hatten gezogen
sie hatten gezogen

CONDITIONAL
ich würde ziehen
du würdest ziehen
er/sie würde ziehen
wir würden ziehen
ihr würdet ziehen
Sie würden ziehen
sie würden ziehen

SUBJUNCTIVE

PRESENT
ich ziehe
du ziehest
er/sie ziehe
wir ziehen
ihr ziehet
Sie ziehen
sie ziehen

PERFECT *(3)*
ich habe gezogen
du habest gezogen
er/sie habe gezogen
wir haben gezogen
ihr habet gezogen
Sie haben gezogen
sie haben gezogen

INFINITIVE

PRESENT
ziehen
PAST *(6)*
gezogen haben

PARTICIPLE

PRESENT
ziehend

IMPERFECT
ich zöge
du zögest
er/sie zöge
wir zögen
ihr zöget
Sie zögen
sie zögen

PLUPERFECT *(4)*
ich hätte gezogen
du hättest gezogen
er/sie hätte gezogen
wir hätten gezogen
ihr hättet gezogen
Sie hätten gezogen
sie hätten gezogen

PAST
gezogen

IMPERATIVE
zieh(e)!
zieht!
ziehen Sie!
ziehen wir!

FUTURE PERFECT *(5)*
ich werde gezogen haben
du wirst gezogen haben *etc*

NOTE

also intransitive ('to move'): (1) **ich bin gezogen** *etc*
(2) **ich war gezogen** *etc (3)* **ich sei gezogen** *etc*
(4) **ich wäre gezogen** *etc (5)* **ich werde gezogen**
sein *etc (6)* **gezogen sein**

PRESENT
ich mache zu
du machst zu
er/sie macht zu
wir machen zu
ihr macht zu
Sie machen zu
sie machen zu

PERFECT
ich habe zugemacht
du hast zugemacht
er/sie hat zugemacht
wir haben zugemacht
ihr habt zugemacht
Sie haben zugemacht
sie haben zugemacht

IMPERFECT
ich machte zu
du machtest zu
er/sie machte zu
wir machten zu
ihr machtet zu
Sie machten zu
sie machten zu

PLUPERFECT
ich hatte zugemacht
du hattest zugemacht
er/sie hatte zugemacht
wir hatten zugemacht
ihr hattet zugemacht
Sie hatten zugemacht
sie hatten zugemacht

FUTURE
ich werde zumachen
du wirst zumachen
er/sie wird zumachen
wir werden zumachen
ihr werdet zumachen
Sie werden zumachen
sie werden zumachen

CONDITIONAL
ich würde zumachen
du würdest zumachen
er/sie würde zumachen
wir würden zumachen
ihr würdet zumachen
Sie würden zumachen
sie würden zumachen

SUBJUNCTIVE

PRESENT
ich mache zu
du machest zu
er/sie mache zu
wir machen zu
ihr machet zu
Sie machen zu
sie machen zu

IMPERFECT
ich machte zu
du machtest zu
er/sie machte zu
wir machten zu
ihr machtet zu
Sie machten zu
sie machten zu

PERFECT
ich habe zugemacht
du habest zugemacht
er/sie habe zugemacht
wir haben zugemacht
ihr habet zugemacht
Sie haben zugemacht
sie haben zugemacht

PLUPERFECT
ich hätte zugemacht
du hättest zugemacht
er/sie hätte zugemacht
wir hätten zugemacht
ihr hättet zugemacht
Sie hätten zugemacht
sie hätten zugemacht

FUTURE PERFECT
ich werde zugemacht haben
du wirst zugemacht haben *etc*

INFINITIVE

PRESENT
zumachen
PAST
zugemacht haben

PARTICIPLE

PRESENT
zumachend
PAST
zugemacht

IMPERATIVE
mach(e) zu!
macht zu!
machen Sie zu!
machen wir zu!

PRESENT	IMPERFECT	FUTURE
ich zwinge	ich zwang	ich werde zwingen
du zwingst	du zwangst	du wirst zwingen
er/sie zwingt	er/sie zwang	er/sie wird zwingen
wir zwingen	wir zwangen	wir werden zwingen
ihr zwingt	ihr zwangt	ihr werdet zwingen
Sie zwingen	Sie zwangen	Sie werden zwingen
sie zwingen	sie zwangen	sie werden zwingen

PERFECT	PLUPERFECT	CONDITIONAL
ich habe gezwungen	ich hatte gezwungen	ich würde zwingen
du hast gezwungen	du hattest gezwungen	du würdest zwingen
er/sie hat gezwungen	er/sie hatte gezwungen	er/sie würde zwingen
wir haben gezwungen	wir hatten gezwungen	wir würden zwingen
ihr habt gezwungen	ihr hattet gezwungen	ihr würdet zwingen
Sie haben gezwungen	Sie hatten gezwungen	Sie würden zwingen
sie haben gezwungen	sie hatten gezwungen	sie würden zwingen

SUBJUNCTIVE

PRESENT	PERFECT
ich zwinge	ich habe gezwungen
du zwingest	du habest gezwungen
er/sie zwinge	er/sie habe gezwungen
wir zwingen	wir haben gezwungen
ihr zwinget	ihr habet gezwungen
Sie zwingen	Sie haben gezwungen
sie zwingen	sie haben gezwungen

IMPERFECT	PLUPERFECT
ich zwänge	ich hätte gezwungen
du zwängest	du hättest gezwungen
er/sie zwänge	er/sie hätte gezwungen
wir zwängen	wir hätten gezwungen
ihr zwänget	ihr hättet gezwungen
Sie zwängen	Sie hätten gezwungen
sie zwängen	sie hätten gezwungen

FUTURE PERFECT
ich werde gezwungen haben
du wirst gezwungen haben *etc*

INFINITIVE

PRESENT
zwingen

PAST
gezwungen haben

PARTICIPLE

PRESENT
zwingend

PAST
gezwungen

IMPERATIVE

zwing(e)!
zwingt!
zwingen Sie!
zwingen wir!

INDEX OF GERMAN VERBS

The verbs given in full in the tables on the preceding pages are used as models for all other German verbs given in this index. The number in the index is that of the corresponding *verb table*.

The index also contains irregular verb forms. These are each referred to the respective infinitive form of the same verb.

All verbs in this index have been referred to model verbs with corresponding features wherever possible. A weak verb is referred to a weak model verb, a strong verb to a strong model verb, a separable verb to a separable model verb *etc.*

A verb shown in blue is itself given as a model.

A '+' after a prefix indicates that a verb is separable.

A second number in brackets refers to a reflexive verb model.

An asterisk in brackets (*) indicates that a verb, contrary to the model verb that it is referred to, does not form its past participle with 'ge-'.

(+ *dat*) denotes a verb that takes a dative object.

An 's' or 'h' in brackets indicates that a verb, contrary to the model verb that it is referred to, forms its compound tenses using 'sein' or 'haben' respectively.

A

ab+beißen 14
ab+berufen 118 (*)
ab+bestellen 18
ab+biegen 20
ab+brechen 28
ab+decken 1
ab+drehen 1

ab+fahren 43
ab+fallen 44
ab+färben 1
ab+fertigen 1
ab+finden (sich) 47 (7)
ab+geben 56
abgebissen *see*
    abbeißen

abgebogen *see*
    abbiegen
abgebrochen *see*
    abbrechen
abgefunden *see*
    abfinden
abgegangen *see*
    abgehen

ab+gehen 58
abgehoben *see* **abheben**
abgelegen *see* **abliegen**
abgenommen *see* **abnehmen**
abgerissen *see* **abreißen**
abgesandt *see* **absenden**
abgeschlossen *see* **abschließen**
abgeschnitten *see* **abschneiden**
abgeschrieben *see* **abschreiben**
abgesehen *see* **absehen**
abgesprochen *see* **absprechen**
abgestiegen *see* **absteigen**
abgewandt *see* **abwenden**
ab+gewinnen 65
ab+gewöhnen 18
ab+halten 73
ab+hängen 74
ab+härten (sich) 187 (7)
ab+heben (sich) 76 (7)
ab+holen 1
ab+hören 1
ab+kaufen 1
ab+kommen 84
ab+kürzen 1
ab+laden 88
ab+lassen 90
ab+laufen 91
ab+legen 1

ab+lehnen 1
ab+lenken 1
ab+liegen 96
ab+lösen 1
ab+machen 206
ab+nehmen 103
ab+nutzen 1
abonnieren 110
ab+raten 109
ab+rechnen 176
ab+reisen 2
ab+reißen 112
ab+rufen 118
ab+schaffen 1
ab+schalten 187
ab+schleppen 1
ab+schließen 133
ab+schneiden 137
ab+schreiben 138
ab+sehen 147
ab+senden 149
ab+setzen 1
ab+sprechen 157
ab+steigen 164
ab+stellen 1
ab+stimmen 1
ab+stürzen 170
ab+trocknen 176
ab+verlangen 18
ab+warten 187
ab+waschen 188
ab+wechseln 190
ab+wehren 1
ab+weichen 192
ab+wenden (sich) 194 (7)
achten 187
addieren 110
ahnen 92

akzeptieren 110
altern 8 (s)
an+bauen 1
an+beten 187
an+bieten 21
an+blicken 1
an+bringen 30
ändern (sich) 3
an+fangen 4
an+fassen 105
an+flehen 1
an+geben 56
angeboten *see* **anbieten**
angefangen *see* **anfangen**
angegriffen *see* **angreifen**
an+gehen 58
an+gehören (+ *dat*) 18
angeln 190
angenommen *see* **annehmen**
angeschlossen *see* **anschließen**
angestiegen *see* **ansteigen**
angewandt *see* **anwenden**
an gewesen *see* **an sein**
an+gewöhnen (sich *dat*) 18 (5)
angezogen *see* **anziehen**
an+greifen 70
ängstigen (sich) 87 (3)
an+haben 185
an+halten 73
an+hören (sich *dat*) 5

an+kleben 1
an+kleiden 187
an+klopfen 1
an+knüpfen 1
an+kommen 6
an+kündigen 1
an+lassen 90
an+lasten 1
an+legen 1
an+lehnen 1
an+leiten 187
an+machen 206
an+melden (sich) 7
an+nähen 1
an+nehmen 103
an+ordnen 176
an+passen (+ *dat*) 105
an+probieren 110
an+regen 1
an+richten 187
an+rufen 118
an+schalten 187
an+schließen 133
an+sehen 147
an sein 31
an+setzen 1
an+spannen 1
an+spielen 1
an+spornen 1
an+starren 1
an+stecken 1
an+steigen 164
an+stoßen 167
an+strengen (sich)
    1 (7)
an+treten 174
antworten 187
an+vertrauen
    (+ *dat*) 18

an+wenden 194
an+zeigen 1
an+ziehen 205
an+zünden 187
appellieren 110
arbeiten 187
ärgern (sich) 8
aß, äße see **essen**
atmen 198
auf+bauen 1
auf+bewahren 18
auf+brechen 28
auf+drehen 1
auf+fallen (+ *dat*) 44
auf+fangen 4
auf+fassen 105
auf+fordern 8
auf+führen 1
auf+geben 56
aufgebrochen see
    aufbrechen
aufgegangen see
    aufgehen
auf+gehen 58
aufgehoben see
    aufheben
aufgenommen see
    aufnehmen
aufgeschlossen see
    aufschließen
aufgestanden see
    aufstehen
auf gewesen see **auf
    sein**
auf+halten 73
auf+hängen 74
auf+heben 76
auf+hören 1
auf+klären 1

auf+kleben 1
auf+lesen 95
auf+lösen 1
auf+machen 206
auf+muntern 8
auf+nehmen 103
auf+passen 105
auf+räumen 1
auf+regen (sich) 1 (7)
auf+sagen 1
auf+schlagen 130
auf+schließen 133
auf sein 31
auf+setzen 1
auf+spannen 1
auf+stehen 162
auf+stellen 1
auf+treten 174
auf+wachen 2
auf+wärmen 1
auf+wecken 1
aus+bessern 8
aus+bilden 187
aus+brechen 28
aus+breiten 187
aus+dehnen 1
aus+drücken 1
auseinander+nehmen
    103
aus+fallen 44
aus+fragen 52
aus+führen 1
aus+füllen 1
aus+geben 56
ausgebrochen see
    ausbrechen
ausgegangen see
    ausgehen
aus+gehen 58

ausgekannt *see*
    auskennen
ausgeliehen *see*
    ausleihen
ausgerissen *see*
    ausreißen
ausgesprochen *see*
    aussprechen
ausgestiegen *see*
    aussteigen
ausgestorben *see*
    aussterben
aus gewesen *see* **aus**
    sein
ausgewichen *see*
    ausweichen
ausgezogen *see*
    ausziehen
aus+halten 73
aus+holen 1
aus+kennen, sich
    79 (7)
aus+kommen 6
aus+lachen 1
aus+leihen 94
aus+löschen 1
aus+machen 206
aus+merzen 1
aus+packen 1
aus+probieren 110
aus+reichen 1
aus+reißen 112
aus+rufen 118
aus+ruhen (sich) 1 (7)
aus+schalten 187
aus+schlafen (sich)
    129 (7)
aus+schütten 187
aus+sehen 147

aus sein 31
äußern 8
aus+spannen 1
aus+sprechen 157
aus+steigen 164
aus+sterben 165
aus+stoßen 167
aus+strecken (sich)
    1 (7)
aus+üben 1
aus+wählen 1
aus+weichen (+ *dat*)
    192
aus+ziehen 205

B
backen 9
bäckst, bäckt *see*
    backen
baden 187
band, bände *see*
    binden
bändigen 92
bangen 87
barg, bärge *see* **bergen**
barst, bärste *see*
    bersten
basieren 110
basteln 190
bat, bäte *see* **bitten**
bauen 92
baumeln 190
beabsichtigen 18
beachten 18
beantworten 18
beauftragen 18
beben 92
bedanken, sich 18 (10)
bedauern 8 (*)

bedecken 18
bedenken 32 (*)
bedeuten 18
bedienen (sich) 18 (10)
bedingen 18
bedrohen 18
bedürfen 35 (*)
beeilen, sich 10
beeinträchtigen 18
beenden 187 (*)
befahl, befähle *see*
    befehlen
befassen, sich 105
    (*) (10)
befehlen (+ *dat*) 11
befestigen 18
befinden (sich) 47 (*)
    (10)
beföhle, befohlen *see*
    befehlen
befördern 8 (*)
befragen 52 (*)
befreien 18
befriedigen 18
befruchten 18
befunden *see* **befinden**
befürchten 187 (*)
befürworten 187 (*)
begangen *see* **begehen**
begann, begänne *see*
    beginnen
begeben, sich 56 (*)
    (10)
begegnen (+ *dat*) 12
begehen 58 (*)
begeistern 8 (*)
beginnen 13
begleiten 187 (*)
beglückwünschen 18

begnadigen 18
begnügen, sich 18 (10)
begonnen see
   beginnen
begraben 69 (*)
begreifen 70 (*)
begriffen see **begreifen**
begründen 187 (*)
begrüßen 71 (*)
begutachten 187 (*)
behalten 73 (*)
behandeln 190 (*)
beharren 18
behaupten 187 (*)
behelfen, (sich dat)
   78 (*) (5)
beherrschen 18
behindern 8 (*)
beholfen see **behelfen**
behüten 187 (*)
bei+bringen 30
beichten 187
bei+fügen 1
beigebracht see
   beibringen
beigetragen see
   beitragen
bei+setzen 1
beißen 14
bei+tragen 171
bei+treten (+ dat) 174
bejahen 18
bekam, bekäme see
   bekommen
bekämpfen 18
bekannt geben 56
bekannt machen 206
beklagen (sich) 18 (10)
bekleiden 187 (*)

bekommen 15
beladen 88 (*)
belasten 187 (*)
belästigen 18
beleben 92 (*)
belegen 18
belehren 18
beleidigen 18
beleuchten 187 (*)
belichten 187 (*)
bellen 87
belohnen 18
belustigen (sich)
   18 (10)
bemerken 18
bemitleiden 187 (*)
bemühen (sich) 18 (10)
benachrichtigen 18
benachteiligen 18
benannt see **benennen**
benehmen, sich
   103 (*) (10)
beneiden 187 (*)
benennen 104 (*)
benommen see
   benehmen
benötigen 18
benutzen 18
beobachten 187 (*)
beraten 109 (*)
bereuen 18
bergen 16
berichten 187 (*)
berichtigen 18
bersten 17
berücksichtigen 18
berufen (sich)
   118 (*) (10)
beruhen 18

beruhigen (sich) 18 (10)
berühren 18
besann, besannen see
   besinnen
beschädigen 18
beschäftigen (sich)
   18 (10)
bescheinigen 18
beschleunigen 18
beschließen 133 (*)
beschlossen see
   beschließen
beschmutzen 18
beschränken (sich)
   18 (10)
beschreiben 138 (*)
beschrieben see
   beschreiben
beschuldigen 18
beschützen 18
beschweren (sich)
   18 (10)
beschwichtigen 18
beseitigen 18
besessen see **besitzen**
besetzen 18
besichtigen 18
besiedeln 190 (*)
besiegen 18
besinnen, sich
   152 (*) (10)
besitzen 153 (*)
besonnen see **besinnen**
besorgen (sich dat)
   18 (204*)
besprechen 157
bestanden see
   bestehen
bestärken 18

bestätigen 18
bestechen 160 (*)
bestehen 162 (*)
bestellen 18
bestimmen 18
bestochen see
   bestechen
bestrafen 18
bestreiten 169 (*)
bestritten see
   bestreiten
besuchen 18
betätigen 18
betäuben 18
beteiligen (sich) 18 (10)
beten 187
betonen 18
betreten 187 (*)
betrinken, sich
   175 (*) (10)
betrogen see **betrügen**
betrügen 177 (*)
betrunken see
   betrinken
betteln 190
beugen 92
beunruhigen 18
beurteilen 18
bevor+stehen 162
bevorzugen 18
bewachen 18
bewahren 18
bewähren, sich
   18 (10)
**bewegen (sich)
   19 (10)**
beweisen 193 (*)
bewerben, sich
   195 (*) (10)

bewies, bewiesen see
   beweisen
bewirken 18
bewog, bewöge see
   bewegen
bewohnen 18
beworben see
   bewerben
bewundern 8 (*)
bezahlen 18
bezeichnen 18
beziehen (sich)
   205 (*) (10)
bezogen see **beziehen**
bezweifeln 18
biegen 20
bieten 21
bilden 187
billigen 92
bin see **sein**
binden 22
birg, birgt see **bergen**
birst see **bersten**
biss, bissen see **beißen**
bist see **sein**
bitten 23
blamieren (sich) 110
   (10)
blasen 24
bläst see **blasen**
blättern 8
bleiben 25
blicken 87
blieb see **bleiben**
blies see **blasen**
blinzeln 190
blitzen 87
blühen 92
bluten 187

bog, böge see **biegen**
bohren 92
bombardieren 110
borgen (sich *dat*)
   92 (204)
bot, böte see **bieten**
boxen 87
brach, bräche see
   brechen
brachte, brächte see
   bringen
brannte see **brennen**
brät, brätst see
   braten
braten 26
brauchen 27
brauen 92
bräunen 92
brechen 28
bremsen 92
brennen 29
brich, bricht see
   brechen
briet see **braten**
bringen 30
brüllen 87
brüten 187
buchen 27
buchstabieren 110
bücken, sich 87 (3)
bügeln 190
buk, buken see
   backen
bürsten 187
büßen 71

C
campen 87
charakterisieren 110

D

dachte, dächte *see*
    denken
dagestanden *see*
    dastehen
da gewesen *see* **da sein**
dämmern 8
dampfen 87
dämpfen 87
danken (+ *dat*) 87
darf, darfst *see* **dürfen**
dar+legen 1
dar+stellen 1
da sein 31
da+stehen 162
datieren 110
dauern 8
davon+laufen 91
debattieren 110
decken 87
dehnen 92
demütigen 92
denken 32
deuten 187
dichten 187
dienen (+ *dat*) 92
diktieren 110
dirigieren 110
diskutieren 110
dividieren 110
donnern 8
drang, dränge *see*
    dringen
drängen 92
drehen 92
dreschen 33
dringen 34
drisch *see* **dreschen**
drohen (+ *dat*) 92

drosch, drösche *see*
    dreschen
drosseln 190
drucken 87
drücken 87
duften 187
dulden 187
düngen 92
dünsten 187
durch+führen 1
durch+lassen 90
durch+lesen 95
durchqueren 18
durchsuchen 18
dürfen 35
durfte *see* **dürfen**
duschen 87
duzen 71

E

eignen, sich 176 (3)
eilen 36
ein+bauen 1
ein+bilden, sich (*dat*)
    187 (5)
ein+brechen 28
ein+fallen 44
ein+flößen 1
ein+führen 1
ein+geben 56
eingebrochen *see*
    einbrechen
eingegangen *see*
    eingehen
eingegriffen *see*
    eingreifen
ein+gehen 58
eingenommen *see*
    einnehmen

eingeschritten *see*
    einschreiten
eingeworfen *see*
    einwerfen
eingezogen *see*
    einziehen
ein+greifen 70
ein+holen 1
einigen, sich 92
ein+kaufen 1
ein+laden 88
ein+lassen (sich) 90 (7)
ein+laufen 91
ein+lösen 1
ein+nehmen 103
ein+packen 1
ein+richten 187
ein+schalten 187
ein+schärfen 1
ein+schenken 1
ein+schlafen 129 (s)
ein+schlagen 130
ein+schränken 1
ein+schreiben, sich
    138 (7)
ein+schreiten 140
ein+sehen 147
ein+setzen (sich) 1 (7)
ein+sperren 1
ein+steigen 164
ein+stellen 1
ein+stürzen 170
ein+teilen 1
ein+treten 174
ein+weichen 1
ein+weihen 1
ein+werfen 197
ein+wickeln 190
ein+willigen 1

ein+zahlen 1
ein+ziehen 205
ekeln (sich) 190 (3)
empfahl, empfähle *see* **empfehlen**
empfangen 45 (*)
empfehlen (+ *dat*) 37
empfiehlst, empfiehlt *see* **empfehlen**
empfinden 47 (*)
empföhle, empfohlen *see* **empfehlen**
empfunden *see* **empfinden**
empören (sich) 18 (10)
enden 187
entbinden 22 (*)
entbunden *see* **entbinden**
entdecken 18
entführen 18
entgangen *see* **entgehen**
entgegen+bringen 30
entgegen+halten 73
entgegnen (+ *dat*) 176
entgehen (+ *dat*) 58 (*)
entgelten 60 (*)
entgleisen 18 (s)
entgolten *see* **entgelten**
enthalten (sich) 73 (*) (10)
entkommen (+ *dat*) 84 (*)
entladen 88
entlassen 90 (*)
entlasten 187 (*)
entleihen 94 (*)
entliehen *see* **entleihen**

entlocken 18
entnehmen 103
entnommen *see* **entnehmen**
entreißen 112 (*)
entrissen *see* **entreißen**
entrüsten (sich) 187 (*) (10)
entschädigen 18
entscheiden 38
entschied, entschieden *see* **entscheiden**
entschließen (sich) 133 (*) (10)
entschuldigen (sich) 18 (10)
entsetzen 18
entsinnen, sich 152 (*) (10)
entsonnen *see* **entsinnen**
entspannen 18
entstanden *see* **entstehen**
entstehen 162 (*, s)
enttäuschen 18
entwerten 187 (*)
entwickeln (sich) 190 (*) (10)
entziehen 205 (*)
entzogen *see* **entziehen**
entzücken 18
entzünden 187 (*)
erbarmen (sich) 18 (10)
erbauen 18
erben 92
erblassen 105 (*, s)
erblinden 12
erbrechen 28 (*)

ereignen, sich 198 (*) (10)
erfahren 43 (*, h)
erfassen 105 (*)
erfinden 47 (*)
erfordern 8 (*)
erforschen 18
erfreuen (sich) 18 (10)
erfrieren 54 (*, s)
erfrischen 18
erfroren *see* **erfrieren**
erfüllen 18
erfunden *see* **erfinden**
ergeben (sich) 56 (*) (10)
ergreifen 70
ergriffen *see* **ergreifen**
erhalten 73 (*)
erheben (sich) 76 (*) (10)
erhellen (sich) 18 (10)
erhitzen 18
erhoben *see* **erheben**
erholen, sich 10
erinnern (sich) 8 (3)
erkälten, sich 187
erkannt *see* **erkennen**
erkennen 79 (*)
erklären 18
erklimmen 39
erklomm, erklömme *see* **erklimmen**
erklommen *see* **erklimmen**
erkranken 18 (s)
erkundigen, sich 10
erlangen 18
erlassen 90 (*)
erlauben (+ *dat*) 18

erläutern 8 (*)
erleben 92 (*)
erledigen 18
erleichtern 8 (*)
erleuchten 187 (*)
erlösen 18
ermächtigen 18
ermahnen 18
ermäßigen 18
ermöglichen 18
ermorden 187 (*)
ermüden 187 (*)
ermuntern 8 (*)
ermutigen 18
ernähren 18
ernannt see **ernennen**
ernennen 104
erneuern 8 (*)
ernten 187
erobern 8 (*)
erpressen 105 (*)
erregen 18
erreichen 18
errichten 187 (*)
erringen 116 (*)
erröten 12
errungen see **erringen**
erschaffen 121 (*)
erscheinen 124 (*)
erschießen 128 (*)
erschlagen 130 (*)
erschöpfen 18
erschossen see
　　erschießen
erschrak, erschräke see
　　erschrecken
erschrecken 40
erschrickst, erschrickt
　　see **erschrecken**

erschrocken see
　　erschrecken
erschüttern 8 (*)
erschweren 18
ersetzen 18
ersparen 18
erstaunen 18
erstechen 160 (*)
ersticken 18 (h/s)
erstochen see
　　erstechen
erstrecken, sich 10
erteilen 18
ertragen 171 (*)
ertrinken 175 (*)
ertrunken see **ertrinken**
erwachen 18 (s)
erwachsen 186 (*)
erwägen 41
erwähnen 18
erwärmen 18
erwarten 187 (*)
erweisen 193 (*)
erweitern 8 (*)
erwerben 195 (*)
erwidern 8 (*)
erwischen 18
erwog, erwöge,
　　erwogen see
　　　erwägen
erworben see **erwerben**
erwürgen 18
erzählen 18
erzeugen 18
erziehen 205 (*)
erzielen 18
erzogen see **erziehen**
essen 42
esst see **essen**

existieren 110
explodieren 110 (s)
exportieren 110

F
fachsimpeln 190
fahnden 187
fahren 43
fährst, fährt see **fahren**
fallen 44
fällen 87
fallen lassen 90 (*)
fällst, fällt see **fallen**
fälschen 87
falten 187
fand, fände see **finden**
fangen 45
fängst, fängt see
　　fangen
färben 92
fassen 105
fauchen 27
faulenzen 71
fechten 46
fegen 92
fehlen (+ dat) 92
feiern 8
feilschen 27
fern+sehen 147
fertig machen 206
fesseln 190
fest+binden 22
fest+halten 73
fest+machen 206
fest+stehen 162
fest+stellen 80
feuern 8
fichst, ficht see **fechten**
fiel, fielen see **fallen**

filmen 92
finden 47
fing *see* **fangen**
fischen 87
flackern 8
flattern 8
flechten 48
flehen 92
flichst, flicht *see*
   flechten
flicken 87
fliegen 49
fliehen 50
fließen 51
flimmern 8
flocht, flöchte *see*
   flechten
flog, flöge *see* **fliegen**
floh, flöhe *see* **fliehen**
floss, flösse, flossen *see*
   fließen
fluchen 87
flüchten 89
flüstern 8
focht, föchte *see*
   fechten
folgen (+ *dat*) 36
folgern 8
fordern 8
fördern 8
formen 92
forschen 87
fort+fahren 43
fort+gehen 58
fort+pflanzen (sich)
   80 (7)
fort+setzen 80
fotografieren 110
fragen (sich) 52 (3)

frankieren 110
fraß, fräße *see* **fressen**
frei+halten 73
frei+lassen 90
frei+sprechen 157
fressen 53
freuen (sich) 92 (3)
frieren 54
friss, frisst *see* **fressen**
fror, fröre *see* **frieren**
frug *see* **fragen**
frühstücken 87
fügen 92
fühlen (sich) 92 (3)
fuhr, führe *see* **fahren**
führen 92
füllen 87
funkeln 190
funken 87
funktionieren 110
fürchten (sich) 187 (3)
fußen 71
füttern 8

G
gab, gäbe, gaben,
   gäben *see* **geben**
gähnen 92
galt, gälte *see* **gelten**
garantieren 110
gebacken *see* **backen**
gebar *see* **gebären**
gebären 55
geben 56
gebeten *see* **bitten**
gebier *see* **gebären**
gebissen *see* **beißen**
geblasen *see* **blasen**
geblieben *see* **bleiben**

gebogen *see* **biegen**
geboren *see* **gebären**
geborgen *see* **bergen**
geborsten *see* **bersten**
geboten *see* **bieten**
gebracht *see* **bringen**
gebrannt *see* **brennen**
gebraten *see* **braten**
gebrauchen 18
gebrochen *see* **brechen**
gebunden *see* **binden**
gedacht *see* denken,
   gedenken
gedeihen 57
gedenken 32
gedieh, gediehen *see*
   gedeihen
gedroschen *see*
   dreschen
gedrungen *see* **dringen**
geduldet, sich 187
gedurft *see* **dürfen**
gefährden 187
gefahren *see* **fahren**
gefallen[1] (+ *dat*)
   44 (*, h)
gefallen[2] *see* fallen,
   gefallen[1]
gefangen *see* **fangen**
gefangen nehmen 103
geflochten *see* **flechten**
geflogen *see* **fliegen**
geflohen *see* **fliehen**
geflossen *see* **fließen**
gefochten *see* **fechten**
gefressen *see* **fressen**
gefrieren 54 (*)
gefroren *see* frieren,
   gefrieren

gefunden see **finden**
gegangen see **gehen**
gegeben see **geben**
gegessen see **essen**
geglichen see **gleichen**
geglitten see **gleiten**
gegolten see **gelten**
gegossen see **gießen**
gegraben see **graben**
gegriffen see **greifen**
gehalten see **halten**
gehangen see **hängen**
gehauen see **hauen**
geheißen see **heißen**
gehen 58
gehoben see **heben**
geholfen see **helfen**
gehorchen (+ *dat*) 18
gehören (+ *dat*) 18
gekannt see **kennen**
geklungen see **klingen**
gekniffen see **kneifen**
gekommen see
    kommen
gekonnt see **können**
gekrochen see **kriechen**
geladen see **laden**
gelang, gelänge see
    gelingen
gelangen 18 (s)
gelassen see **lassen**
gelaufen see **laufen**
gelegen see **liegen**
geleiten 187 (*)
gelesen see **lesen**
geliehen see **leihen**
gelingen (+ *dat*) 59
gelitten see **leiden**
gelogen see **lügen**

gelten 60
gelungen see **gelingen**
gemahlen see **mahlen**
gemessen see **messen**
gemieden see **meiden**
gemocht see **mögen**
gemusst see **müssen**
genannt see **nennen**
genas, genäse see
    genesen
genehmigen 18
genesen 61
genieren (sich) 110 (10)
genießen 62
genommen see
    nehmen
genoss, genösse see
    genießen
genossen see **genießen**
genügen (+ *dat*) 18
gepfiffen see **pfeifen**
gepriesen see **preisen**
gequollen see **quellen**
gerannt see **rennen**
gerät, gerätst see
    geraten
geraten[1] 63
geraten[2] see **raten,
    geraten**[1]
gerieben see **reiben**
geriet see **geraten**
gerinnen 117 (*)
gerissen see **reißen**
geritten see **reiten**
gerochen see **riechen**
geronnen see **rinnen,
    gerinnen**
gerufen see **rufen**
gerungen see **ringen**

gesandt see **senden**
geschaffen see
    schaffen
geschah, geschähe see
    geschehen
geschehen 64
geschieden see
    scheiden
geschienen see
    scheinen
geschlafen see
    schlafen
geschlagen see
    schlagen
geschlichen see
    schleichen
geschliffen see
    schleifen
geschlossen see
    schließen
geschlungen see
    schlingen
geschmissen see
    schmeißen
geschmolzen see
    schmelzen
geschnitten see
    schneiden
geschoben see
    schieben
gescholten see **schallen**
gescholten see
    schelten
geschoren see **scheren**
geschossen see
    schießen
geschrieben see
    schreiben
geschrien see **schreien**

geschritten *see* **schreiten**

geschwiegen *see* **schweigen**

geschwollen *see* **schwellen**

geschwommen *see* **schwimmen**

geschworen *see* **schwören**

geschwunden *see* **schwinden**

geschwungen *see* **schwingen**

gesehen *see* **sehen**

gesessen *see* **sitzen**

gesoffen *see* **saufen**

gesogen *see* **saugen**

gesonnen *see* **sinnen**

gespien *see* **speien**

gesponnen *see* **spinnen**

gesprochen *see* **sprechen**

gesprossen *see* **sprießen**

gesprungen *see* **springen**

gestand *see* **gestehen**

gestanden *see* **stehen, gestehen**

gestatten 187 (*)

gestehen 162 (*)

gestiegen *see* **steigen**

gestochen *see* **stechen**

gestohlen *see* **stehlen**

gestorben *see* **sterben**

gestoßen *see* **stoßen**

gestrichen *see* **streichen**

gestritten *see* **streiten**

gestunken *see* **stinken**

gesungen *see* **singen**

gesunken *see* **sinken**

getan *see* **tun**

getragen *see* **tragen**

getreten *see* **treten**

getrieben *see* **treiben**

getroffen *see* **treffen**

getrogen *see* **trügen**

getrunken *see* **trinken**

gewachsen *see* **wachsen**

gewähren 18

gewandt *see* **wenden**

gewann, gewänne *see* **gewinnen**

gewaschen *see* **waschen**

gewesen *see* **sein**

gewichen *see* **weichen**

gewiesen *see* **weisen**

gewinnen 65

gewoben *see* **weben**

gewogen *see* **wiegen**

gewöhnen 18

gewonnen *see* **gewinnen**

geworben *see* **werben**

geworden *see* **werden**

geworfen *see* **werfen**

gewrungen *see* **wringen**

gewunden *see* **winden**

gewusst *see* **wissen**

gezogen *see* **ziehen**

gezwungen *see* **zwingen**

gib, gibst, gibt *see* **geben**

gießen 66

gilt, giltst *see* **gelten**

ging, gingen *see* **gehen**

glänzen 71

glasieren 110

glätten 187

glauben (+ *dat*) 92

gleichen (+ *dat*) 67

gleiten 68

glich, glichen *see* **gleichen**

gliedern 8

glimmen 39

glitt, glitten *see* **gleiten**

glitzern 8

glücken 36

glühen 92

gölte *see* **gelten**

gönnen 92

goss, gösse, gossen *see* **gießen**

graben 69

gräbst, gräbt *see* **graben**

grämen, sich 92 (3)

gratulieren (+ *dat*) 110

greifen 70

griff, griffen *see* **greifen**

grinsen 92

grub, grübe, grüben *see* **graben**

grübeln 190

gründen (sich) 187 (3)

grünen 92

grunzen 71

grüßen 71

gucken 87

gut+schreiben 138

H

haben 72
hacken 87
haften 187
hagen 190
häkeln 190
half, halfen see **helfen**
hallen 87
hält, hältst see **halten**
halten 73
handeln 190
handhaben 92
hängen 74
hantieren 110
hassen 105
hast see **haben**
hat, hatte, hätte, hatten
   see **haben**
hauchen 27
hauen 75
häufen 87
hausieren 110
heben 76
heften 187
hegen 92
heilen 92
heim+kehren 80
heim+zahlen 80
heiraten 187
heißen 77
heizen 71
helfen (+ *dat*) 78
hemmen 92
herab+setzen 1
heran+gehen 58
heran+treten 174
heran+wachsen 186
herauf+steigen 164
heraus+fordern 8

heraus+geben 56
heraus+ziehen 205
herbei+schaffen 1
herein+kommen 6
herein+lassen 90
her+geben 56
her+kommen 6
herrschen 27
her+rühren 1
her+stellen 1
herüber+kommen 6
herum+hantieren 1
herum+streichen
   168 (s)
herunter+fallen 44
herunter+lassen 90
hervor+bringen 30
hervor+holen 1
hervor+treten 174 (s)
hetzen 87
heucheln 190
heulen 92
hieb, hieben see **hauen**
hielt, hielten see **halten**
hieß, hießen see
   heißen
hilf, hilft see **helfen**
hinab+blicken 1
hinauf+steigen 164
hinaus+gehen 58
hinaus+laufen 91
hinaus+werfen 197
hindern 8
hinein+gehen 58
hin+fallen 44
hing, hingen see
   hängen
hingewiesen see
   hinweisen

hinken 87
hin+legen 1
hin+setzen 1
hin+stellen 1
hinüber+gehen 58
hinunter+gehen 58
hinweg+sehen 147
hin+weisen 193
hinzu+fügen 1
hissen 105
hob, höbe see **heben**
hobeln 190
hocken 87
hoffen 87
holen 92
horchen 27
hören 92
huldigen 92
hülfe, hülfen see
   helfen
hüllen 92
humpeln 190 (h/s)
hungern 8
hupen 92
hüpfen 87
husten 187
hüten 187

I

identifizieren 110
ignorieren 110
impfen 87
importieren 110
infizieren 110
informieren 110
interessieren (sich)
   110 (10)
irren (sich) 92 (3)
isolieren 110

iss, isst *see* **essen**
ist *see* **sein**

J
jagen 92
jammern 8
jubeln 190
jucken 87

K
kam, käme *see*
   kommen
kämmen (sich) 92 (3)
kämpfen 87
kann, kannst *see*
   können
kannte, kannten *see*
   kennen
kapieren 110
kaputt+gehen 58
kauen 92
kaufen 27
kehren 92
keimen 92
kennen 79
kennen+lernen 80
kentern 8 (s)
keuchen 27
kichern 8
kippen 87 (h/s)
kitten 187
kitzeln 190
klagen 92
klang, klänge *see*
   klingen
klappen 87
klären 92
klar+machen 206
klatschen 27

klauen 92
kleben 92
kleiden 187
klemmen 92
klettern 8 (s)
klimmen 39
klingeln 190
klingen 81
klirren 92
klomm *see* **klimmen**
klopfen 87
knabbern 8
knacken 87
knallen 87
knarren 87
knebeln 190
kneifen 82
kneten 187
knicken 87
knien 83
kniff, kniffen *see*
   kneifen
knistern 8
knittern 8
knüpfen 87
knurren 87
kochen 87
kommen 84
kommentieren 110
komplizieren 110
konfrontieren 110
können 85
konservieren 110
kontrollieren 110
konzentrieren (sich)
   110 (10)
koppeln 190
korrespondieren 110
korrigieren 110

kosten 187
krabbeln 190 (h/s)
krächzen 71
kräftigen 92
kränken 87
kratzen 87
kreischen 27
kreisen 92
kreuzen 71
kriechen 86
kriegen 92
kritisieren 110
kroch, kröche *see*
   kriechen
krümmen 87
kümmern, sich 3
kündigen 92
kürzen 71
küssen 87

L
lächeln 190
lachen 87
lackieren 110
laden 88
lädst, lädt *see* **laden**
lag, läge *see* **liegen**
lagern 8
lähmen 92
landen 89
langweilen (sich) 92 (3)
las, läse *see* **lesen**
lassen 90
lässt *see* **lassen**
lasten 187
lästern 8
lauern 8
laufen 91
läufst, läuft *see* **laufen**

lauschen 27
läuten 187
leben 92
lecken 87
leeren 92
legen (sich) 92 (3)
lehnen (sich) 92 (3)
lehren 92
leiden 93
leihen 94
leisten 187
leiten 187
lenken 87
lernen 92
lesen 95
leuchten 187
leugnen 12 (h)
lieben 92
lief, liefen *see* **laufen**
liefern 8
liegen 96
lieh, liehen *see* **leihen**
ließ, ließen *see* **lassen**
liest *see* **lesen**
lindern 8
lispeln 190
litt, litten *see* **leiden**
loben 92
lodern 8
log, löge, logen *see*
    lügen
lohnen (sich) 92 (3)
löschen 27
lösen 92
losgegangen *see*
    losgehen
los+gehen 58
los+lassen 90
los+machen 206

los+werden 196
löten 187
lud, lüde, luden *see*
    laden
lügen 97

M
machen 87
mag, magst *see* **mögen**
mähen 92
mahlen 98
mahnen 92
malen 92
mangeln 190
maskieren (sich) 110
maß, mäße *see* **messen**
mäßigen 92
meckern 8
meiden 99
meinen 92
melden (sich) 187 (7)
melken 87
merken 87
messen 100
miauen 92
mied, mieden *see*
    meiden
mieten 187
mildern 8
mindern 8
mischen 27
miss, misst *see* **messen**
missgönnen 18
misslingen (+ *dat*)
    59 (s)
misstrauen (+ *dat*) 18
missverstehen 162 (*)
mit+bringen 30
mit+geben 56

mitgebracht *see*
    mitbringen
mitgenommen *see*
    mitnehmen
mit+machen 206
mit+nehmen 103
mit+teilen 1
mit+wirken 1
möblieren 110
mochte, möchte *see*
    mögen
mögen 101
montieren 110
multiplizieren 110
münden 89
murmeln 190
musizieren 110
muss, musste *see*
    müssen
müssen 102

N
nach+ahmen 1
nach+denken 32
nach+eifern (+ *dat*) 1
nach+geben (+ *dat*) 56
nachgedacht *see*
    nachdenken
nachgegangen *see*
    nachgehen
nach+gehen (+ *dat*) 58
nachgesandt *see*
    nachsenden
nachgewiesen *see*
    nachweisen
nach+lassen 90
nach+laufen (+ *dat*) 91
nach+prüfen 1
nach+schlagen 130

nach+senden 149
nach+stellen 1
nach+weisen (+ *dat*) 193
nagen 92
nahe+bringen 30
nahegebracht *see* **nahebringen**
nahelegen 1
nähen 92
nähern (sich) 8 (3)
nahm, nähme, nahmen *see* **nehmen**
nähren 92
nannte, nannten *see* **nennen**
naschen 27
necken 87
nehmen 103
neigen (sich) 92 (3)
nennen 104
nicken 87
nieder+legen (sich) 1 (7)
niesen 92
nimm, nimmt *see* **nehmen**
nippen 87
nisten 187
nörgeln 190
normalisieren 110
notieren 110
nötigen 92
nummerieren 110
nützen 87

O

öffnen 198
operieren 110

opfern 8
ordnen 176
organisieren 110
orientieren 110

P

pachten 187
packen 87
parken 87
passen (+ *dat*) 105
passieren 110 (s)
passt, passten *see* **passen**
pensionieren 110
pfänden 187
pfeffern 8
pfeifen 106
pfiff, pfiffen *see* **pfeifen**
pflegen 92
pflügen 92
pfuschen 87
philosophieren 110
picken 87
plädieren 110
plagen 92
planen 92
plätschern 8
platzen 36
plaudern 8
plündern 8
pochen 87
polieren 110
polstern 8
prägen 92
prahlen 92
prallen 36
predigen 92
preisen 107

pressen 105
pries, priesen *see* **preisen**
probieren 110
produzieren 110
prophezeien 92
protestieren 110
prüfen 27
prügeln 190
pumpen 92
purzeln 190
putzen 87

Q

quälen 92
quatschen 27
quellen 108
quetschen 27
quietschen 27
quill, quillt *see* **quellen**
quittieren 110
quoll, quölle *see* **quellen**

R

rächen (sich) 87 (3)
radieren 110
raffen 87
rahmen 92
rang, ränge *see* **ringen**
rangieren 110
ranken 87
rann, ränne *see* **rinnen**
rannte, rannten *see* **rennen**
rascheln 190
rasen 36
rasieren (sich) 110 (10)
rasten 187

rät, rätst *see* raten
raten (+ *dat*) 109
rauben 92
rauchen 27
raufen 27
räumen 92
rauschen 27
räuspern, sich 8 (3)
reagieren 110
rechnen 176
rechtfertigen 92
recken 87
reden 187
referieren 110
reflektieren 110
regeln 190
regieren 110
regnen 176
reiben 111
reichen (+ *dat*) 27
reifen 27
reimen (sich) 92 (3)
reinigen 92
rein+kommen 6
reisen 2
reißen 112
reiten 113
reizen 71
rennen 114
reparieren 110
reservieren 110
resultieren 110
retten 187
richten 187
rieb, reiben *see* reiben
riechen 27
rief, riefen *see* rufen
riet, rieten *see* raten
ringen 116

rinnen 117
riss, rissen *see* reißen
ritt, ritten *see* reiten
roch, röche, rochen *see*
    riechen
rodeln 190 (h/s)
roden 187
rollen 87
röntgen 92
rosten 187
rösten 187
röten (sich) 187 (3)
rücken 87
rudern 8
rufen 118
ruhen 27
rühren (sich) 92 (3)
rümpfen 87
runzeln 190
rupfen 87
rüsten 187
rutschen 27

S
säen 92
sagen 92
sägen 92
sah, sähe, sahen *see*
    sehen
salzen 98
sammeln 190
sandte, sandten *see*
    senden
sang, sänge *see* singen
sank, sänke *see* sinken
sann, sänne *see* sinnen
saß, säße, saßen *see*
    sitzen
sättigen 92

sauber machen 206
säubern 8
saufen 119
säufst, säuft *see* saufen
saugen 120
schaben 27
schaden (+ *dat*) 92
schädigen 92
schaffen 121
schälen 92
schallen 122
schalt *see* schelten
schalten 187
schämen, sich 92 (3)
schärfen 27
schätzen 87
schauen 27
scheiden 123
scheinen 124
scheißen 14
scheitern 8 (s)
schellen 87
schelten 125
schenken 87
scheren 126
scherzen 71
scheuen (sich) 27 (3)
schicken 87
schieben 127
schied, schieden *see*
    scheiden
schien, schienen *see*
    scheinen
schießen 128
schildern 8
schilt, schiltst *see*
    schelten
schimmeln 190
schimmern 8

schimpfen 87
schlachten 187
schlafen 129
schläfst, schläft *see*
   schlafen
schlagen 130
schlägst, schlägt *see*
   schlagen
schlang, schlänge *see*
   schlingen
schleichen 131
schleifen 132
schleppen 87
schleudern 8
schlich, schlichen *see*
   schleichen
schlichten 187
schlief, schliefen *see*
   schlafen
schließen (sich) 133 (3)
schliff, schliffen *see*
   schleifen
schlingen 134
schloss, schlösse *see*
   schließen
schluchzen 71
schlucken 87
schlug, schlüge *see*
   schlagen
schlüpfen 87
schmälern 8
schmecken 87
schmeicheln (+ *dat*)
   190
schmeißen 135
schmelzen 136
schmerzen 71
schmilzt *see* **schmelzen**
schminken 87

schmiss, schmissen *see*
   schmeißen
schmolz, schmölze *see*
   schmelzen
schmoren 92
schmücken 87
schmuggeln 190
schnappen 87
schnarchen 27
schnaufen 27
schneiden 137
schneien 92
schnitt, schnitten *see*
   schneiden
schnitzen 87
schnüffeln 190
schnüren 92
schob, schöbe,
   schoben *see*
   schieben
scholl, schölle *see*
   schallen
schölte *see* **schelten**
schonen 92
schöpfen 87
schor, schöre *see*
   scheren
schoss, schösse *see*
   schießen
schreiben 138
schreien 139
schreiten 140
schrie, schrien *see*
   schreien
schrieb, schrieben *see*
   schreiben
schritt, schritten *see*
   schreiten
schrumpfen 87

schuf, schüfe *see*
   schaffen
schulden 187
schütteln 190
schütten 187
schützen 87
schwamm, schwammen
   see **schwimmen**
schwand, schwände *see*
   schwinden
schwang, schwänge *see*
   schwingen
schwanken 87
schwärmen 92
schwatzen 87
schwätzen 87
schweben 92
schweifen 27
schweigen 141
schweißen 71
schwellen 142
schwenken 87
schwieg, schwiegen *see*
   schweigen
schwill, schwillt *see*
   schwellen
schwimmen 143
schwindeln 190
schwinden 144
schwingen 145
schwitzen 87
schwoll, schwölle *see*
   schwellen
schwömme,
   schwömmen *see*
   schwimmen
schwor, schworen *see*
   schwören
schwören 146

schwüre, schwüren *see*
   schwören
segeln 190 (h/s)
segnen 176
sehen 147
sehnen, sich 92 (3)
sei, seien *see* **sein**
seid *see* **sein**
sein 148
senden 149
senken 87
setzen (sich) 87 (3)
seufzen 71
sichern 8
sicher+stellen 80
siedeln 190
siegen 92
sieh(e) *see* **sehen**
siezen 71
sind *see* **sein**
singen 150
sinken 151
sinnen 152
sitzen 153
sitzen bleiben 25
soff, söffe *see* **saufen**
sog, söge, sogen *see*
   saugen
sollen 154
sorgen (sich) 92
sortieren 110
spähen 92
spalten 187
spann, spänne *see*
   spinnen
spannen 87
sparen 92
spaßen 71
spazieren gehen 58

speien 155
speisen 92
spekulieren 110
spendieren 110
sperren 87
spie, spien *see* **speien**
spiegeln (sich) 190 (3)
spielen 92
spinnen 156
spionieren 110
spönne, spönnen *see*
   spinnen
spotten 187
sprach, spräche *see*
   sprechen
sprang, spränge *see*
   springen
sprechen 157
spreizen 71
sprengen 92
sprießen 158
springen 159
spross, sprösse *see*
   sprießen
sprühen 92
spucken 87
spülen 92
spüren 92
stach, stäche *see*
   stechen
stahl, stähle *see*
   stehlen
stak, stäke, staken *see*
   stecken
stammen 87
stand, standen *see*
   stehen
stank, stänke *see*
   stinken

starb, starben *see*
   sterben
starten 187
statt+finden 47
stattgefunden *see*
   stattfinden
stauben 92
stauen 92
staunen 92
stechen 160
stecken 161
stehen 162
stehen bleiben 25
stehen lassen 90
stehlen 163
steigen 164
stellen 87
stemmen 87
stempeln 190
sterben 165
steuern 8
stich, sticht *see*
   stechen
sticken 87
stieg, stiegen *see*
   steigen
stiehl, stiehlt *see*
   stehlen
stieß, stießen *see*
   stoßen
stiften 187
stillen 87
still+halten 73
stimmen 87
stinken 166
stirb, stirbt *see* **sterben**
stöbern 8
stocken 87
stöhnen 92

stolpern 8 (s)
stopfen 87
stoppen 87
stören 92
stoßen 167
stößt see **stoßen**
stottern 8
strahlen 92
stranden 89
strapazieren 110
streben 92
strecken 87
streicheln 190
streichen 168
streifen 27
streiken 27
streiten (sich) 169 (3)
strich, strichen see
    streichen
stricken 87
stritt, stritten see
    streiten
strömen 36
sträuben, sich 92 (3)
studieren 110
stünde, stünden see
    stehen
stürbe, stürben see
    sterben
stürmen 92
stürzen 170
subtrahieren 110
suchen 27
summen 87

T
tadeln 190
tanken 87
tanzen 71 (h/s)

tapezieren 110
tat, täte, taten see **tun**
tauchen 27 (h/s)
tauen 92
taufen 27
taugen 92
taumeln 190 (s)
tauschen 27
täuschen (sich) 27 (3)
teilen 92
teilgenommen see
    teilnehmen
teil+haben 185
teil+nehmen 103
telefonieren 110
ticken 87
tilgen 92
toben 92
töten 187
trachten 187
traf, träfe see **treffen**
tragen 171
trägst, trägt see **tragen**
trainieren 110
trampen 92
trank, tränke see
    trinken
transportieren 110
trat, träte, traten see
    treten
trauen (+ dat) 92
trauern 8
träumen 92
treffen 172
treiben 173
trennen 87
treten 174
trieb, trieben see
    treiben

triff, trifft see **treffen**
trinken 175
tritt, trittst see **treten**
trocknen 176
trog, tröge, trogen see
    trügen
trösten 187
trug, trüge, trugen see
    tragen
trügen 177
tu, tue see **tun**
tun 178
turnen 92
tust, tut see **tun**

U
übel genommen see
    übel nehmen
übel nehmen 103
üben 92
überblicken 18
übergangen see
    übergehen[1]
übergeben (sich)
    56 (*) (10)
übergehen[1] 58 (*)
über+gehen[2] 58
überholen 18
überlassen 90 (*)
über+laufen 91
überleben 18
überlegen (sich dat)
    18 (204*)
überliefern 8 (*)
übermitteln 190 (*)
übernachten 187 (*)
übernehmen 103 (*)
übernommen see
    übernehmen

überqueren 18
überraschen 18
überreden 187 (*)
überreichen 18
überschreiten 140 (*)
überschwemmen 18
übersehen 147 (*)
übersetzen[1] 18
über+setzen[2] 1 (h/s)
überspringen 159 (*)
übersprungen see
    überspringen
überstanden see
    überstehen
überstehen 162 (*)
übertragen 171 (*)
übertreffen 172 (*)
übertreiben 173 (*)
übertreten 174 (*)
übertrieben see
    übertreiben
übertroffen see
    übertreffen
überwiegen 199 (*)
überwinden 200 (*)
überwogen see
    überwiegen
überwunden see
    überwinden
überzeugen 18
überziehen[1] 205 (*)
über+ziehen[2] 205
umarmen 18
um+binden 22
um+bringen 30
um+drehen (sich) 1 (7)
umfassen 105 (*)
umgangen see
    umgehen[1]

umgeben 56 (*)
umgebracht see
    umbringen
umgebunden see
    umbinden
umgegangen see
    umgehen[2]
umgehen[1] 58 (*)
um+gehen[2] 58
umgestiegen see
    umsteigen
umgeworfen see
    umwerfen
umgezogen see
    umziehen
um+kehren 1 (h/s)
um+kippen 1 (h/s)
um+kommen 84
um+legen 1
um+leiten 187
umschreiben 138 (*)
um+sehen, sich 147 (7)
um+steigen 164
um+tauschen 1
um+wandeln 190
um+werfen 197
um+ziehen (sich)
    205 (7)
unterbrechen 28 (*)
unterbreiten 187 (*)
unterbrochen see
    unterbrechen
unterdrücken 18
untergegangen see
    untergehen
unter+gehen 58
unterhalten (sich)
    73 (*) (10)
unterlassen 90 (*)

unterlegen see
    unterliegen
unterliegen 96 (s)
unterrichten 187 (*)
untersagen 18
unterscheiden (sich)
    123 (*) (10)
unterschieden see
    unterscheiden
unterschlagen 130
unterschreiben 138 (*)
unterschrieben see
    unterschreiben
unterstellen 18
unterstützen 18
untersuchen 18
urteilen 92

V

verabreden (sich)
    187 (*) (10)
verabscheuen 18
verachten 187 (*)
verändern (sich) 3 (*)
veranlassen 105 (*)
veranschaulichen 18
veranstalten 187 (*)
verantworten 187 (*)
verarbeiten 187 (*)
veräußern 8 (*)
verbergen (sich)
    16 (*) (10)
verbessern 8 (*)
verbeten see **verbitten**
verbeugen, sich 10
verbieten (+ *dat*) 21 (*)
verbinden 22 (*)
verbitten, sich
    23 (*) (10)

verbleiben 25 (*)

verblüffen 18

verblühen 18 (s)

verborgen see
   verbergen

verboten see **verbieten**

verbracht see
   verbringen

verbrannt see
   verbrennen

verbrauchen 18

verbreiten 187 (*)

verbrennen (sich)
   29 (*) (10)

verbringen 30 (*)

verbunden see
   verbinden

verbürgen (sich)
   18 (10)

verdammen 18

verdanken 18

verdarb, verdarben see
   verderben

verdauen 18

verdecken 18

verderben 179

verdeutlichen 18

verdienen 18

verdirb, verdirbt see
   verderben

verdoppeln 190 (*)

verdorben see
   verderben

verdrießen 180

verdross, verdrösse see
   verdrießen

verdrossen see
   verdrießen

verdünnen 18

verdunsten 187 (*)

verdürbe, verdürben
   see **verderben**

verehren 18

vereinbaren 18

vereinen 18

vereinfachen 18

vereinigen (sich) 18 (10)

vereiteln 190 (*)

verfahren, sich
   43 (*) (10)

verfallen 44 (*)

verfärben, sich 10

verfaulen 18 (s)

verfehlen 18

verfolgen 18

verfügen 18

verführen 18

vergaß, vergäße see
   vergessen

vergeben (+ dat) 56 (*)

vergehen 58 (*)

vergessen 181

vergeuden 187 (*)

vergewaltigen 18

vergiften 187 (*)

vergiss, vergisst see
   vergessen

vergleichen 67

verglichen see
   vergleichen

vergnügen, sich 10

vergrößern 8 (*)

verhaften 187 (*)

verhalten, sich
   73 (*) (10)

verhandeln 190 (*)

verhängen 74 (*)

verheiraten 187 (*)

verhindern 8 (*)

verhungern 8 (*, s)

verhüten 187 (*)

verirren, sich 10

verkaufen 18

verkehren 18

verklagen 18

verkleiden 187 (*)

verkleinern 8 (*)

verkümmern 8 (*, s)

verkünden 187 (*)

verlangen 8

verlängern 8 (*)

verlassen 90 (*)

verlaufen 91 (*)

verlegen 18

verleiden 187 (*)

verleihen 94 (*)

verleiten 187 (*)

verletzen 18

verleumden 187 (*)

verliehen see
   verleihen

verlieren 182

verloben, sich 10

verlor, verlöre see
   verlieren

verloren see **verlieren**

vermachen 18

vermehren (sich) 18 (10)

vermeiden 99 (*)

vermieden see
   vermeiden

vermieten 187 (*)

vermissen 105 (*)

vermitteln 190 (*)

vermuten 187 (*)

vernachlässigen 18

vernehmen 103 (*)
vernommen see
   vernehmen
verneinen 18
vernichten 187 (*)
vernommen see
   vernehmen
veröffentlichen 18
verordnen 176 (*)
verpacken 18
verpassen 105 (*)
verpflegen 18
verpflichten (sich)
   187 (*) (10)
verraten 109 (*)
verreisen 18 (s)
verringern 8 (*)
versagen 18
versammeln 190 (*)
versäumen 18
verschaffen (sich dat)
   18 (204*)
verschärfen 18
verschenken 18
verschieben 127 (*)
verschlafen 129 (*)
verschlechtern (sich)
   8 (10) (*)
verschleißen 183
verschließen 133
verschlimmern (sich)
   8 (*) (10)
verschliss, verschlissen
   see **verschleißen**
verschlossen see
   verschließen
verschmähen 18
verschoben see
   verschieben

verschonen 18
verschreiben 138 (*)
verschrieben see
   verschreiben
verschütten 187 (*)
verschweigen 141 (*)
verschwenden 187 (*)
verschwiegen see
   verschweigen
verschwinden 144 (*)
versehen 147 (*)
versenken 18
versetzen 18
verseuchen 18
versichern 8 (+ dat) (*)
versiegeln 190 (*)
versöhnen 18
versorgen 18
verspäten, sich
   187 (*) (10)
versprechen 157 (*)
versprochen see
   versprechen
verstanden see
   verstehen
verständigen (sich)
   18 (10)
verstärken 18
verstauchen 18
verstecken 18
verstehen 162 (*)
verstopfen 18
verstoßen 167 (*)
versuchen 18
verteidigen 18
verteilen 18
vertrauen (+ dat) 18
vertreiben 173 (*)
vertreten 174 (*)

vertrocknen 176 (*)
verübeln 190 (*)
verunglücken 18 (s)
verursachen 18
verurteilen 18
vervielfältigen 18
verwalten 187 (*)
verwandeln 190 (*)
verwechseln 190 (*)
verwehren 18
verweigern 8 (*)
verweisen 193 (*)
verwelken 18 (s)
verwenden 187 (*)
verwiesen see
   verweisen
verwirklichen 18
verwöhnen 18
verzehren 18
verzeihen (+ dat) 184
verzichten 187 (*)
verzieh, verziehen see
   verzeihen
verzieren 18
verzögern 8 (*)
verzollen 18
verzweifeln 190 (*, s)
vollbracht see
   vollbringen
vollbringen 30 (*)
vollenden 187 (*)
voran+gehen 58
voraus+setzen 80
vorbei+gehen 58
vor+bereiten (sich)
   187 (*) (7*)
vor+beugen 1
vor+enthalten 73 (*)
vor+geben 56

INDEX OF GERMAN VERBS

vorgegangen *see* **vorgehen**

vor+gehen 58

vorgeworfen *see* **vorwerfen**

vorgezogen *see* **vorziehen**

vor+haben 185

vorher+sagen 80

vorher+sehen 147 (7)

vor+kommen 6

vor+legen 1

vor+lesen 95

vor+machen 206

vor+merken 1

vor+rücken 2

vor+sagen 1

vor+schlagen 130

vor+sehen (sich) 147 (7)

vor+stehen (+ *dat*) 162

vor+stellen (sich *dat*) 1 (5)

vor+tragen 171

vorüber+gehen 58

vor+werfen 197

vor+ziehen 205

W

wachen 87

wachsen 186

wächst *see* **wachsen**

wackeln 190

wagen 92

wägen 41

wählen 92

wahr+nehmen 103

wälzen (sich) 71 (3)

wand, wände, wanden *see* **winden**

wandeln 190 (h/s)

wandern 8 (s)

wandte, wandten *see* **wenden**

war, wäre, waren *see* **sein**

warb, warben *see* **werben**

warf, warfen *see* **werfen**

wärmen 92

warnen 92

warten 187

waschen (sich) 188 (7)

wäschst, wäscht *see* **waschen**

waten 187 (s)

weben 189

wechseln 190

wecken 87

wedeln 190

weg+gehen 58

weg+machen 206

weg+nehmen 103

weg+werfen 197

wehen 92

wehren, sich 92 (3)

weh+tun (sich *dat*) 191

weichen 192

weigern, sich 3

weinen 92

weisen 193

weiß, weißt *see* **wissen**

weiter+kommen 84

wenden (sich) 194

werben 195

werden 196

werfen 197

wetteifern 8

wetten 187

wich, wichen *see* **weichen**

wickeln 190

widerlegen 18

widersetzen (+ *dat*), sich 10

widersprechen (+ *dat*) 157 (*)

widerstehen (+ *dat*) 162 (*)

widmen (+ *dat*) 198

wiederholen 18

wieder+sehen 147

wiegen 199

wiehern 8

wies, wiesen *see* **weisen**

will, willst *see* **wollen**

wimmeln 190

winden 200

winken 87

wirb, wirbt *see* **werben**

wirbeln 190

wird *see* **werden**

wirf, wirft *see* **werfen**

wirken 87

wirst *see* **werden**

wischen 27

wissen 201

wisst *see* **wissen**

wittern 8

wob, wöbe, woben *see*
weben

wog, wöge, wogen *see*
wiegen

wohnen 92

wollen 202

worden *see* **werden**

wrang, wränge *see*
wringen

wringen 203

wuchs, wüchse *see*
wachsen

wühlen 92

wundern (sich) 8 (3)

wünschen (sich *dat*)
204

würbe, würben *see*
werben

wurde, würde, wurden
see **werden**

würfe, würfen *see*
werfen

würgen 92

wurzeln 190

würzen 71

wusch, wüsche *see*
waschen

wusste, wüsste, wussten
see **wissen**

wüten 187

Z

zahlen 92

zählen 92

zähmen 92

zaubern 8

zeichnen 176

zeigen 92

zensieren 110

zerbrechen 28 (*)

zerbrochen *see*
zerbrechen

zerdrücken 18

zerlegen 18

zerreißen 112 (*) (h/s)

zerrissen *see* **zerreißen**

zersetzen 18

zerstören 18

zerstreuen 18

ziehen 205

zielen 92

zieren 92

zischen 27

zitieren 110

zittern 8

zog, zöge, zogen *see*
ziehen

zögern 8

zu+bereiten 187 (*)

zu+billigen 1

zu+bringen 30

züchten 187

zucken 87

zu+decken 1

zu+drehen 1

zu+geben 56

zugebracht *see*
zubringen

zugegangen *see*
zugehen

zugegriffen *see*
zugreifen

zu+gehen 58

zügeln 190

zugenommen *see*
zunehmen

zugesandt *see*
zusenden

zugestanden *see*
zugestehen

zu+gestehen 162 (*)

zugewandt *see*
zuwenden

zu gewesen *see* **zu
sein**

zu+greifen 70

zu+hören 1

zu+kommen 84

zu+lassen 90

zu+machen 206

zu+muten 187

zünden 187

zu+nehmen 103

zupfen 87

zurecht+finden 47

zurecht+weisen 193

zu+reden 187

zurück+geben 56

zurück+kehren 2

zurück+kommen 84

zurück+schlagen 130

zurück+schrecken 2

zurück+setzen 1

zurück+stellen 1

zurück+zahlen 1

zurück+ziehen 205

zu+rufen 118

zu+sagen 1

zusammen+arbeiten
187

zusammen+brechen
28 (s)

zusammen+fassen
105

zusammen+nehmen
(sich) 103 (7)
zusammen+setzen 1
zusammen+stoßen
167
zusammen+treffen
172 (s)
zu+schauen 1

zu+sehen (+ *dat*) 147
zu sein 31
zu+senden 149
zu+stellen 1
zu+stimmen (+ *dat*) 1
zu+stoßen 167
zu+trauen 1
zu+treffen 172

zu+wenden (sich)
194 (7)
zwang, zwänge *see*
zwingen
zweifeln 190
zwingen 207
zwitschern 8

ENGLISH-GERMAN INDEX

The following is an index of the most common English verbs and their main translations. Note that the correct translation for the English verb depends entirely on the context in which the verb is used and the user should consult a dictionary if in any doubt.

The verbs given in full in the tables in the main part of this book are used as models for the German verbs given in this index. The number in this index is that of the corresponding verb table.

A verb shown in blue is itself given as a model.

A '+' after prefix indicates that a verb is separable.

(+ *dat*) denotes a verb that takes a dative object.

A second number in brackets refers to a reflexive verb model.

An asterisk in brackets (*) indicates that a verb, contrary to the model verb that it is referred to, does not form its past participle with 'ge-'.

An 's' or 'h' in brackets indicates that a verb, contrary to the model verb that it is referred to, forms its compound tenses using 'sein' or 'haben' respectively.

A

abandon	**verlassen** 90 (*)
abduct	**entführen** 18
able (be)	**können** 85
abolish	**ab+schaffen** 1
absorb	**auf+saugen** 120
abstain	**enthalten, sich** 73 (*) (10)
abuse	**missbrauchen** 27 (*)
accelerate	**beschleunigen** 18
accept	**an+nehmen** 103

access	zu+greifen 70
accompany	begleiten 187 (*)
accomplish	vollbringen 30 (*)
accumulate	an+häufen 1
accuse	beschuldigen 18
accustom	gewöhnen 18
achieve	erreichen 18, erzielen 18
acknowledge	an+erkennen 79 (*)
acquire	erwerben 195 (*)
acquit	frei+sprechen 157
act	handeln 190, spielen 92
adapt	an+passen (+*dat*) 105
add	addieren 110, hinzu+fügen 1
adjust	ein+stellen 1
administer	verwalten 187 (*)
admire	bewundern 8 (*)
admit	herein+lassen 90, zu+geben 56
adopt	adoptieren 110, an+nehmen 103
advance	voran+bringen 30, vor+rücken 2
advertize	werben 195
advise	raten (+*dat*) 109
affect	beeinflussen 18
afraid of (be)	fürchten (sich) 187 (3)
age	altern 8 (s)
aggravate	verschlimmern 8
agitate	hetzen 87
agree	zu+stimmen (+ *dat*) 1
agree on	ab+sprechen 157
aid	helfen (+ *dat*) 78
aim	zielen 92
alarm	beunruhigen 18
align	aus+richten 1
alleviate	lindern 8, mildern 8
allocate	zu+weisen 193
allot	vor+sehen 147
allow	erlauben 18
allowed (be)	dürfen 35
allude	an+spielen 1
alter	ändern (sich) 3, verändern 8 (*)

alternate	ab+wechseln 190
amaze	erstaunen 18
amount to	hinaus+laufen 91
amuse	amüsieren 110, unterhalten 73 (*)
anger	ärgern 8
announce	an+kündigen 1
annoy	ärgern 8
answer	antworten 187, beantworten 18
anticipate	erwarten 187 (*)
apologize	entschuldigen (sich) 18 (10)
appal	entsetzen 18
appeal	appellieren 110
appeal to	gefallen (+*dat*) 44 (*, h)
appear	auf+treten 174, erscheinen 124 (*)
appease	beschwichtigen 18
applaud	klatschen 27
apply	an+wenden 194, auf+tragen 171
apply for	bewerben, sich 195 (*) 10
apply to	zu+treffen 172
appoint	ein+stellen 1
appreciate	schätzen 87
approach	heran+treten 174, nähern, sich 8 (3)
approve (of)	genehmigen 18
argue	streiten (sich) 169 (3)
arise	ergeben, sich 56 (*) (10)
arm	rüsten 187
arouse	erregen 18
arrange	an+ordnen 176, vereinbaren 18
arrest	verhaften 187 (*)
arrive	an+kommen 6
ascertain	fest+stellen 80
ask	bitten 23, fragen 52
aspire	streben 92
assault	an+greifen 70
assemble	montieren 110, versammeln (sich) 190 (*) 10
assert	behaupten 187 (*)
assess	beurteilen 18
assign	beauftragen 18, zu+weisen 193
assist	helfen (+ *dat*) 78

associate	**assoziieren** 110
assume	**übernehmen** 103 (*), **vermuten** 187 (*)
assure	**versichern** (+*dat*) 8 (*)
astonish	**erstaunen** 18
atone	**büßen** 71
attach	**befestigen** 18
attack	**an+greifen** 70
attempt	**versuchen** 18
attend	**besuchen** 18
attract	**an+ziehen** 205
authorize	**ermächtigen** 18
avenge	**rächen (sich)** 87 (3)
avert	**ab+wenden** 194
avoid	**vermeiden** 99 (*)
awake	**erwachen** 18 (s)
award	**verleihen** 94 (*)

B

bake	**backen** 9
ban	**verbieten** 21 (*)
bang	**knallen** 87, schlagen 130
bargain	**handeln** 190
bark	**bellen** 87
base	**basieren** 110
bathe	**baden** 187
be	**sein** 148
bear	**aus+halten** 73, **ertragen** 171 (*)
beat	**prügeln** 190, schlagen 130
become	**werden** 196
beg	**betteln** 190
begin	**an+fangen** 4, **beginnen** 13
begrudge	**missgönnen** 18
behave	**benehmen, sich** 103 (*) (10), **verhalten, sich** 73 (*) (10)
believe	**glauben** (+*dat*) 92
belong to	**gehören** (+ *dat*) 18
bend	**beugen** 92, **biegen** 20
bend down	**bücken, sich** 87 (3)
benefit	**nützen** 87
bet	**wetten** 187

betray	verraten 109 (*)
bind	binden 22
bite	beißen 14
blackmail	erpressen 105 (*)
blame	beschuldigen 18
bleed	bluten 187
blend	mischen 27
bless	segnen 176
blink	blinzeln 190
block	blockieren 110
block up	verstopfen 18
blossom	blühen 92
blow	blasen 24, wehen 92
blow up	sprengen 92
blush	erröten 12
board	ein+steigen 164
boast	prahlen 92
boil	kochen 87
bomb	bombardieren 110
book	bestellen 18, buchen 27
bore	langweilen 92
borrow	borgen (sich *dat*) 92 (204), leihen (sich *dat*) 94 (204)
bother	ärgern 8, stören 92
bounce	springen 159
bow	verbeugen, sich 10
box	boxen 87
brake	bremsen 92
break	brechen 28, kaputt+gehen 58
break into	ein+brechen 28
break off	ab+brechen 28
break out	aus+brechen 28 (s)
break up	auf+brechen 28 (h), zerbrechen 28 (*)
breakfast	frühstücken 87
breathe	atmen 198
breathe in	ein+atmen 198
breathe out	aus+atmen 198
breed	züchten 187
brew	brauen 92
bribe	bestechen 160 (*)

brighten (up)	**auf+hellen (sich) 1 (7)**
bring	**bringen 30**
bring about	**verursachen 18**
bring back	**mit+bringen 30**
bring forward	**vor+verlegen 1 (*)**
bring out	**heraus+bringen 30**
bring up	**erziehen 205 (*)**
broadcast	**senden 149**
broaden	**erweitern 8 (*)**
brood	**brüten 187**
browse	**blättern 8, um+sehen, sich 147 (7)**
brush	**bürsten 187**
build	**bauen 92**
bump into	**begegnen (+ *dat*) 12, treffen 172**
bungle	**verpfuschen 87**
burn	**brennen 29, verbrennen 29 (*)**
burst	**bersten 17**
bury	**begraben 69 (*)**
buy	**kaufen 27**
buzz	**summen 87**

C

calculate	**rechnen 176**
call	**nennen 104, rufen 118**
call back	**zurück+rufen 118**
call off	**ab+sagen 1**
calm (down)	**beruhigen (sich) 18 (10)**
camp	**campen 87**
campaign	**ein+setzen, sich 1 (7)**
cancel	**ab+sagen 1**
capsize	**kentern 8 (s)**
capture	**gefangen nehmen 103**
carry	**tragen 171**
carry away	**weg+tragen 171**
carry out	**aus+führen 1**
carve	**schnitzen 87**
cash	**ein+lösen 1**
catch	**erwischen 18, fangen 45**
cause	**verursachen 18**

cease	auf+hören 1
celebrate	feiern 8
censor	zensieren 110
certify	bescheinigen 18
chair	leiten 187
challenge	heraus+fordern 8
change	ändern (sich) 3, um+steigen 164, um+ziehen (sich) 205 (7), wechseln 190
characterize	charakterisieren 110
charge	an+greifen 70, berechnen 18
chase	jagen 92, verfolgen 18
chat	plaudern 8
chat up	an+machen 206
cheat (on)	betrügen 177 (*)
check	kontrollieren 110, nach+prüfen 1
check in	an+melden, sich 7
cheer	jubeln 190
cheer up	auf+muntern 8
chew	kauen 92
choke	erwürgen 18
choose	aus+wählen 1
chop (up)	hacken 87
christen	taufen 27
circle	kreisen 92
claim	beanspruchen 18, behaupten 187 (*)
clamber	klettern 8 (s)
clap	klatschen 27
clarify	klar+machen 206
classify	klassifizieren 110
clean	putzen 87, sauber machen 206 (31, h)
clear	räumen 92
clear off	verschwinden 144 (*)
clear up	auf+klären 1, auf+räumen 1
click	klicken 87
climb	klettern 8 (s), steigen 164
clip	heften 187
close	schließen (sich) 133 (3), zu+machen 206
clothe	kleiden 187
clutch	fest+halten 73, greifen 70

coach	trainieren 110
coincide	zusammen+fallen 44
collaborate	zusammen+arbeiten 187
collapse	ein+stürzen 170, zusammen+brechen 28 (s)
collect	ab+holen 1, sammeln 190
collide (with)	zusammen+stoßen 167
comb	kämmen 92
combat	bekämpfen 18
combine	verbinden 22 (*), vereinigen 18
come	kommen 84
come across	herüber+kommen 6, stoßen 167
come after	nach+kommen 84
come back	zurück+kommen 84
come down	herunter+kommen 6, fallen 44
come from	her+kommen 6, stammen 87
come in	ein+treten 174, herein+kommen 6
come out	erscheinen 124 (*), heraus+kommen 6
come up	herauf+kommen 6, passieren 110 (s)
comfort	trösten 187
command	führen 92
comment	kommentieren 100
commit	begehen 58 (*), verpflichten (sich) 187 (*) (10)
communicate	mit+teilen 1
compare	vergleichen 67
compel	zwingen 207
compensate	entschädigen 18
compete	kämpfen 87
complain	beschweren, sich 18, klagen 92
complete	vollenden 187 (*)
complicate	komplizieren 110
compose	komponieren 110
compromise	kompromittieren 110
conceal	verstecken 18
conceive	empfangen 45 (*), vor+stellen (sich *dat*) 1 (5)
concentrate	konzentrieren 110
concern	an+gehen 58 (h)
conclude	beenden 187 (*), folgern 8
condemn	verurteilen 18
conduct	benehmen, sich 103 (*), dirigieren 110

confess	beichten 187
confide	an+vertrauen 18
confine	beschränken 18
confirm	bestätigen 18
confront	konfrontieren 110
congratulate	gratulieren (+ *dat*) 110
connect	an+schließen 133, verbinden 22 (*)
conquer	erobern 8 (*)
consent	zu+stimmen (+ *dat*) 1
conserve	schützen 87
consider	erwägen 41, überlegen (sich *dat*) 18 (204*)
consist of	bestehen 162 (*)
console	trösten 187
conspire	verschwören 146
constitute	bilden 187
constrict	ein+schränken 1
construct	bauen 92
consult	nach+schlagen 130
consume	verbrauchen 18
contact	berühren 18, erreichen 18
contain	enthalten 73 (*)
contaminate	verseuchen 18
contemplate	erwägen 41
continue	fort+setzen 80
contradict	widersprechen (+ *dat*) 157 (*)
contrast	gegenüber+stellen (+*dat*) 1
contribute	bei+tragen 171, spenden 187
control	beherrschen 18
convalesce	genesen 61
convert	um+wandeln 190
convey	vermitteln 190 (*)
convince	überzeugen 18
cook	kochen 87
co-operate	zusammen+arbeiten 187
cope	zurecht+kommen 84
copy	ab+schreiben 138, nach+ahmen 1
correct	korrigieren 110
correspond	korrespondieren 110
corrode	zersetzen 18

corrupt	verderben 179
cost	kosten 187
cough	husten 187
count	zählen 92
counterfeit	fälschen 87
cover	bedecken 18
cover up	ein+wickeln 190, vertuschen 18
crack	knacken 87
crackle	knistern 8
cram	stopfen 87
crash	ab+stürzen 170, zusammen+stoßen 167
crawl	kriechen 86
creak	knarren 87
crease	knittern 8
create	schaffen 121
credit	gut+schreiben 138
creep	schleichen 131
criticize	kritisieren 110
croak	krächzen 71
crop up	auf+kommen 84
cross	kreuzen, (sich) 71 (3), überqueren 18
crouch	hocken 87
crumple	zerknittern 18
crush	quetschen 27, zerdrücken 18
cry	weinen 92
curdle	gerinnen 117 (*)
cure	heilen 92
curse	fluchen 87, verfluchen 18
cut	kürzen 71, schneiden 137
cut down	fällen 87
cut off	ab+schneiden 137
cut out	aus+schneiden 137
cut up	hacken 87

D

damage	beschädigen 18, schaden (+ *dat*) 92
dance	tanzen 71 (h/s)
dangle	baumeln 190
dare	trauen, sich 92 (3)

dash	stürzen 170
date	datieren 110
dawn	dämmern 8
dazzle	blenden 187
deal with	befassen, sich 105 (*) (10), erledigen 18
debate	debattieren 110
decay	verfallen 44 (*)
deceive	täuschen 27, trügen 177
decide	beschließen 133 (*), entscheiden 38, entschließen, sich 133 (*) (10)
declare	erklären 18
decline	ab+lehnen 1, verfallen 44 (*)
decorate	schmücken 87
decrease	ab+nehmen 103, verringern 8 (*)
dedicate	widmen (+*dat*) 198
deduct	ab+ziehen 205
defeat	besiegen 18
defend	verteidigen 18
defer	verschieben 127 (*)
define	bestimmen 18, definieren 110
defrost	auf+tauen 1
defy	trotzen 87
degrade	degradieren 110
delay	auf+halten 73, verzögern 8 (*)
delete	streichen 168
deliberate	nach+denken 32
delight	entzücken 18
deliver	liefern 8
demand	verlangen 18
demolish	ab+reißen 112
demonstrate	beweisen 193 (*), zeigen 92
deny	leugnen 12 (h)
depart	ab+reisen 2, weg+gehen 58
depend	ab+hängen 74, verlassen, sich 90 (*) (10)
depress	deprimieren 110
deprive	berauben 18, vor+enthalten 73 (*)
describe	beschreiben 138 (*)
desert	verlassen 90 (*)
deserve	verdienen 18

desire	begehren 18
despair	verzweifeln 190 (*, s)
despise	verachten 187 (*)
destroy	vernichten 187 (*), zerstören 18
detach	ab+nehmen 103
detain	auf+halten 73
detect	entdecken 18
determine	bestimmen 18
detest	verabscheuen 18
devalue	ab+werten 187
develop	entwickeln 190 (*)
deviate	ab+weichen 192
devote	widmen (+*dat*), sich 194 (3)
dial	wählen 92
dictate	diktieren 110
die	sterben 165
differ	unterscheiden, sich 123 (*) (10)
dig	graben 69
digest	verdauen 18
dilute	verdünnen 18
dim	dämpfen 87
dine	speisen 92
dip	tauchen 27 (h)
direct	dirigieren 110
dirty	beschmutzen 18
disappear	verschwinden 144 (*)
disappoint	enttäuschen 18
disapprove of	missbilligen 18
discharge	entlassen 90 (*)
disconnect	ab+stellen 1, heraus+ziehen 205
discourage	entmutigen 18
discover	entdecken 18
discriminate	benachteiligen 18
discuss	besprechen 157, diskutieren 110
disgrace	blamieren 110
disguise	verkleiden 187 (*)
disgust	an+ekeln 190
dismantle	zerlegen 18
dismiss	entlassen 90 (*)

disobey	übertreten 174 (*)
dispel	zerstreuen 18
disperse	zerstreuen 18
display	aus+stellen 1, zeigen 92
displease	verärgern 8 (*)
dispose of	veräußern 8 (*)
dispute	bestreiten 169 (*)
disrupt	stören 92
dissolve	auf+lösen (sich) 1 (7)
dissuade	ab+bringen 30
distinguish	erkennen 79 (*), unterscheiden 123 (*)
distort	verzerren 18
distract	ab+lenken 1
distribute	verteilen 18
disturb	beunruhigen 18, stören 92
dive	tauchen 27 (h/s)
divert	ab+lenken 1, um+leiten 187
divide	teilen 92
do	machen 87, tun 178
dominate	beherrschen 18
double	verdoppeln 190 (*)
doubt	bezweifeln 18, zweifeln 190
download	laden 88
drag	schleppen 87, ziehen 205
drain	ab+gießen 66, erschöpfen 18
draw	zeichnen 176
dread	fürchten 187
dream	träumen 92
dress	an+ziehen (sich) 205 (7), kleiden 187
drift	treiben 173 (s)
drill	bohren 92
drink	trinken 175
drive	fahren 43, treiben 173
drive away	vertreiben 173 (*)
drop	fallen lassen 90 (*)
drop off	ab+setzen 1
drop out	aus+steigen 164
drown	ertrinken 175 (*)
dry	trocknen 176

dwindle	schwinden 144
dye	färben 92

E

earn	verdienen 18
ease	nach+lassen 90
eat	essen 42, fressen 53
eavesdrop	lauschen 27
edit	heraus+geben 56
educate	bilden 187, erziehen 205 (*)
eject	aus+stoßen 167
elect	wählen 92
elicit	entlocken 18
eliminate	beseitigen 18
elude	entgehen (+ *dat*) 58 (*)
embezzle	unterschlagen 130 (*)
embrace	umarmen 18
emerge	heraus+kommen 84
emit	ab+geben 56
emphasize	betonen 18
employ	an+stellen 1, beschäftigen 18
empty	aus+schütten 187, leeren 92
emulate	nach+eifern (+ *dat*) 1
enable	ermöglichen 18
enclose	bei+fügen 1, umgeben 56 (*)
encourage	auf+muntern 8, ermuntern 8 (*), ermutigen 18
end	beenden 187 (*), enden 187
endeavour	bemühen, sich 10
enhance	verbessern 8 (*)
enjoy	genießen 62
enough (be)	reichen 27
ensure	sicher+stellen 80
enter	betreten 187 (*), ein+treten 174
entertain	unterhalten 73 (*)
enthuse	schwärmen 92
entrust	an+vertrauen 18
envy	beneiden 187 (*)
equip	aus+rüsten 187

erase	löschen 27, radieren 110
erect	auf+bauen 1, errichten 187 (*)
escape	entkommen (+ *dat*) 84 (*), fliehen 50
escort	geleiten 187 (*)
establish	fest+stellen 1, gründen 187
estimate	schätzen 87
evade	entkommen (+ *dat*) 84 (*), vermeiden 99 (*)
evaporate	verdunsten 187 (*)
even out	aus+gleichen 67
evoke	hervor+rufen 118
evolve	entwickeln (sich) 190 (*) (10)
exaggerate	übertreiben 173 (*)
examine	prüfen 27, untersuchen 18
exceed	überschreiten 140 (*)
exchange	um+tauschen 1
excite	begeistern 8 (*), erregen 18
exclaim	aus+rufen 118
exclude	aus+schließen 133
excuse	entschuldigen (sich) 18 (10)
exercise	aus+üben 1, bewegen (sich) 19 (10)
exert	an+strengen (sich) 1 (7)
exhaust	erschöpfen 18
exhibit	aus+stellen 1
exist	existieren 110
expand	erweitern 8 (*)
expect	erwarten 187 (*)
expel	verweisen 193 (*)
experience	erfahren 43 (*, h), erleben 92 (*)
expire	ab+laufen 91
explain	erklären 18
explode	explodieren 110 (s)
explore	erforschen 18
export	exportieren 110
expose	auf+decken 1
express	aus+drücken 1
extend	aus+dehnen 1, verlängern 8 (*)
exterminate	vernichten 187 (*)
extinguish	löschen 27
extract	heraus+ziehen 205

F

face	gegenüber+stehen 162 (+*dat*)
fade	schwinden 144
fail	scheitern 8 (s), versagen 1
fake	fälschen 87
fall	fallen 44, stürzen 170
fall asleep	ein+schlafen 129 (s)
fall down	herunter+fallen 44
fall off	ab+fallen 44
fall out	aus+fallen 44
fall over	um+kippen 1 (h/s)
fall through	platzen 36
falter	stocken 87
fascinate	faszinieren 110
fasten	befestigen 18
favour	bevorzugen 18
fear	befürchten 187 (*), fürchten (sich) 187 (3)
feed	füttern 8
feel	fühlen 92, spüren 92
feign	heucheln 190
fence	fechten 46
fetch	holen 92
fight	kämpfen 87
fill	besetzen 18, füllen 87
fill in	aus+füllen 1
fill up	tanken 87
film	drehen 92, filmen 92
find	finden 47
find out	fest+stellen 80
finish	ab+schließen 133, beenden 187 (*)
fire	feuern 8
fish	angeln 190, fischen 87
fit	passen (+ *dat*) 105
fit in	an+passen (sich) 105 (7), dazwischen+schieben 127
fix	fest+machen 206, reparieren 110
flash	blitzen 87
flatter	schmeicheln (+ *dat*) 190
flee	fliehen 50
flicker	flackern 8

fling	schmeißen 135
float	treiben 173
flood	überschwemmen 18
flourish	gedeihen 57
flow	fließen 51, rinnen 117
flower	blühen 92
fluctuate	schwanken 87
flutter	flattern 8
fly	fliegen 49
focus	konzentrieren (sich) 110 (10)
fold	falten 187
follow	folgen (+ *dat*) 36
fool	täuschen 27
forbid	verbieten 21 (*)
force	zwingen 207
forecast	vorher+sagen 80
foresee	vorher+sehen 147
forge	fälschen 87
forget	vergessen 181
forgive	verzeihen 184
form	bilden 187
forward	nach+senden 149
found	gründen 187
frame	rahmen 92
free	befreien 18
freeze	frieren 54
frighten	erschrecken 40 (h)
frustrate	vereiteln 190 (*)
fry	braten 26
fulfil	erfüllen 18
function	funktionieren 110
furnish	möblieren 110

G

gag	knebeln 190
gain	gewinnen 65
gasp	keuchen 27
gather	sammeln 190, versammeln, sich 190 (*) (10)
gaze at	an+starren 1

generate	**erzeugen** 18
germinate	**keimen** 92
get	**bekommen** 15, **kriegen** 92
get back	**zurück+bekommen** 15
get by	**aus+kommen** 6
get in	**ein+steigen** 164
get off	**aus+steigen** 164
get out	**aus+steigen** 164
get up	**auf+stehen** 162 (s)
giggle	**kichern** 8
give	**geben** 56
give out	**aus+geben** 56
give up	**auf+geben** 56
give way	**nach+geben** (+ *dat*) 56, **weichen** 192
glaze	**glasieren** 110
glide	**gleiten** 68
glisten	**glänzen** 71
glow	**glimmen** 39
glue	**kleben** 92
gnaw	**nagen** 92
go	**fahren** 43, **gehen** 58
go away	**weg+gehen** 58
go by	**vergehen** 58 (*), **vorbei+gehen** 58
go down	**hinunter+gehen** 58, **sinken** 151
go in	**hinein+gehen** 58
go on	**an+gehen** 58, **weiter+gehen** 58
go out	**aus+gehen** 58
go round	**drehen, sich** (3)
go through	**durch+machen** 206, **durchsuchen** 18
go up	**auf+steigen** 164
govern	**regieren** 110
grab	**packen** 87, **schnappen** 87
grant	**gewähren** 18
grasp	**begreifen** 70 (*), **ergreifen** 70
grate	**reiben** 111
greet	**begrüßen** 71 (*), **grüßen** 71
grieve	**grämen, sich** 92 (3)
grin	**grinsen** 92
grind	**mahlen** 98

grip	**fest+halten** 73
groan	**stöhnen** 92
grow	**an+bauen** 1, **wachsen** 186
grow up	**auf+wachsen** 186
growl	**knurren** 87
grumble	**schimpfen** 87
grunt	**grunzen** 71
guarantee	**garantieren** 110
guard	**bewachen** 18
guess	**raten** 109
guide	**führen** 92, **lenken** 87

H

haggle	**feilschen** 27
hail	**hageln** 190
hammer	**ein+schlagen** 130, **hämmern** 8
hamper	**behindern** 8 (*)
hand	**geben** 56, **reichen** 27
hand down	**überliefern** 8 (*)
handicap	**behindern** 8 (*)
handle	**an+fassen** 105, **handhaben** 92
hang	**hängen** 74
hang around	**herum+hängen** 74
hang up	**auf+hängen** 74
happen	**geschehen** 64, **passieren** 110 (s)
harm	**schaden** (+ *dat*) 92, **schädigen** 92
harvest	**ernten** 187
hate	**hassen** 105
have	**haben** 72
have to	**müssen** 102
hawk	**hausieren** 110
heal	**heilen** 92
hear	**hören** 92
heat	**erhitzen** 18, **heizen** 71
heighten	**verstärken** 18
help	**helfen** (+ *dat*) 78
help o.s.	**bedienen, sich** 18 (10)
hesitate	**zögern** 8
hide	**verstecken (sich)** 18 (10)

hijack	entführen 18
hinder	behindern 8 (*)
hire (out)	mieten 187, verleihen 94 (*)
hiss	zischen 27
hit	hauen 75, schlagen 130, treffen 172
hitchhike	trampen 92
hoist	hissen 105
hold	haben 72, halten 73
hold back	zurück+halten, sich 73 (7)
hold on	fest+halten 73
hold out	aus+strecken 1, reichen 27
hold up	auf+halten 73, hoch+heben 76
honour	ehren 92, erfüllen 18
hoot	hupen 92
hope	hoffen 87
hover	schweben 92
howl	heulen 92
hug	umarmen 18
hum	summen 87
humiliate	demütigen 92
hunt	jagen 92
hurry	beeilen, sich 10
hurt	verletzen 18, weh+tun (sich *dat*) 191

I

identify	identifizieren 110
ignite	zünden 187
ignore	ignorieren 110
illuminate	beleuchten 187 (*)
illustrate	illustrieren 110
imagine	ein+bilden, sich (*dat*) 187 (5), vor+stellen, sich (*dat*) 5
imitate	nach+ahmen 1
immigrate	ein+wandern 8 (s)
impair	beeinträchtigen 18
imply	an+deuten 187
import	importieren 110
impose	auf+zwingen 207
impress	beeindrucken 18

imprison	**inhaftieren** 110
improve	**verbessern** 8 (*)
incline	**neigen** 92
include	**ein+schließen** 133, **umfassen** 105 (*)
increase	**zu+nehmen** 103
indicate	**an+deuten** 1, **blinken** 87, **zeigen** 92
infect	**infizieren** 110
infer	**folgern** 8, **schließen** 133
influence	**beeinflussen** 18
inform	**benachrichtigen** 18, **informieren** 110
inhabit	**bewohnen** 18
inherit	**erben** 92
injure	**verletzen** 18
inquire	**erkundigen, sich** 10
insert	**ein+führen** 1
insist	**beharren** 18
inspect	**prüfen** 27
inspire	**inspirieren** 110
install	**installieren** 110
instruct	**unterrichten** 187 (*)
insult	**beleidigen** 18
intend	**beabsichtigen** 18, vor+haben 185
interest	**interessieren** 110
interrogate	**verhören** 18
interpret	**interpretieren** 110
interrupt	**stören** 92, **unterbrechen** 28 (*)
intervene	**ein+greifen** 70
introduce	**ein+führen** 1, **vor+stellen** 1
intrude	**stören** 92
invent	**erfinden** 47 (*)
invest	**an+legen** 1
investigate	**erforschen** 18, **untersuchen** 18
invite	**ein+laden** 88
involve	**betreffen** 172 (*), **verwickeln** 190 (*)
iron	**bügeln** 190
irritate	**reizen** 71
isolate	**isolieren** 110
issue	**aus+stellen** 1, **erlassen** 90 (*)
itch	**jucken** 87

J

jam	**klemmen** 92
join	**bei+treten** (+ *dat*) 174, **verbinden** 22 (*)
joke	**scherzen** 71
judge	**beurteilen** 18, **schätzen** 87
jump	**springen** 159
justify	**rechtfertigen** 92

K

keep	**auf+heben** 76, **behalten** 73 (*)
keep from	**ab+halten** 73
keep up	**aufrecht+erhalten** 73 (*), **mit+halten** 73
kick	**treten** 174
kill	**töten** 187, **um+bringen** 30
kiss	**küssen** 87
knead	**kneten** 187
kneel	**knien** 83
knit	**stricken** 87
knock	**klopfen** 87, schlagen 130, stoßen 167
knock down	**ab+reißen** 112, **an+fahren** 43
knock over	**um+werfen** 197
knot	**knüpfen** 87
know	**kennen** 79, **wissen** 201

L

lace	**schnüren** 92
lack	**mangeln** 190
ladle	**schöpfen** 87
land	**landen** 89
last	**dauern** 8, **reichen** 27
laugh	**lachen** 87
laugh at	**aus+lachen** 1
lay	**legen** 92
lay down	**fest+setzen** 1, **hin+legen** 1
lay off	**entlassen** 90 (*)
lead	**führen** 92, **leiten** 187
leak	**lecken** 87
lean	**lehnen** 92, **neigen, sich** 92 (3)
lean over	**neigen (sich)** 92 (3)

leap	springen 159
learn	erfahren 43 (*, h), lernen 92
lease	pachten 187
leave	lassen 90, weg+gehen 58
leave on	an+lassen 90
leave out	aus+lassen 90
lend	leihen 94
lengthen	verlängern 8 (*)
lessen	verringern 8 (*)
let	lassen 90
let go of	los+lassen 90
let in	herein+lassen 90
let out	heraus+lassen 90
let through	durch+lassen 90
let up	nach+lassen 90
lick	lecken 87
lie	liegen 96, lügen 97
lie down	hin+legen, sich 1 (7)
lift	heben 76
lift up	hoch+heben 76
light	an+zünden 187
light up	auf+hellen (sich) 1 (7), erleuchten 187 (*)
lighten	erleichtern 8 (*)
like	gefallen (+ *dat*) 44 (*, h), mögen 101
limit	begrenzen 18
limp	hinken 87
lisp	lispeln 190
listen	hören 92, zu+hören 1
listen in on	ab+hören 1
live	leben 92, wohnen 92
load	laden 88
loan	leihen 94, verleihen 94 (*)
locate	lokalisieren 110
lock	verschließen 133
lock up	ein+sperren 1
long for	sehnen, sich 92 (3)
look	blicken 87, schauen 27, sehen 147
look after	auf+passen 105, pflegen 92
look around	um+sehen, sich 147 (7)

look at	an+sehen 147
look for	suchen 27
lose	verlieren 182
love	lieben 92
lower	herunter+lassen 90, senken 87

M

mail	ein+werfen 197
maintain	aufrecht+erhalten 73 (*), behaupten 187 (*)
make	machen 87
make out	auf+machen 206, verstehen 162 (*)
make up	bilden 187, erfinden 47 (*), schminken (sich) 87 (3), versöhnen, sich 10
make up for	auf+holen 1, ersetzen 18
manage	schaffen 121, verwalten 187 (*)
manufacture	her+stellen 1
mark	korrigieren 110, zerkratzen 18
mark down	herab+setzen 1
marry	heiraten 187
match	passen (+ *dat*) 105
matter	an+gehen 58 (h), aus+machen 206
mature	reifen 27
mean	bedeuten 18, heißen 77, meinen 92
measure	messen 100
meet	begegnen (+ *dat*) 12, kennen+lernen 80, treffen 172
melt	schmelzen 136
mend	reparieren 110
mention	erwähnen 18
mess up	verpfuschen 18
mind	auf+passen 105, kümmern, sich 3
mislay	verlegen 18
miss	vermissen 105 (*), verpassen 105 (*)
mistaken (be)	irren, sich 92 (3)
mistrust	mißstrauen (+ *dat*) 18
misunderstand	missverstehen 162 (*)
mix	mischen 27
mix up	verwechseln 190 (*)
moan	jammern 8
mock	spotten 187

moderate	**mäßigen** 92
moor	**fest+machen** 206
mould	**formen** 92
mount	**besteigen** 164 (*), **wachsen** 186
mourn	**trauern** 8
move	**bewegen (sich)** 19 (10), **rücken** 87, **rühren** 92, **um+ziehen** 205 (s)
move away	**weg+ziehen** 205 (s)
move back	**zurück+stellen** 1, **zurück+ziehen** 205 (s)
move forward	**vor+ziehen** 205
move in	**ein+ziehen** 205 (s)
move into	**beziehen** 205 (*)
move off	**weg+fahren** 43, **weg+gehen** 58
move out	**aus+ziehen** 205 (s)
move up	**auf+steigen** 164
mow	**mähen** 92
multiply	**multiplizieren** 110
murder	**ermorden** 187 (*), **um+bringen** 30
murmur	**murmeln** 190

N

name	**nennen** 104
narrate	**erzählen** 18
need	**bedürfen** 35 (*), **brauchen** 27
neglect	**vernachlässigen** 18
negotiate	**verhandeln** 190 (*)
nibble	**knabbern** 8
nod	**nicken** 87
note	**notieren** 110
notice	**beachten** 18, **bemerken** 18
nourish	**ernähren** 18
numb	**betäuben** 18
number	**nummerieren** 110

O

obey	**gehorchen** (+ *dat*) 18
oblige	**verpflichten** 187 (*), **zwingen** 207
observe	**bemerken** 18, **beobachten** 187 (*)
obstruct	**behindern** 8 (*)

obtain	erhalten 73 (*)
occupy	beschäftigen (sich) 18 (10), besetzen 18
occur	ereignen, sich 198 (*)(10), vor+kommen 6
offend	beleidigen 18
offer	an+bieten 21, bieten 21
open	auf+machen 206, öffnen 198
operate	betätigen 18, funktionie-ren 110, operieren 110
oppose	widersetzen (+*dat*), sich 10
oppress	unterdrücken 18
opt	entscheiden, sich 38 (10)
order	befehlen (+*dat*) 11, bestellen 18
organize	organisieren 110
orientate	orientieren, sich 110 (10)
originate	entstehen 162 (*, s)
outdo	übertreffen 172 (*)
outrage	empören 18
overcome	überwinden 200 (*)
overdraw	überziehen 205 (*)
overflow	über+laufen 91
overlook	übersehen 147 (*)
overpower	überwältigen 18
overrun	überziehen 205 (*)
oversleep	verschlafen 129 (*)
overtake	überholen 18
overthrow	stürzen 170
overturn	um+werfen 197
overwhelm	überwältigen 18
owe	schulden 187
own	besitzen 153 (*)
own up to	zu+geben 56

P

pack	packen 87, verpacken 18
paint	malen 92, streichen 168
pant	keuchen 27
paralyse	lähmen 92
paraphrase	umschreiben 138 (*)
pardon	begnadigen 18, verzeihen (+*dat*) 184
park	parken 87

participate	beteiligen, sich 10, teil+nehmen 103
pass	bestehen 162 (*), vorbei+gehen 58
pass on	weiter+geben 56
pawn	versetzen 18
pay	zahlen 92
pay back	zurück+zahlen 1
pay for	bezahlen 18
pay in	ein+zahlen 1
pay off	ab+bezahlen 1 (*)
peck	picken 87
peel	schälen 92
peep	gucken 87
penetrate	durch+dringen 34
perceive	wahr+nehmen 103
perform	auf+führen 1, vor+tragen 171
perish	um+kommen 84, verderben 179
permit	erlauben 18
persecute	verfolgen 18
persevere	durch+halten 73, weiter+machen 206
persist	an+halten 73
persuade	überreden 187 (*)
pester	belästigen 18
phone	an+rufen 118
photograph	fotografieren 110
pick	aus+suchen 27, wählen 92
pick out	aus+suchen 27
pick up	auf+heben 76
pierce	durch+stechen 160
pile up	an+häufen, sich 7, auf+stapeln 190
pin	an+heften 1
pinch	kneifen 82
pity	bemitleiden 187 (*)
place	legen 92, stellen 87
plan	planen 92, vor+haben 185
play	spielen 92
plead	flehen 92, plädieren 110
please	gefallen (+*dat*) 44 (*, h)
plough	pflügen 92
pluck	rupfen 87, zupfen 87

plug	zu+stopfen 1
plug in	ein+stecken 1
plunder	plündern 8
plunge	stürzen 170
point	richten 187, zeigen 92
point out	hin+weisen 193
poison	vergiften 187 (*)
polish	polieren 110
pollute	verschmutzen 18
ponder	sinnen 152
portray	dar+stellen 1
possess	besitzen 153 (*)
post	ein+werfen 197, schicken 87
postpone	verschieben 127 (*)
pour	gießen 66
practise	üben 92
praise	loben 92, preisen 107
pray	beten 187
precede	voraus+gehen (+ *dat*) 58
predict	vorher+sagen 80
predominate	überwiegen 199 (*)
prefer	bevorzugen 18, vor+ziehen 205
preoccupy	beschäftigen 18
prepare	vor+bereiten (sich) 187 (*) (7)
prescribe	verschreiben 138 (*)
present	bieten 21, vor+legen 1
preserve	erhalten 73 (*), konservieren 110
press	drücken 87, pressen 105
presume	an+nehmen 103
pretend	vor+geben 56
prevail	durch+setzen, sich 7
prevent	verhindern 8 (*)
prick	stechen 160
print	drucken 87
proceed	vor+gehen 58, weiter+gehen 58
process	verarbeiten 187 (*)
produce	erzeugen 18, produzieren 110
progress	voran+gehen 58
prohibit	verbieten 21 (*)

prolong	verlängern 8 (*)
promise	versprechen 157 (*)
promote	befördern 8 (*), fördern 8
pronounce	aus+sprechen 157
propose	stellen 87, vor+schlagen 130
protect	schützen 87
protest	protestieren 110
protrude	hervor+stehen 162
prove	beweisen 193 (*)
provide	bereit+stellen 1, versorgen 18
provoke	reizen 71
prowl	herum+streichen 168 (s)
publish	veröffentlichen 18
pull	ziehen 205
pull down	ab+reißen 112
pull in	ein+ziehen 205
pull out	aus+ziehen 205
pull up	hoch+ziehen 205
pump	pumpen 92
punish	bestrafen 18
purchase	kaufen 92
pursue	nach+gehen (+ *dat*) 58, verfolgen 18
push	drängen 92, schieben 127, stoßen 167
push back	zurück+schieben 127, zurück+stoßen 167
put	legen 92, setzen 87, stecken 161, stellen 87
put away	weg+räumen 1
put back	zurück+stellen 1
put down	hin+setzen 1, hin+stellen 1
put forward	vor+schlagen 130, vor+verlegen 1 (*)
put in	ein+reichen 1
put off	ab+bringen 30, verschieben 127 (*)
put on	an+schalten 187, an+ziehen 205
put out	aus+löschen 1, aus+machen 206, hinaus+bringen 30
put up	auf+stellen 1, errichten 187 (*)

Q

qualify	berechtigen 18, qualifizieren (sich) 110 (3) (*)
quarrel	streiten (sich) 169 (3)
quench	stillen 87

question	befragen 52 (*), bezweifeln 190 (*)
quote	zitieren 110

R

race	rennen 114
rage	toben 92, wüten 187
rain	regnen 176
raise	auf+ziehen 205, erheben 76 (*)
rape	vergewaltigen 18
rattle	klirren 92
reach	erreichen 18, greifen 70
react	reagieren 110
read	lesen 95
read out	vor+lesen 95
read through	durch+lesen 95
realize	begreifen 70 (*), verwirklichen 18
rear	auf+ziehen 205
reassure	beruhigen 18
rebuke	tadeln 190
recall	erinnern, sich 3 (*), zurück+rufen 118
receive	bekommen 15, empfangen 45 (*), erhalten 73 (*)
recharge	auf+laden 88
recite	vor+tragen 171
reclaim	ab+holen 1
recognize	erkennen 79 (*)
recommend	empfehlen (+*dat*) 37
reconcile	versöhnen 18
record	auf+nehmen 103, auf+zeichnen 176
recover	erholen, sich 10, genesen 61, zurück+bekommen 15
reduce	reduzieren 110
refer	beziehen, sich 205 (10) (*), verweisen 193 (*)
refill	nach+füllen 1
reflect	nach+denken 32, spie-geln 190
reform	reformieren 110
refrain	unterlassen 90 (*)
refresh	erfrischen 18
refuse	verweigern 8 (*), weigern, sich 3
refute	widerlegen 18
register	an+melden (sich) 7

regret	bedauern 8 (*)
regulate	regeln 190
rehearse	proben 92
reign	herrschen 27
reinforce	bestärken 18
reject	ab+lehnen 1, verneinen 18
rejoice	jubeln 190
relax	entspannen (sich) 18 (10)
release	frei+lassen 90, los+lassen 90
relieve	erleichtern 8 (*), lindern 8
rely	verlassen, sich 90 (*) (10)
remain	bleiben 25
remark	bemerken 18
remember	erinnern, sich 3 (*)
remind	erinnern 8
remove	beseitigen 18, entnehmen 103
renew	erneuern 8 (*), verlängern 8 (*)
rent	mieten 187, vermieten 187 (*)
repair	reparieren 110
repay	zurück+zahlen 1
repeat	wiederholen 18
repel	ab+stoßen 167, ab+weh-ren 1
replace	ersetzen 18
reply	antworten 187
report	berichten 187 (*), melden 187
represent	vertreten 174 (*)
repress	unterdrücken 18
reprimand	tadeln 190
reproach	vor+werfen 197
request	bitten 23
require	erfordern 8 (*)
rescue	bergen 16, retten 187
research	erforschen 18
resemble	gleichen (+*dat*) 67
resent	übel nehmen 103 (31)
reserve	reservieren 110
resign	zurück+treten 174
resist	widerstehen (+ *dat*) 162 (*)
resolve	entschließen (sich) 133 (*) (10), lösen 92

resound	schallen 122
respect	achten 187, an+erkennen 79 (*)
respond	antworten 187
rest	aus+ruhen (sich) 1 (7)
restore	restaurieren 110, zurück+geben 56
restrain	zügeln 190, zurück+halten 73
restrict	beschränken 18
result	ergeben, sich 56 (*) (10)
result in	führen 92
retain	behalten 73 (*)
retaliate	zurück+schlagen 130
retract	ein+ziehen 205, zurück+nehmen 103
retreat	zurück+ziehen, sich 205 (7)
retrieve	zurück+bekommen 15
return	zurück+geben 56, zurück+kommen 6
reveal	auf+decken 1, enthüllen 18
reverse	um+kehren 1 (h/s), zurück+setzen 1
review	überprüfen 27 (*)
revise	revidieren 110
reward	belohnen 18
rewrite	um+schreiben 138
rhyme	reimen (sich) 92 (3)
ride	reiten 113
ridicule	verlachen 87 (*)
ring	klingeln 190
rinse	spülen 92
rip	reißen 112
ripen	reifen 27
rise	auf+gehen 58, steigen 164
risk	riskieren 110
roam	wandern 8 (s)
roar	brüllen 87
roast	braten 26, rösten 187
rob	rauben 92
roll	rollen 87
rot	verfaulen 18 (s)
rotate	drehen (sich) 92 (3)
rouse	wecken 87
row	rudern 8

rub	reiben 111
ruin	verderben 179
rule	**beherrschen 18**, regieren 110
rule out	**aus+schließen 133**
rumble	**knurren 87**
rummage	**stöbern 8**, wühlen 92
run	**führen 92**, laufen 91, rennen 114
run away	**davon+laufen 91**
run out	**ab+laufen 91**, aus+gehen 58
run over	**überfahren 43 (*, h)**
rush	beeilen, sich 10, eilen 36
rust	**rosten 187**
rustle	**rascheln 190**

S

sack	**entlassen 90 (*)**
sacrifice	**opfern 8**
sail	**segeln 190 (h/s)**
salt	**salzen 98**
salute	**grüßen 71**
salvage	**bergen 16**
satisfy	**befriedigen 18**, sättigen 92
save	**retten 187**, sparen 92
saw	**sägen 92**
say	**sagen 92**
scare	**erschrecken 40**
scatter	**zerstreuen 18**
schedule	**planen 92**
scold	schelten 125
score	**erzielen 18**
scorn	**verschmähen 18**
scrape	**schaben 92**
scratch	**kratzen 87**
scream	**schreien 139**
screech	**kreischen 27**
screw	**schrauben 92**
scrub	**schrubben 87**
seal	**versiegeln 190 (*)**
seal off	**ab+riegeln 190**

search	durchsuchen 18
search for	suchen 27
season	würzen 71
seat	setzen 87
secure	fest+machen 206, sichern 8
seduce	verführen 18
see	sehen 147
seek	suchen 27
seem	scheinen 124
seize	ergreifen 70, greifen 70, packen 87
select	aus+wählen 1
sell	verkaufen 18
send	schicken 87, senden 149
send off	ab+senden 149
sense	spüren 92
sentence	verurteilen 18
separate	trennen (sich) 87 (3)
serve	bedienen 18, dienen (+ *dat*) 92
set	setzen 87, stellen 87
set alight	an+stecken 1
set off	los+gehen 58
set up	gründen 187
settle	beruhigen 18, besiedeln 190 (*), entscheiden 38
settle up	ab+rechnen 176
sew	nähen 92
shake	schütteln 190, zittern 8
shape	formen 92
share	teilen 92
sharpen	schärfen 27
shatter	zerbrechen 28 (*), zerschlagen 130 (*)
shave	rasieren (sich) 110 (10)
shelter	schützen 87
shift	rutschen 27, verschieben 127 (*)
shimmer	schimmern 8
shine	scheinen 124
shiver	zittern 8
shock	shockieren 110
shoot	schießen 128
shop	ein+kaufen 1

shorten	kürzen 71
shout	schreien 139
show	weisen 193, zeigen 92
shower	duschen 87
shrink	schrumpfen 87
shut	schließen 133, zu+machen 206
sigh	seufzen 71
sign	unterschreiben 138 (*)
sin	sündigen 92
sing	singen 150
sink	sinken 151
sip	nippen 87
sit	sitzen 153
situate	hin+stellen 1, legen 92
skid	schleudern 8
skip	hüpfen 87, überspringen 159 (*)
slam	zu+knallen 1
slander	verleumden 187 (*)
slap	schlagen 130
slaughter	schlachten 187
sleep	schlafen 129
slide	rutschen 27
slip	rutschen 27
smash	zerbrechen 28 (*)
smash in	ein+schlagen 130
smell	riechen 115
smile	lächeln 190
smoke	rauchen 27
smooth	glätten 187
smuggle	schmuggeln 190
snap	schnappen 87, zerbrechen 28 (*)
snatch	schnappen 87
sneeze	niesen 92
snore	schnarchen 27
snow	schneien 92
soak	ein+weichen 1
sob	schluchzen 71
soften	dämpfen 87, mildern 8
solve	auf+klären 1, lösen 92

soothe	**beruhigen** 18
sort	**sortieren** 110
sort out	**ordnen** 176
sound	**ertönen** 18, klingen 81
spare	**verschonen** 18
sparkle	**funkeln** 190
speak	**reden** 187, sprechen 157
specialize	**spezialisieren** 110
specify	**spezifizieren** 110
speed up	**beschleunigen** 18
spell	**buchstabieren** 110
spend	**aus+geben** 56, verbringen 30 (*)
spill	**verschütten** 187 (*)
spin	**schleudern** 8, spinnen 156
spit	**spucken** 87
splash	**spritzen** 87
split	**spalten** 187
split up	**auf+teilen** 1, trennen, sich 87 (3)
spoil	**verderben** 179, verwöhnen 18
spray	**sprühen** 92
spread	**aus+breiten (sich)** 187 (7), streichen 168
spread out	**aus+dehnen (sich)** 1 (7), verteilen (sich) 18 (10)
sprinkle	**streuen** 27
sprout	**sprießen** 158
spy	**spionieren** 110
squash	**zerdrücken** 18
squat	**hocken** 87
squeak	**quietschen** 27
squeeze	**drücken** 87
stab (to death)	**erstechen** 160 (*)
stack	**stapeln** 190
stagger	**taumeln** 190 (s)
stamp	**stampfen** 87, stempeln 190
stamp out	**aus+treten** 174 (h)
stand	**aus+halten** 73, stehen 162
stand out	**ab+heben, sich** 76 (7), hervor+stechen 160
stare at	**an+starren** 1
start	**an+fangen** 4, beginnen 13, starten 187

startle	erschrecken 40
starve	hungern 8
state	erklären 18
stay	bleiben 25
steal	rauben 92, stehlen 163
steer	lenken 87, steuern 8
stem from	her+rühren 1
step	treten 174
stick	kleben 92
stick on	auf+kleben 1
stifle	ersticken 18 (h/s), unterdrücken 18
stimulate	an+regen 1, erregen 18
sting	stechen 160
stink	stinken 166
stir	um+rühren 1
stop	an+halten 73, auf+hören 1, halten 73
store	auf+bewahren 18, lagern 8
strain	an+strengen (sich) 1 (7), belasten 187 (*)
strangle	erwürgen 18
stream	strömen 36
strengthen	kräftigen 92, verstärken 18
stretch	dehnen (sich) 92 (3), strecken (sich) 87 (3)
stretch out	aus+strecken (sich) 1 (7)
stress	betonen 18
stride	schreiten 140
strike	schlagen 130, streiken 27
stroke	streicheln 190
stroll	schlendern 8 (s)
struggle	kämpfen 87
study	studieren 110
stuff	füllen 87, stopfen 87
stumble	stolpern 8 (s)
stutter	stottern 8
subject	unterwerfen 197 (*)
submit	vor+legen 1
subscribe	abonnieren 110
subside	senken, sich 87
subtract	subtrahieren 110

succeed	gelingen 59
succumb	**unterliegen 96 (s)**
suck	saugen 120
sue	**verklagen 18**
suffer	leiden 93
suffice	**genügen (+ *dat*) 18**
suffocate	**ersticken 18 (h/s)**
suggest	**vor+schlagen 130**
suit	**passen (+ *dat*) 105**
summarize	**zusammen+fassen 105**
summon	**herbei+rufen 118**
supply	**versorgen 18**
support	**unterstützen 18**
suppose	**an+nehmen 103**
supposed (be)	sollen 154
suppress	**unterdrücken 18**
surpass	**übertreffen 172 (*)**
surprise	**überraschen 18**
surrender	**ergeben, sich (+*dat*) 56 (*) (10), nach+geben (+ *dat*) 56**
surround	**umgeben 56 (*)**
survive	**überleben 18**
suspect	**verdächtigen 18**
suspend	**auf+hängen 74, suspendieren 110**
sustain	**aufrecht+erhalten 73 (*)**
swallow	schlucken 87
swap	tauschen 27
swarm	**schwärmen 92**
sway	schwanken 87
swear	**fluchen 87, schwören 146**
sweat	schwitzen 87
sweep	**fegen 92, kehren 92**
swell	schwellen 142
swim	schwimmen 143
swing	schwingen 145
swirl	**wirbeln 190**
switch	wechseln 190
switch off	**aus+schalten 187**
switch on	**an+schalten 187**

T

take	bringen 30, nehmen 103
take apart	auseinander+nehmen 103
take away	weg+nehmen 103
take back	zurück+bringen 30, zurück+nehmen 130
take down	ab+nehmen 103, auf+schreiben 138
take in	auf+nehmen 103, ein+schließen 133, herein+bringen 30
take off	ab+nehmen 103, aus+ziehen 205
take on	an+nehmen 103, ein+stellen 1
take out	heraus+nehmen 103
take over	übernehmen 103 (*)
take place	statt+finden 47
take up	auf+nehmen 103
talk	reden 187, sprechen 157
tame	zähmen 92
taste	schmecken 87
teach	bei+bringen 30, unterrichten 187 (*)
tear	reißen 112, zerreißen 112 (*) (h/s)
tear down	ab+reißen 112
tear off	ab+reißen 112
tear out	aus+reißen 112
tear up	zerreißen 112 (*) (h)
tease	necken 87
telephone	an+rufen 118, telefonieren 110
tell	erzählen 18, mit+teilen 1
tell off	aus+schimpfen 1
tempt	verführen 18
tend	hegen 92, neigen 92
tense	an+spannen 1, spannen, sich 3
terminate	enden 187, kündigen 92
test	prüfen 27
thank	bedanken, sich 18 (10), danken (+ *dat*) 87
think	denken 32, glauben 92, meinen 92
threaten	drohen (+ *dat*) 92
throw	werfen 197
throw away	weg+werfen 197
throw out	weg+werfen 197
thunder	donnern 8

tick	ticken 87
tickle	kitzeln 190
tidy up	auf+räumen 1
tie	binden 22, schlingen 134
tie up	fesseln 190, fest+binden 22
tighten	spannen 87
tip	kippen 87, schütten 187
tire	ermüden 187 (*)
tolerate	dulden 187, ertragen 171 (*)
torment	plagen 92
torture	foltern 8, quälen 92
touch	an+fassen 105, berühren (sich) 18 (10)
toughen up	ab+härten (sich) 187 (7)
tow away	ab+schleppen 1
track down	auf+spüren 1
trade	handeln 190
train	aus+bilden 187, trainieren 110
transfer	übertragen 171 (*), versetzen 18
transform	verwandeln 190 (*)
translate	übersetzen 18
transmit	übermitteln 190 (*)
transport	befördern 8 (*), transportieren 110
trap	fangen 45
travel	reisen 2
tread	treten 174
treat	behandeln 190 (*), ein+laden 88
tremble	beben 92, zittern 8
trim	nach+schneiden 137
trip	stolpern 8 (s)
trust	trauen (+ *dat*) 92, vertrauen (+ *dat*) 18
try	probieren 110, versuchen 18
try on	an+probieren 110
try out	aus+probieren 110
turn	drehen (sich) 92 (3), wenden (sich) 194 (3)
turn away	ab+weisen 193, ab+wenden (sich) 194 (7)
turn down	ab+lehnen 1, herunter+drehen 1
turn off	ab+biegen 20, ab+schalten 187, aus+machen 206
turn on	an+machen 206

turn out	geraten 63
turn round	um+drehen (sich) 1 (7)
turn up	auf+drehen 1, auf+tauchen 27 (s)
twist	drehen 92
type	tippen 87

U

undergo	unterziehen, sich (+ *dat*) 205 (*) (10)
underline	unterstreichen 168 (*)
understand	begreifen 70 (*), verstehen 162 (*)
undertake	übernehmen 103 (*)
undo	auf+machen 206
undress	aus+ziehen (sich) 205 (7)
unite	vereinigen 18
unload	entladen 88
unlock	auf+schließen 133
unpack	aus+packen 1
unplug	heraus+ziehen 205
unscrew	ab+schrauben 1
untie	auf+binden 22, lösen 92
unwind	ab+wickeln 190
unwrap	aus+packen 1
upset	auf+regen 1, um+werfen 197
urge	drängen 92, treiben 173
use	benutzen 18, gebrauchen 18, verwenden 187 (*)
utter	äußern 8

V

vacate	räumen 92
vaccinate	impfen 87
value	schätzen 87
vanish	verschwinden 144 (*)
vary	unterscheiden, sich 123 (*) (10), verändern 8 (*)
view	besichtigen 18
violate	stören 92, vergewaltigen 18
visit	besuchen 18
vomit	übergeben, sich 56 (*) (10)
vote	wählen 92
vow	schwören 146

W

wade	**waten** 187 (s)
wail	**schreien** 139
wait	**warten** 187
wake (up)	**auf+wachen** 2, **auf+wecken** 1
walk	**gehen** 58, **laufen** 91
wander	**wandern** 8 (s)
want	**wollen** 202
warm	**wärmen** 92
warm up	**auf+wärmen (sich)** 1 (7)
warn	**warnen** 92
wash	**waschen** 188
wash up	**ab+waschen** 188
waste	**verschwenden** 187 (*)
watch	**beobachten** 187 (*), **zu+schauen** 1
watch out	**auf+passen** 105
water	**gießen** 66, **sprengen** 92
wave	**winken** 87
wear	**tragen** 171
wear down	**ab+nutzen** 1
wear out	**verschleißen** 183
weep	**weinen** 92
weigh	**wiegen** 199
welcome	**begrüßen** 71 (*)
wheeze	**keuchen** 27
whirl	**wirbeln** 190
whisper	**flüstern** 8
whistle	**pfeifen** 106
wilt	**verwelken** 18 (s)
win	**gewinnen** 65, **siegen** 92
wind	**wickeln** 190, **winden** 200
wipe	**wischen** 27
wish	**wünschen (sich** *dat*) 204
withdraw	**entziehen** 205 (*), **zurück+ziehen (sich)** 205 (7)
wither	**vertrocknen** 176 (*)
withhold	**vor+enthalten** 73 (*)
withstand	**stand+halten (+** *dat*) 73
wobble	**wackeln** 190
work	**arbeiten** 187, **funktionieren** 110, **klappen** 87

work out	**aus+rechnen 176, trainieren 110**
worry	**beunruhigen 18, kümmern, sich 3, sorgen, sich 3**
worsen	**verschlechtern (sich) 8 (3) (*)**
worship	**an+beten 187, verehren 18**
worth (be)	**lohnen (sich) 92 (3)**
wound	**verletzen 18**
wrap	**ein+wickeln 190**
wrestle	ringen 116
wring	wringen 203
wrinkle	**runzeln 190**
write	schreiben 138

X

X-ray	**röntgen 92**

Y

yawn	**gähnen 92**
yell	schreien 139